rororo

Simon Beckett arbeitete als Hausmeister, Lehrer und Schlagzeuger, bevor er sich ganz dem Schreiben widmete. Als Journalist hatte er Einblick in die Polizeiarbeit, ein Wissen, das er in seinen Romanen verarbeitete. Der Autor ist verheiratet und lebt in Sheffield.

Simon Becketts Thriller um den forensischen Anthropologen Dr. David Hunter «Die Chemie des Todes» (rororo 24197) sowie «Kalte Asche» (rororo 24195) standen monatelang auf Platz 1 der Taschenbuch-Bestsellerliste.

Im Rowohlt Taschenbuch Verlag erschienen außerdem die Thriller «Obsession» (rororo 24886), «Flammenbrut» (rororo 24916), «Voyeur» (rororo 24917) und «Tiere» (rororo 24915); sie nahmen die Bestsellerlisten ebenfalls im Sturm.

«‹Die Chemie des Todes› ist auf jeden Fall der beste Thriller, den ich in diesem Jahr gelesen habe. Ich konnte ihn nicht mehr aus der Hand legen.» (Tess Gerritsen)

«Ein ungemein spannender Roman für heiße Sommertage, wenn rundum Fliegen surren und ein leichter Modergeruch in der Luft liegt.» (Deutschlandradio)

«Ein Schocker, der sich liest wie ein von Tarantino komponierter Pathologiethriller.» (WDR)

«Ich fand ‹Die Chemie des Todes› einfach überwältigend gut – und so wunderbar unheimlich …» (Mo Hayder)

SIMON BECKETT

DIE CHEMIE DES TODES

THRILLER

Deutsch von Andree Hesse

Rowohlt Taschenbuch Verlag

Die Originalausgabe erschien unter dem Titel
«The Chemistry of Death» im Februar 2006
bei Bantam, London.

38. Auflage Januar 2012

Veröffentlicht im Rowohlt
Taschenbuch Verlag, Reinbek
bei Hamburg, August 2007

Umschlaggestaltung any.way, Wiebke Jakobs
nach einem Entwurf von PEPPERZAK BRAND
Druck und Bindung CPI – Clausen & Bosse, Leck
Printed in Germany
ISBN 978 3 499 24197 0

FÜR HILARY

KAPITEL 1

EIN MENSCHLICHER KÖRPER beginnt fünf Minuten nach dem Tod zu verwesen. Der Körper, einst die Hülle des Lebens, macht nun die letzte Metamorphose durch. Er beginnt sich selbst zu verdauen. Die Zellen lösen sich von innen nach außen auf. Das Gewebe wird erst flüssig, dann gasförmig.

Kaum ist das Leben aus dem Körper gewichen, wird er zu einem gigantischen Festschmaus für andere Organismen. Zuerst für Bakterien, dann für Insekten. Fliegen. Aus den gelegten Eiern schlüpfen Larven, die sich an der nahrreichen Substanz laben und dann abwandern. Sie verlassen die Leiche in Reih und Glied und folgen einander in einer ordentlichen Linie, die sich immer nach Süden bewegt. Manchmal nach Südosten oder Südwesten, aber niemals nach Norden. Niemand weiß, warum.

Mittlerweile sind die Proteine der Muskeln zerfallen und haben einen für die Vegetation tödlichen Chemiecocktail produziert. Durch die Larven, die über das Gras krabbeln, entsteht so eine Nabelschnur des Todes, die sich zu ihrem Ausgangspunkt zurückspannt. Unter den entsprechenden Bedingungen – warm und trocken beispielsweise, ohne Regen – kann sie meterlang werden, eine dicke, braune Schlangenlinie, die vor fetten gelben Larven zu pulsieren scheint. Ein sonderbarer Anblick, der jeden Neugierigen dazu veranlassen würde, dieses Phänomen zurück zu seinem Ursprung zu verfolgen. Und so entdeckten die Yates-Brüder, was von Sally Palmer übrig geblieben war.

Neil und Sam stießen am Rande von Farnley Wood auf die Madenspur, dort, wo der Wald an den Sumpf grenzt. Es war die zweite Juliwoche, und schon jetzt hatte man den Eindruck, der unnatürliche Sommer dauerte eine Ewigkeit. Die scheinbar pausenlose Hitze hatte die Bäume ausgeblichen und den Boden ausgetrocknet und knochenhart gemacht. Die Jungs waren auf dem Weg zum Willow Hole, einem mit Schilf umgebenen Teich, der in der Gegend als Schwimmbad benutzt wurde. Dort wollten sie sich mit Freunden treffen und den ganzen Sonntagnachmittag von einem überhängenden Baum in das lauwarme, grüne Wasser springen. Das hatten sie jedenfalls vorgehabt.

Ich sehe sie vor mir, gelangweilt und lustlos, erschlagen von der Hitze und ungeduldig miteinander. Neil, mit elf drei Jahre älter als sein Bruder, geht wohl etwas voraus, um Sam seine Ungeduld zu demonstrieren. Er hat einen Stock in der Hand, mit dem er auf die Büsche und Äste eindrischt, an denen er vorbeikommt. Sam trottet hinter ihm her und schnieft ab und zu. Nicht aufgrund einer Sommererkältung, sondern wegen des Heuschnupfens, durch den er auch die roten Augen hat. Ein leichtes Antihistamin würde ihm helfen, doch zu diesem Zeitpunkt weiß er das noch nicht. Er schnieft in jedem Sommer. Ganz der Schatten seines Bruders, geht er mit gesenktem Kopf, weshalb ihm und nicht Neil die Madenspur auffällt.

Er bleibt stehen und untersucht sie, ehe er seinen Bruder zurückruft. Neil ist genervt, doch Sam hat offensichtlich etwas entdeckt. Er versucht, sich unbeeindruckt zu geben, aber die wuselige Linie aus Maden fasziniert ihn genauso wie seinen Bruder. Die beiden beugen sich über die Larven, streichen dunkles Haar aus ihren ähnlichen Gesichtern und rümpfen die Nase bei dem Ammoniakgeruch. Und obwohl sich später beide nicht mehr erinnern konnten, wer die Idee hatte, nachzuschauen, woher die Tiere kamen, stelle ich mir vor, dass es Neil war. Da er die Madenspur übersehen hatte, wird er darauf erpicht gewesen sein, seine Vormachtstellung wieder einzunehmen. Also macht sich Neil als Erster auf und geht in Richtung der gelben Sumpfgrasbüschel, von woher die Larven strömen, und überlässt es Sam, ihm zu folgen.

Ob sie den Gestank wahrnahmen, als sie näher kamen? Wahrscheinlich. Er war bestimmt streng genug, um selbst in Sams verstopfte Nase zu dringen. Und wahrscheinlich wussten sie, was es war. Da die beiden keine Stadtjungs sind, wird ihnen der Kreislauf von Leben und Tod bekannt gewesen sein. Außerdem werden die Fliegen sie stutzig gemacht haben, das monotone Summen, das die Hitze erfüllte. Doch die Leiche, die sie entdeckten, war weder ein Schaf noch ein Reh und auch kein Hund, wie sie vielleicht erwartet hatten.

Sally Palmer war nackt und auch im hellen Sonnenlicht nicht mehr zu erkennen. Ihr Körper war durch und durch von Ungeziefer befallen, das unter ihrer Haut brodelte und aus Mund und Nase und anderen, unnatürlicheren Körperöffnungen hervorquoll. Die Larven, die aus ihr hervorströmten, sammelten sich am Boden, ehe sie in dieser Linie davonkrabbelten, die sich nun vor den Yates-Brüdern erstreckte.

Es spielt vermutlich kaum eine Rolle, wer zuerst davonrannte, doch ich glaube, dass es Neil war. Sam musste sich wohl wie immer nach dem großen Bruder richten und versuchen, bei dem Wettlauf nicht abgehängt zu werden, der sie zuerst nach Hause führte und dann auf das Polizeirevier.

Und schließlich zu mir.

Neben einem leichten Beruhigungsmittel gab ich Sam auch ein Antihistamin gegen seinen Heuschnupfen. Aber da war er nicht mehr der Einzige mit roten Augen. Auch Neil hatte die Entdeckung durcheinander gebracht, obwohl er schon versuchte, sich jugendlich abgeklärt zu geben. Deshalb war es auch vor allem er, der mir erzählte, was geschehen war, wobei er die krude Erinnerung bereits zu einer erträglicheren, wiedererzählbaren Geschichte umformte. Und später, nachdem die tragischen Ereignisse dieses unnatürlich heißen Sommers die Runde gemacht hatten, Jahre später sollte Neil noch immer seine Geschichte erzählen, denn er war für immer derjenige geworden, mit dessen Entdeckung alles begonnen hatte.

Aber das stimmte nicht. Es war nur so, dass wir bis dahin nicht erkannt hatten, was mitten unter uns lebte.

KAPITEL 2

ICH KAM DREI JAHRE zuvor am späten Nachmittag eines nasskalten Märztages nach Manham. Ich stieg am Bahnhof aus – kaum mehr als ein schmaler Bahnsteig mitten im Nirgendwo – und fand eine regengepeitschte Landschaft vor, die genauso menschenleer wie konturenlos erschien. Ich stand mit meinem Koffer da, betrachtete die Umgebung und nahm den Regen kaum wahr, der mir von hinten in den Kragen tropfte. Flaches Marschland und Zäune breiteten sich um mich herum aus, eine triste Ebene, die bis zum Horizont nur durch ein paar kahle Wäldchen durchbrochen wurde.

Ich war zum ersten Mal in den Broads, zum ersten Mal in Norfolk. Die Gegend kam mir aufregend unvertraut vor. Ich betrachtete die grenzenlose Leere, atmete die feuchte, kalte Luft ein und spürte, wie sich etwas, wenn auch nur minimal, in mir entspannte. So wenig einladend es hier auch zu sein schien, es war nicht London, und das genügte mir.

Niemand holte mich ab. Ich hatte mich nicht um einen Transport vom Bahnhof gekümmert. So weit im Voraus hatte ich nicht geplant. Ich hatte wie alles andere auch mein Auto verkauft und keinen Gedanken daran verschwendet, wie ich in das Dorf gelangen sollte. Damals war ich noch nicht ganz bei mir gewesen. Falls ich überhaupt darüber nachgedacht hatte, dann mit der Arroganz eines Städters, und hatte wohl angenommen, es müsste Taxis, einen Laden oder irgendetwas geben. Doch es gab keinen Taxistand und nicht einmal eine Telefonzelle. Kurz bereute ich, mein Handy weggegeben zu haben, nahm dann meinen Koffer und ging zur Straße. Als ich sie erreichte, gab es nur zwei Möglichkeiten: links oder rechts. Ohne zu zögern schlug ich den linken Weg ein. Warum, weiß ich nicht. Nach ein paar hundert Metern kam ich an eine Kreuzung mit einem ausgeblichenen Wegweiser aus Holz. Er neigte sich zur Seite, sodass er in die feuchte Erde zu irgendeinem Punkt im Untergrund zu zeigen schien. Aber immerhin sagte mir das Schild, dass ich in die richtige Richtung ging.

Es wurde langsam dunkel, als ich schließlich das Dorf erreichte. Ein oder zwei Autos waren auf dem Weg an mir vorbeigefahren, doch keines hatte angehalten. Die einzigen anderen Anzeichen einer Zivilisation waren ein paar weit verstreute Bauernhöfe, die ein gutes Stück von der Straße entfernt lagen. Dann erkannte ich im Dämmerlicht den Turm einer Kirche vor mir. Es sah aus, als wäre er halb in einem Acker vergraben. Nun gab es einen Gehsteig, zwar schmal und rutschig vom Regen, aber besser als der Straßenrand und die Hecken, an denen ich seit dem Bahnhof entlanggegangen war. Nach einer weiteren Kurve entdeckte ich das eigentliche Dorf, das so versteckt lag, bis man förmlich darüber stolperte.

Es handelte sich nicht gerade um ein Postkartendorf. Es war zu verlebt und zersiedelt, um dem Ideal eines malerischen englischen Dorfes zu entsprechen. Außen gab es eine Reihe Vorkriegshäuser, aber diese wurden bald von Steincottages abgelöst, deren Mauern mit Feuersteinbrocken übersät waren. Je näher ich dem Dorfkern kam, desto älter wurden die Häuser, jeder Schritt führte mich weiter zurück in die Geschichte. Trist kauerten sie sich dort aneinander, in ihren dunklen Fenstern spiegelte sich blankes Misstrauen.

Nach einer Weile wurde die Straße von geschlossenen Läden gesäumt, hinter denen sich weitere Wohnhäuser in der feuchten Dämmerung verloren. Ich kam an einer Schule vorbei, an einem Pub und gelangte dann an die Dorfwiese. Auf den Beeten blühten Osterglocken, deren gelbe Trompeten sich unverschämt farbenfroh in der tristen, verregneten Umgebung wiegten. Über der Wiese wölbte sich das kahle, schwarze Geäst einer riesigen alten Kastanie. Dahinter stand, umgeben von einem Friedhof mit schiefen und moosbedeckten Grabsteinen, die normannische Kirche, deren Turm ich von der Straße aus gesehen hatte. Wie die älteren Wohnhäuser waren die Mauern der Kirche voller Feuersteine, harte, faustgroße Brocken, die den Elementen trotzten. Doch der weichere Mörtel der Fugen war über die Jahre verwittert, die Fenster und die Kirchentür waren durch die Bodenbewegungen der Jahrhunderte leicht verzogen.

Ich blieb stehen. Vor mir konnte ich sehen, dass jenseits der Straße weitere Häuser lagen. Doch dahinter endete Manham schon wieder. In manchen Fenstern brannte Licht, aber ein anderes Lebenszeichen gab es nicht. Ich stand im Regen, unsicher, welchen Weg ich einschlagen sollte. Dann hörte ich ein Geräusch und sah zwei Gärtner, die auf dem Friedhof arbeiteten. Ungeachtet des Regens und der einsetzenden Dämmerung harkten sie das Gras zwischen den alten Grabsteinen. Ohne aufzuschauen arbeiteten sie weiter, als ich mich näherte.

«Können Sie mir sagen, wo die Arztpraxis ist?», fragte ich, während Wasser von meinem Gesicht tropfte.

Sie hielten inne und betrachteten mich trotz ihres beträchtlichen Altersunterschiedes auf so ähnliche Weise, dass sie Großvater und Enkel sein mussten. Beide Gesichter hatten den gleichen ungerührten, gelassenen Ausdruck und starrten mich mit ruhigen, kornblumenblauen Augen an. Der Ältere deutete in Richtung eines schmalen, von Bäumen gesäumten Weges am anderen Ende der Wiese.

«Da geradaus.»

Der Dialekt war eine weitere Bestätigung, dass ich mich nicht mehr in London befand, eine Anreihung von Vokalen, die in meinen Stadtohren ganz fremd klang. Ich dankte ihnen, aber sie hatten sich schon wieder ihrer Arbeit zugewandt. Ich folgte dem Weg, auf dem das Prasseln des Regens durch die überhängenden Äste noch verstärkt wurde. Nach einer Weile kam ich zu einem breiten Tor, das den Eingang zu einer schmalen Auffahrt versperrte. An einem Torpfosten war ein Schild mit der Aufschrift «Bank House» angebracht. Darunter befand sich eine Messingtafel, auf der «Dr. H. Maitland» stand. Flankiert von Eiben führte die Auffahrt erst durch einen gepflegten Garten sanft bergan und dann hinab auf den Hof eines stattlichen, georgianischen Hauses. An einer altgedienten gusseisernen Stange neben der Eingangstür kratzte ich den Dreck von meinen Schuhen ab und pochte dann mit dem schweren Klopfer laut an die Tür. Ich wollte gerade erneut klopfen, als geöffnet wurde.

Eine rundliche Frau in mittleren Jahren mit tadellos frisiertem silbergrauem Haar schaute mich an.

«Ja?»

«Ich möchte gerne zu Dr. Maitland.»

Sie runzelte die Stirn. «Die Praxis ist geschlossen. Und der Doktor macht zurzeit leider keine Hausbesuche.»

«Nein … Ich meine, er erwartet mich.» Darauf erhielt ich keine Reaktion. Mir wurde bewusst, wie ramponiert ich nach der Stunde Marsch durch den Regen aussehen musste. «Ich bin wegen der Stelle hier. David Hunter!?»

Ihr Gesicht hellte sich auf. «Oh, das tut mir ja *so* Leid! Mir war nicht klar, ich dachte ... Kommen Sie doch herein!» Sie trat einen Schritt zurück, um mich hereinzulassen. «Mein Gott, Sie sind ja klatschnass geworden. Sind Sie weit gelaufen?»

«Vom Bahnhof.»

«Vom Bahnhof? Aber der ist doch meilenweit entfernt!» Sie half mir bereits aus dem Mantel. «Warum haben Sie nicht angerufen und uns gesagt, wann Ihr Zug ankommt? Wir hätten Sie abholen lassen können.»

Ich antwortete nicht. Um ehrlich zu sein, war ich auf die Idee gar nicht gekommen.

«Kommen Sie ins Wohnzimmer. Dort ist der Kamin an. Nein, lassen Sie Ihren Koffer hier stehen», sagte sie und wandte sich ab, um meinen Mantel aufzuhängen. Sie lächelte. Zum ersten Mal bemerkte ich ihre angestrengten Züge. Was ich vorher für Schroffheit gehalten hatte, war lediglich Erschöpfung. «Hier wird ihn niemand stehlen.»

Sie führte mich in ein großes, holzgetäfeltes Zimmer. Eine abgewetzte alte Ledercouch stand vor einem Kamin, in dem ein Holzfeuer glimmte. Der Teppich war ein Perser, alt, aber immer noch schön. Er lag auf umbrabraunen, glänzend gebohnerten Bodendielen. Das Zimmer roch angenehm nach Kiefer und Holzrauch.

«Setzen Sie sich doch. Ich sage Dr. Maitland, dass Sie hier sind. Möchten Sie eine Tasse Tee?»

Das war ein weiteres Zeichen dafür, nicht mehr in der Stadt zu sein. Dort hätte man mir Kaffee angeboten. Ich dankte ihr und starrte, nachdem sie hinausgegangen war, in die Flammen. Nach der Kälte draußen machte mich die Wärme schläfrig. Hinter der Verandatür war es nun völlig dunkel. Regen prasselte gegen die Scheibe. Das Sofa war weich und gemütlich. Ich spürte, wie mir die Augen langsam zufielen. Schnell, fast panisch, stand ich auf. Ich fühlte mich mit einem Mal erschöpft, körperlich und geistig ausgelaugt. Doch die Angst einzuschlafen war noch größer.

Ich stand noch immer vor dem Kamin, als die Frau zurückkehrte. «Wollen Sie mir bitte folgen? Dr. Maitland ist in seinem Arbeitszimmer.»

Mit auf den Dielenbrettern quietschenden Schuhen folgte ich ihr durch den Korridor. Sie klopfte leise an die Tür am anderen Ende und öffnete sie mit einer lockeren Vertrautheit, ohne auf eine Antwort zu warten. Sie lächelte erneut, als sie einen Schritt zurück machte, um mich eintreten zu lassen.

«Ich bringe gleich den Tee», sagte sie und schloss die Tür, als sie hinausging.

Hinter dem Schreibtisch saß ein Mann. Wir sahen uns einen Augenblick lang an. Obwohl er saß, konnte ich sehen, dass er groß war. Er hatte ein kräftiges, tief zerfurchtes Gesicht und dichtes Haupthaar, das eher cremefarben als grau war. Die dunklen Augenbrauen widerlegten aber jeden Anflug von Altersschwäche, und die Augen darunter hatten einen stechenden und wachsamen Blick. Sie musterten mich, ohne dass ich hätte sagen können, welchen Eindruck sie gewannen. Plötzlich war ich leicht beunruhigt, mich nicht gerade von meiner besten Seite zu zeigen.

«Herrgott, Mann, Sie sehen ja wie aus dem Wasser gezogen aus!» Seine Stimme war ein schroffes, aber freundliches Bellen.

«Ich bin vom Bahnhof zu Fuß gegangen. Es gab keine Taxis.»

Er schnaubte. «Willkommen im wunderschönen Manham. Sie hätten mir Bescheid sagen sollen, dass Sie einen

Tag früher kommen. Ich hätte mich darum gekümmert, dass Sie vom Bahnhof abgeholt werden.»

«Einen Tag früher?», wiederholte ich.

«Genau. Ich habe Sie erst morgen erwartet.»

Nun ging mir auch auf, was die geschlossenen Läden zu bedeuten hatten. Heute war Sonntag. Mir war nicht bewusst gewesen, dass mir das Zeitgefühl derart abhanden gekommen war. Und er tat so, als bemerke er nicht, wie mich mein Fauxpas aus dem Konzept brachte.

«Egal, nun sind Sie hier. Da haben Sie mehr Zeit, um sich einzugewöhnen. Ich bin Henry Maitland. Nett, Sie kennen zu lernen.»

Er streckte seine Hand aus, ohne aufzustehen. Und erst in diesem Moment entdeckte ich, dass sein Stuhl Räder hatte. Ich machte einen Schritt nach vorne, um seine Hand zu schütteln, aber da hatte er mein Zögern schon bemerkt. Er lächelte trocken.

«Jetzt wissen Sie, warum ich die Anzeige aufgegeben habe.»

Sie hatte unter den Stellenangeboten in der *Times* gestanden, eine kleine Annonce, die man leicht hätte übersehen können. Doch aus irgendeinem Grund war sie mir direkt ins Auge gefallen. Eine Praxis auf dem Land suchte für befristete Zeit einen praktischen Arzt. Sechs Monate, Unterkunft wird gestellt. Auch der Ort reizte mich. Nicht, dass ich besonders scharf darauf gewesen war, in Norfolk zu arbeiten, doch damit wäre ich weg aus London. Ich hatte mich ohne viel Hoffnung oder Begeisterung beworben und eine höfliche Absage erwartet, als ich eine Woche später den Brief öffnete. Zu meiner Überraschung wurde mir der Job angeboten. Ich musste den Brief zweimal lesen, bis ich verstand. Zu einer anderen Zeit hätte ich mich vielleicht gefragt, wo der Haken war. Aber zu einer anderen Zeit hätte ich mich erst gar nicht beworben.

Ich schrieb postwendend zurück, dass ich die Stelle annehme.

Jetzt sah ich meinen neuen Arbeitgeber an und fragte mich reichlich spät, auf was ich mich da eingelassen hatte. Als könne er meine Gedanken lesen, klatschte er sich mit den Händen auf die Beine.

«Autounfall.» Es lag weder Verlegenheit noch Selbstmitleid in seiner Stimme. «Es besteht die vage Möglichkeit, dass sie mit der Zeit wieder etwas einsatzfähiger werden, aber bis dahin komme ich nicht allein klar. Ich habe es ein Jahr lang mit Urlaubsvertretungen versucht, aber das reicht mir jetzt. Jede Woche ein neues Gesicht, davon hat keiner was. Sie werden schnell merken, dass die Leute hier keine Veränderungen mögen.» Er griff nach einer Pfeife und Tabak auf seinem Schreibtisch. «Stört es Sie, wenn ich rauche?»

«Es stört mich auch nicht, wenn Sie nicht rauchen.»

Er lachte auf. «Gute Antwort. Aber ich bin nicht Ihr Patient. Denken Sie daran.»

Er hielt inne, während er ein Streichholz an seine Pfeife hielt. «So», sagte er und inhalierte den Rauch. «Nach der Arbeit an einer Universität wird das eine ziemliche Veränderung für Sie werden, oder? Und das hier ist mit Sicherheit etwas anderes als London.» Er schaute mich über die Pfeife hinweg an. Ich wartete darauf, dass er mich aufforderte, meinen bisherigen Werdegang darzulegen. Aber das tat er nicht. «Wenn es noch Zweifel gibt, dann wäre das jetzt der richtige Zeitpunkt, sie zu äußern.»

«Keine Zweifel», sagte ich ihm.

Er nickte zufrieden. «In Ordnung. Sie werden erst mal hier wohnen. Ich werde Janice bitten, Ihnen Ihr Zimmer zu zeigen. Beim Abendessen können wir uns ausführlicher unterhalten. Dann können Sie gleich morgen anfangen. Die Sprechstunde beginnt um neun.»

«Darf ich etwas fragen?» Er hob die Augenbrauen und wartete. «Warum haben Sie mich angestellt?»

Das hatte mich beschäftigt. Nicht so sehr, dass ich das Angebot abgelehnt hätte, aber die Frage war mir dennoch im Hinterkopf geblieben.

«Sie machten mir einen geeigneten Eindruck. Gute Zeugnisse, exzellente Referenzen, und Sie waren bereit, für den Hungerlohn, den ich anbiete, zu kommen und am Ende der Welt zu arbeiten.»

«Ich hätte zuerst ein Bewerbungsgespräch erwartet.»

Er fegte die Bemerkung mit seiner Pfeife beiseite und hüllte sich in Qualm. «Bewerbungsgespräche kosten Zeit. Ich suchte jemanden, der so schnell wie möglich anfangen konnte. Und ich vertraue meinem Urteil.»

In seinen Worten lag eine Bestimmtheit, die ich beruhigend fand. Erst sehr viel später, als es keinen Zweifel mehr daran gab, dass ich bleiben würde, vertraute er mir bei einem Malt Whisky lachend an, dass ich der einzige Bewerber gewesen war.

Aber damals war ich auf diesen simplen Grund nicht gekommen. «Ich habe Ihnen nicht verheimlicht, dass ich als praktischer Arzt wenig Erfahrung habe. Wie können Sie sicher sein, dass ich der Aufgabe gewachsen bin?»

«Glauben Sie, dass Sie der Aufgabe gewachsen sind?»

Ich nahm mir einen Augenblick Zeit für die Antwort; im Grunde fragte ich mich das selbst zum ersten Mal. Ich war den weiten Weg hierher gekommen, ohne überhaupt viel nachzudenken. Ich war vor einem Ort und vor Menschen geflohen, deren Nähe mir nun zu schmerzhaft war. Ich überlegte erneut, was für einen Eindruck ich machen musste. Einen Tag zu früh und völlig durchnässt. *Sogar zu blöd, sich bei dem Regen unterzustellen.*

«Ja», sagte ich.

«Na also.» Er schaute mich durchdringend an, seine Miene verriet aber auch einen Anflug von Erheiterung. «Außerdem ist es ja nur eine befristete Stelle. Und ich werde ein strenges Auge auf Sie haben.»

Er drückte einen Knopf an seinem Schreibtisch. Irgendwo in der Ferne ertönte ein Summer im Haus. «Abendessen gibt es für gewöhnlich gegen acht Uhr, sofern es die Patienten zulassen. Sie können sich jetzt ausruhen. Haben Sie Ihr Gepäck mitgebracht oder wird es geschickt?»

«Mitgebracht. Ich habe es bei Ihrer Frau gelassen.»

Er sah mich verwirrt an und lächelte dann verlegen. «Janice ist meine Haushälterin», sagte er. «Ich bin Witwer.»

Die Wärme des Zimmer schien mich zu ersticken. Ich nickte.

«Ich auch.»

So wurde ich Arzt in Manham. Und so war ich drei Jahre später einer der Ersten, der hörte, was die Yates-Brüder im Farnley Wood entdeckt hatten. Natürlich wusste erst mal niemand, wer es war. Angesichts ihres Zustandes konnten die Jungs nicht einmal sagen, ob es sich bei der Leiche um einen Mann oder um eine Frau handelte. Als sie endlich wieder in ihrem vertrauten Zuhause waren, waren sie sich nicht einmal mehr sicher, ob sie nackt gewesen war oder nicht. Irgendwann hatte Sam sogar behauptet, sie hätte Flügel gehabt, bevor er unsicher wurde und in Schweigen verfiel. Neil starrte ausdruckslos vor sich hin. Was sie gesehen hatten, lag so weit außerhalb der Grenzen all dessen, was sie kannten, dass nun ihr Gedächtnis bei der Erinnerung daran zurückschreckte. Sie konnten sich nur darauf einigen, dass es ein Mensch war, ein toter Mensch. Und obwohl ihre Beschreibung des ungeheuren Stroms der Maden auf Wunden schließen ließ, wusste ich nur zu gut, welche Streiche uns die Toten spielen können. Es gab keinen Grund, das Schlimmste anzunehmen.

Zu dem Zeitpunkt noch nicht.

Deshalb war die felsenfeste Überzeugung von Linda Yates umso merkwürdiger. Sie saß in dem kleinen Wohnzimmer und hatte den Arm um ihren niedergeschlagenen, jüngsten Sohn gelegt, der sich an sie schmiegte, während er halbherzig den knallbunten Fernsehschirm betrachtete. Ihr Mann, ein Landarbeiter, war noch bei der Arbeit. Nachdem die Jungs nach Hause gerannt waren, hatte sie mich atemlos und hysterisch angerufen. Auch an einem Sonntagnachmittag hatte man in einem so kleinen und abgelegenen Ort wie diesem nie dienstfrei.

Wir warteten noch auf die Ankunft der Polizei. Die Beamten hatten es anscheinend nicht gerade eilig, ich fühlte mich jedoch verpflichtet zu bleiben. Ich hatte Sam das Beruhigungsmittel gegeben, ein so leichtes, dass es beinahe ein Placebo war, und widerwillig die Geschichte angehört, die von seinem Bruder wiederholt wurde. Ich versuchte, nicht zuzuhören. Ich wusste ziemlich genau, was sie wohl gesehen hatten.

Es war etwas, woran ich nicht erinnert werden musste.

Das Wohnzimmerfenster war sperrangelweit offen, doch kein kühlender Windhauch zog herein. Die Welt draußen war blendend hell, von der Nachmittagssonne weiß gebleicht.

«Es ist Sally Palmer», sagte Linda Yates aus heiterem Himmel.

Ich schaute sie überrascht an. Sally Palmer lebte allein auf einem Hof außerhalb des Dorfes. Eine attraktive Frau Mitte dreißig, die ein paar Jahre vor mir nach Manham gezogen war, nachdem sie den Hof ihres Onkels geerbt hatte. Sie hielt noch ein paar Ziegen, und durch die Blutsbande war sie nicht ganz die Außenseiterin, die sie sonst gewesen wäre; auf jeden Fall weniger, als ich es immer noch war. Da sie ihren Lebensunterhalt jedoch als Schriftstellerin verdiente, stand sie im Abseits und wurde von den meisten ihrer Nachbarn mit einer Mischung aus Ehrfurcht und Argwohn betrachtet.

Mir war nicht zu Ohren gekommen, dass sie vermisst wurde. «Wie kommen Sie denn darauf?»

«Ich habe von ihr geträumt.»

Das war nicht gerade die Antwort, die ich erwartet hatte. Ich schaute die Jungs an. Sam, der jetzt ruhiger war, schien nicht zuzuhören. Aber in dem Blick, mit dem Neil seine Mutter ansah, las ich, dass alles, was hier gesagt wurde, sich in dem Moment im Dorf verbreiten würde, in dem er aus dem Haus ging. Sie hielt mein Schweigen für Skepsis.

«Sie stand an einer Bushaltestelle und weinte. Ich fragte sie, was los wäre, aber sie sagte nichts. Dann schaute ich zu Boden, und als ich wieder aufsah, war sie verschwunden.»

Ich wusste nicht, was ich sagen sollte.

«Man träumt nie ohne Grund», fuhr sie fort. «Und das war der Grund für diesen Traum.»

«Ich bitte Sie, Linda, wir wissen noch nicht, wer es ist. Es könnte jeder sein.»

Sie schaute mich mit einem Blick an, der sagte, dass ich Unrecht hatte, aber sie fing keine Diskussion an. Ich war froh, als ein Klopfen an der Tür die Ankunft der Polizei ankündigte.

Es waren zwei Beamte, beides Prachtexemplare der Spezies

Dorfpolizist. Der ältere Mann hatte eine kräftige Gesichtsfarbe und akzentuierte seine Konversation gelegentlich mit einem jovialen Zwinkern. Unter diesen Umständen wirkte es fehl am Platze.

«So, ihr glaubt also, ihr habt eine Leiche gefunden, ja?», verkündete er vergnügt, wobei er mir einen Blick zuwarf, als ließe er mich auf Kosten der Jungs an einem Witz für Erwachsene teilhaben. Während Sam sich an seine Mutter schmiegte, murmelte Neil Antworten auf seine Fragen, beide eingeschüchtert durch die Autorität in Uniform bei ihnen zu Hause.

Es dauerte nicht lange. Der ältere Polizeibeamte schlug sein Notizbuch zu. «Na gut, dann wollen wir mal losgehen und nachschauen. Wer von euch Jungs zeigt uns, wo es war?»

Sam vergrub den Kopf im Schoß seiner Mutter. Neil sagte nichts, aber er wurde blass. Erzählen war eine Sache. Da noch einmal hingehen eine andere. Ihre Mutter sah mich besorgt an.

«Ich halte das für keine gute Idee», sagte ich. Tatsächlich hielt ich es für eine miserable Idee. Aber ich hatte schon genug mit der Polizei zu tun gehabt, um zu wissen, dass man mit Diplomatie weiter kam als mit Konfrontation.

«Und wie sollen wir sie dann finden, wenn keiner von uns sich hier auskennt?», entgegnete er.

«Ich habe eine Karte im Wagen. Ich kann Ihnen den Weg zeigen.»

Der Polizist versuchte nicht, sein Missfallen zu verbergen. Wir gingen hinaus und blinzelten angesichts der plötzlichen Helligkeit. Das Haus war das letzte in einer Reihe kleiner Steincottages. Unsere Wagen parkten auf einem Weg am Ende der Straße. Ich nahm die Karte aus meinem Landrover und faltete sie auf der Motorhaube auseinander. Die Sonne knallte auf das verbeulte Metall und hatte es so aufgeheizt, dass man es kaum berühren konnte.

«Die Stelle liegt ungefähr drei Meilen von hier. Sie müssen den Wagen stehen lassen und über das Marschland in den Wald gehen. Nach Aussage der Jungs müsste die Leiche irgendwo dort in der Gegend sein.»

Ich zeigte das Gebiet auf der Karte. Der Polizist brummte.

«Ich habe eine bessere Idee. Wenn Sie nicht wollen, dass einer der Jungs uns hinführt, bringen Sie uns doch hin!» Er schenkte mir ein unfreundliches Grinsen. «Sie scheinen sich hier auszukennen.»

Ich konnte ihm ansehen, dass mir keine Wahl bleiben würde. Ich sagte ihnen, sie sollten mir folgen, und fuhr los. Das Innere des alten Landrovers roch nach heißem Plastik. Ich kurbelte beide Fenster so weit wie möglich herunter. Das Lenkrad verbrannte mir die Hände, als ich es umklammerte. Als ich sah, wie weiß meine Fingerknöchel waren, versuchte ich mich zu entspannen.

Die Straßen waren eng und kurvenreich, aber es war nicht weit. Ich parkte auf einem zerfurchten Halbkreis ausgedörrter Erde, die Beifahrertür streifte eine vertrocknete Hecke. Hinter mir kam der Polizeiwagen ruckelnd zum Stehen. Die zwei Beamten kletterten heraus, der ältere zog sich die Hose über den Bauch. Der jüngere, mit Sonnenbrand und Ausschlag vom Rasieren, hing ein bisschen zurück.

«Es gibt einen Pfad durch den Sumpf», erklärte ich ihnen. «Der führt Sie zum Wald. Sie müssen ihm nur folgen. Es können nicht mehr als ein paar hundert Meter sein.»

Der ältere Polizist wischte sich den Schweiß vom Kopf. Unter den Achselhöhlen hatte sein weißes Hemd dunkle, nasse Flecken. Ein beißender Geruch ging von ihm aus. Er schielte zum fernen Wald und schüttelte den Kopf.

«Dafür ist es zu heiß. Sie wollen uns nicht vielleicht zeigen, wo es Ihrer Meinung nach ist?»

Er klang halb hoffnungsvoll, halb spöttisch.

«Wenn Sie erst einmal im Wald sind, kann ich Ihnen auch nicht mehr weiterhelfen», sagte ich ihm. «Achten Sie einfach auf Maden.»

Der Jüngere lachte auf, hielt aber inne, als der andere ihn böse anschaute.

«Sollten Sie das nicht der Spurensicherung überlassen?», meinte ich.

Er schnaubte. «Die werden sich bedanken, wenn wir sie wegen eines gammeligen Rehs rufen. Und das ist es meistens.»

«Die Jungs sehen das anders.»

«Ich schaue lieber erst mal selbst nach, wenn Sie nichts dagegen haben.» Er gab dem Jüngeren ein Zeichen. «Bringen wir es hinter uns.»

Ich schaute zu, wie die beiden durch eine Lücke in der Hecke kletterten und auf den Wald zugingen. Er hatte mich nicht gebeten zu warten, und eigentlich gab es keinen Grund zu bleiben. Ich hatte sie so weit gebracht, wie ich konnte; der Rest war ihre Sache.

Doch ich blieb. Ich ging zum Landrover und holte eine Flasche Wasser unter dem Sitz hervor. Es war lauwarm, aber mein Mund war trocken. Ich setzte meine Sonnenbrille auf, lehnte mich gegen den staubigen grünen Kotflügel und schaute Richtung Wald, dahin, wohin die Polizeibeamten gingen. Sie waren bereits in der flachen Ebene des Sumpflandes verschwunden. Bei der Hitze flirrte die dunstige Luft, und ringsum war das Summen und Zirpen von Insekten zu hören. Ein Libellenpaar tanzte vorbei. Ich trank noch einen Schluck Wasser und schaute auf die Uhr. Obwohl ich bis zur Abendsprechstunde in zwei Stunden keine Patienten mehr hatte, hatte ich eigentlich Besseres zu tun, als irgendwo am Straßenrand herumzustehen und darauf zu warten, was zwei Dorfpolizisten finden würden. Wahrscheinlich hatten sie Recht. Was die Jungs gesehen hatten, könnte tatsächlich nur ein totes Tier gewesen sein. Phantasie und Panik hatten dann den Rest erledigt.

Ich rührte mich immer noch nicht fort.

Kurz darauf sah ich die beiden Gestalten zurückkommen. Ihre weißen Hemden wippten vor den ausgeblichenen Grasbüscheln. Noch ehe sie bei mir waren, sah ich, wie blass sie waren. Der Jüngere hatte einen feuchten Fleck Erbrochenes auf seinem Hemd, der ihm nicht bewusst zu sein schien. Wortlos reichte ich ihm die Wasserflasche. Er nahm sie dankbar.

Der Ältere wich meinem Blick aus. «Hier draußen kriege ich bestimmt einen Scheißempfang», brummte er, während er zum Wagen ging. Er versuchte, wieder seine frühere Schroffheit aufzusetzen, schaffte es aber nicht ganz.

«Dann war es also kein Reh», sagte ich.

Er sah mich düster an. «Ich glaube, wir brauchen Sie hier nicht mehr.»

Er wartete, bis ich im Landrover war, bevor er seinen Notruf abgab. Als ich wegfuhr, war er immer noch am Funkgerät. Der jüngere Beamte starrte auf seine Füße, die Wasserflasche baumelte in seiner Hand.

Ich machte mich auf den Weg zurück zur Sprechstunde. Gedanken schwirrten mir durch den Kopf, aber ich hatte ein Netz aufgespannt, mit dem ich sie zurückhielt wie Fliegen. Doch obwohl ich mich bemühte, nichts an mich herankommen zu lassen, flüsterten die Fliegen ihre Botschaften in mein Unterbewusstsein. Die Straße, die zurück ins Dorf und zur Praxis führte, tauchte auf. Meine Hand griff zum Blinker und hielt dann inne. Ohne darüber nachzudenken, traf ich eine Entscheidung, die nicht nur die kommenden Wochen bestimmen sollte, sondern die mein Leben und das Leben anderer verändern sollte.

Ich fuhr geradeaus weiter. Zu Sally Palmers Hof.

KAPITEL 3

DER HOF WURDE an einer Seite von Bäumen und an den anderen vom Marschland eingegrenzt. Staub wirbelte auf, als der Landrover über den ausgefahrenen Zufahrtsweg holperte. Ich parkte auf den unebenen Steinen, die vom Pflaster des Innenhofes übrig geblieben waren, und stieg aus. Eine große Scheune aus Wellblech schimmerte in der Hitze. Das Bauernhaus selbst war weiß getüncht, und obwohl die Farbe abblätterte und verblasste, blendete es grell in der Sonne. Zu beiden Seiten der Eingangstür waren hellgrüne Blumenkästen angebracht, die einzigen Farbtupfer in einer ausgeblichenen Welt.

Wenn Sally zu Hause war, begann normalerweise ihr Collie Bess zu bellen, noch ehe man anklopfen konnte. Doch heute war alles ruhig. Als ich durch die Fenster schaute, konnte ich auch niemanden sehen, aber das musste nicht unbedingt etwas bedeuten. Ich ging zur Tür und klopfte. Jetzt, wo ich hier war, erschien mir der Grund meines Kommens reichlich dumm. Während ich wartete, starrte ich zum Horizont und überlegte, was ich bloß sagen sollte, wenn sie öffnete. Vielleicht die Wahrheit, aber dadurch würde ich einen genauso irrationalen Eindruck machen wie Linda Yates. Und Sally könnte es missverstehen und hinter dem Grund meines Besuches mehr wittern als eine quälende Unruhe, die ich ihr nicht hätte erklären können.

Sally und ich hatten zwar nie etwas miteinander gehabt,

aber uns verband mehr als nur eine flüchtige Bekanntschaft. Eine Zeit lang hatten wir uns recht häufig getroffen. Was im Grunde nicht besonders überraschend war; wir waren beide Zugezogene und aus London ins Dorf gekommen, die Großstadtvergangenheit verband uns. Außerdem war sie in meinem Alter und ein offenherziger Mensch, der schnell Freunde fand. Und sie war attraktiv. Ich hatte die paar Male genossen, die wir uns im Pub auf ein paar Drinks getroffen hatten.

Aber mehr war nicht passiert. Als ich zu spüren begann, dass sie mehr wollen könnte, ging ich auf Distanz. Erst reagierte sie verwirrt, aber es gab eigentlich keine Verlegenheit, kein böses Blut zwischen uns. Wenn wir uns zufällig über den Weg liefen, konnten wir immer noch unbefangen miteinander plaudern, aber das war alles.

Dafür hatte ich gesorgt.

Ich klopfte erneut an die Tür. Ich weiß noch, dass ich im Grunde erleichtert war, als sie nicht aufmachte. Sie war anscheinend unterwegs, und das bedeutete, ich musste nicht erklären, warum ich gekommen war. Ich wusste es ja selbst nicht genau. Ich war nicht abergläubisch, und im Gegensatz zu Linda Yates glaubte ich nicht an Vorahnungen. Allerdings hatte sie nicht von einer Vorahnung gesprochen. Nur von einem Traum. Und ich wusste ganz genau, wie verlockend Träume sein können. Verlockend und trügerisch.

Ich entfernte mich von der Tür und der Richtung, die meine Gedanken genommen hatten. Es ist doch völlig normal, dass sie nicht zu Hause ist, fand ich, und war ärgerlich über mich selbst. Was zum Teufel hatte ich mir eigentlich gedacht? Nur weil irgendein Wanderer oder Vogelkundler gestorben war, musste doch nicht gleich die Phantasie mit mir durchgehen.

Ich war schon fast wieder beim Landrover, als ich stehen blieb. Irgendetwas störte mich, doch ich musste mich noch einmal umdrehen, um zu kapieren, was es war. Und auch dann dauerte es ein paar Minuten, bis es mir klar wurde. Die Blumenkästen. Die Pflanzen in den Kästen waren braun und tot.

Das hätte Sally niemals zugelassen.

Ich ging zurück. Die Erde in den Kästen war ausgetrocknet und steinhart. Hier war seit Tagen nicht gegossen worden. Vielleicht noch länger. Ich klopfte an die Tür und rief Sallys Namen. Als ich keine Antwort erhielt, drückte ich die Klinke.

Die Tür war nicht abgeschlossen. Vielleicht hatte sie es sich ja abgewöhnt, die Haustür abzuschließen, seit sie hier lebte. Aber sie kam wie ich aus der Stadt, und alte Gewohnheiten legt man so schnell nicht ab. Ich öffnete die Tür, die von einem Haufen Post abgebremst wurde, der dahinter lag. Die Briefe rutschten in einer kleinen Lawine zur Seite, als ich die Tür weiter aufschob und über sie hinweg in die Küche trat. Alles war so, wie ich es in Erinnerung hatte: heitere, zitronengelbe Wände, massive, rustikale Möbel und ein paar Hinweise darauf, dass sie nicht alle Annehmlichkeiten der Stadt hatte hinter sich lassen können – eine elektrische Saftpresse, eine rostfreie Espressokanne und ein großes, gut sortiertes Weinregal.

Außer dem Posthaufen war auf den ersten Blick alles in Ordnung. Doch im Haus hing ein muffiger, ungelüfteter Geruch, der vom süßlichen Duft verfaulender Früchte überlagert wurde. Er kam von einer Tonschale auf der alten Kiefernanrichte, ein *Memento-mori*-Stillleben aus schwarz gewordenen Bananen und mit weißem Schimmel überzogenen Äpfeln und Orangen. Verwelkte, nicht mehr identifizierbare

Blumen hingen schlaff über den Rand einer Vase auf dem Tisch. Eine Schublade neben der Spüle war halb geöffnet, als wäre Sally gestört worden, während sie gerade etwas hatte herausnehmen wollen. Instinktiv wollte ich sie zuschieben, ließ sie dann aber so, wie sie war.

Sie könnte im Urlaub sein, sagte ich mir. Oder sie war zu beschäftigt, um alte Früchte und Blumen wegzuwerfen. Es gab eine Reihe möglicher Erklärungen. Aber ich glaube, zu diesem Zeitpunkt wusste ich es genauso, wie Linda Yates es gewusst hatte.

Ich überlegte, auch im restlichen Haus nachzusehen, entschied mich dann aber dagegen. Mittlerweile betrachtete ich das Haus bereits als potenziellen Tatort, und ich wollte nicht riskieren, irgendwelche Beweise zu zerstören. Deshalb ging ich wieder nach draußen. Sallys Ziegen waren auf einer Koppel hinter dem Haus. Ein einziger Blick bestätigte mir, dass hier etwas furchtbar im Argen lag. Einige Ziegen waren noch auf den Beinen, ausgezehrt und schwach, die meisten aber lagen auf der Seite und waren entweder bewusstlos oder tot. Sie hatten die Koppel beinahe kahl gefressen, und der Wassertrog war knochentrocken. Daneben lag ein Schlauch, anscheinend um den Trog zu füllen. Ich hängte ihn über die Kante und folgte dem anderen Ende zu einer Pumpe. Als Wasser in den Metalltrog plätscherte, trotteten ein paar Ziegen herbei und begannen zu saufen.

Sobald ich die Polizei gerufen hatte, würde ich auch den Tierarzt kommen lassen. Ich zog mein Telefon hervor, aber es hatte keinen Empfang. In der Gegend um Manham gab es viele Funklöcher, wodurch Handys meistens unzuverlässig waren. Ich entfernte mich von der Koppel und sah, dass die Empfangssignale sich aufbauten. Als ich gerade wählen wollte, bemerkte ich eine kleine, dunkle Gestalt, die halb versteckt hinter einem rostigen Pflug lag. Mit einem angespannten, seltsam sicheren Gefühl, was es sein würde, ging ich hinüber.

Der Kadaver von Bess, Sallys Collie, lag im trockenen Gras. Er sah ganz klein aus, das Fell staubig und verfilzt. Ich verscheuchte die Fliegen, die davonstoben, um sich auf mein Frischfleisch zu stürzen, und wandte mich rasch wieder ab. Aber erst, nachdem ich gesehen hatte, dass der Kopf des Hundes beinahe abgetrennt worden war.

Die Hitze schien plötzlich noch intensiver geworden zu sein. Meine Beine führten mich instinktiv zum Landrover zurück. Ich widerstand dem Drang, einfach einzusteigen und wegzufahren. Stattdessen ging ich ein paar Schritte weiter und machte meinen Anruf. Während ich darauf wartete, dass sich die Polizei meldete, starrte ich auf den fernen, grünen Flecken des Waldes, aus dem ich gerade gekommen war. *Nicht schon wieder. Nicht hier*. Ich hörte, dass eine blecherne Stimme aus dem Telefon ertönte, und wandte mich sowohl vom fernen Wald als auch vom Haus ab.

«Ich möchte eine Vermisstenanzeige aufgeben», sagte ich.

Der Police Inspector, ein gedrungener, reizbarer Mann namens Mackenzie, war vielleicht ein oder zwei Jahre älter als ich. Das Erste, was mir an ihm auffiel, waren seine außergewöhnlich breiten Schultern, die nicht zum unteren Teil seines Körpers passen wollten: Die kurzen Beine mündeten in absurd zierlichen Füßen. Das Ganze hätte ihm die Erscheinung eines Bodybuilders aus einem Cartoon verliehen, wenn da nicht sein mächtiger Schmerbauch gewesen wäre und eine bedrohliche, ungeduldige Aura, die einen zwang, ihn ernst zu nehmen.

Ich wartete am Wagen, während Mackenzie und ein Sergeant in Zivil losgegangen waren, um sich den Hund anzuschauen. Sie schienen es nicht eilig zu haben und wirkten beinahe unbekümmert, als sie hinüberschlenderten. Doch die Tatsache, dass ein Chief Inspector des Kriminaldienstes und keine uniformierten Beamten erschienen war, war ein Zeichen dafür, dass die Polizei die Sache nicht auf die leichte Schulter nahm.

Er war zu mir zurückgekommen, während der Sergeant ins Haus gegangen war, um sich in den Zimmern umzusehen. «Dann erzählen Sie mir noch einmal, warum Sie hergekommen sind.»

Er roch nach Aftershave und Schweiß und leicht nach Pfefferminz. Seine sonnenverbrannte Kopfhaut leuchtete durch sein dünner werdendes rotes Haar, aber wenn er sich in der Sonnenhitze unwohl fühlte, dann zeigte er es nicht.

«Ich war gerade in der Nähe und dachte, ich schaue mal vorbei.»

«Also ein Höflichkeitsbesuch?»

«Ich wollte nur schauen, ob bei ihr alles in Ordnung ist.»

Wenn ich es vermeiden konnte, wollte ich Linda Yates aus dem Spiel lassen. Als ihr Arzt musste ich davon ausgehen, dass das, was sie mir erzählt hatte, vertraulich war. Außerdem glaubte ich nicht, dass ein Polizist viel auf einen Traum gab. Ich hätte selbst nicht viel darauf geben sollen. Andererseits war Sally unerklärlicherweise nicht hier.

«Wann haben Sie Miss Palmer zum letzten Mal gesehen?», fragte Mackenzie.

Ich überlegte. «Vor einigen Wochen.»

«Können Sie das etwas genauer sagen?»

«Ich erinnere mich, sie vor ungefähr zwei Wochen im Pub beim Sommerfest gesehen zu haben.»

«War sie mit Ihnen dort?»

«Nein. Aber wir haben uns unterhalten.» Kurz. *Hallo, wie geht's? Gut, bis später*. Ziemlich unbedeutend, wie die meisten letzten Worte. Wenn sie das waren, sagte ich mir. Aber ich hatte mittlerweile keine Zweifel mehr.

«Und obwohl Sie sie seitdem nicht mehr getroffen haben, beschließen Sie heute plötzlich, bei ihr vorbeizuschauen.»

«Ich hatte gehört, dass man eine Leiche gefunden hat. Da wollte ich nachschauen, ob bei ihr alles in Ordnung ist.»

«Warum sind Sie so sicher, dass es sich um die Leiche einer Frau handelt?»

«Das bin ich mir gar nicht. Aber ich dachte, es könnte nicht schaden, wenn ich mal nach Sally sehe.»

«Was für eine Beziehung haben Sie beide?»

«Wir sind befreundet, würde ich sagen.»

«Eng?»

«Eigentlich nicht.»

«Schlafen Sie mit ihr?»

«Nein.»

«Haben Sie mal mit ihr geschlafen?»

Ich war kurz davor, ihm zu sagen, er solle sich um seine Angelegenheiten kümmern. Aber genau das tat er ja. Die Privatsphäre zählte in solchen Situationen nicht viel, das wusste ich nur zu gut.

«Nein.»

Er starrte mich an, ohne etwas zu sagen. Ich starrte zurück. Nach einem Augenblick nahm er eine Packung Minzbonbons aus seiner Tasche. Als er gemächlich einen in den Mund steckte, fiel mir der seltsam geformte Leberfleck an seinem Hals auf.

Er steckte die Bonbons zurück, ohne mir einen angeboten zu haben. «Also hatten Sie keine Beziehung mit ihr? Sie sind nur gute Freunde, richtig?»

«Wir kennen uns, das ist alles.»

«Dennoch sind Sie hergekommen, um nachzuschauen, ob bei ihr alles in Ordnung ist. Sie und niemand anderes.»

«Sie lebt ganz allein hier draußen. Der Hof ist selbst für unsere Verhältnisse ziemlich abgelegen.»

«Warum haben Sie sie nicht angerufen?»

Ich war einen Moment sprachlos. «Daran habe ich nicht gedacht.»

«Hat sie ein Handy?» Ich sagte ihm, dass sie eines hatte. «Haben Sie ihre Nummer?»

Sie war in meinem Handy gespeichert. Während ich in meinem Verzeichnis danach suchte, wusste ich, was er mich gleich fragen würde, und kam mir dumm vor, weil ich nicht selbst daran gedacht hatte.

«Soll ich anrufen?», bot ich an, bevor er etwas sagen konnte.

«Warum nicht?» Ich spürte, wie er mich beobachtete, als ich auf die Verbindung wartete. Ich fragte mich, was ich sagen sollte, wenn sie ranging. Aber im Grunde glaubte ich nicht, dass sie es tun würde.

Im Haus ging ein Fenster auf. Der Sergeant beugte sich hinaus. «Sir, in einer Handtasche klingelt ein Telefon.»

Wir konnten es leise hinter ihm hören, ein elektronisches Bimmeln. Ich legte auf. Im Haus verstummten die Töne. Mackenzie nickte ihm zu. «In Ordnung, das waren nur wir. Machen Sie weiter.»

Der Sergeant verschwand. Mackenzie rieb sein Kinn. «Das beweist gar nichts», sagte er.

Ich erwiderte nichts.

Er seufzte. «Himmel, diese verdammte Hitze.» Er gab zum ersten Mal zu erkennen, dass sie ihm zu schaffen machte. «Kommen Sie, gehen wir aus der Sonne.»

Wir stellten uns in den Schatten des Hauses.

«Wissen Sie, ob sie Familie hat?», fragte er. «Ob es irgendjemanden gibt, der wissen könnte, wo Miss Palmer ist?»

«Eigentlich nicht. Sie hat den Hof geerbt, aber soweit ich weiß, hat sie in der Gegend keine weitere Familie.»

«Und Freunde? Abgesehen von Ihnen?»

Das könnte eine Spitze gewesen sein, aber es war schwer zu sagen. «Sie kannte die Leute im Dorf. Aber ich weiß nicht, mit wem sie mehr zu tun hatte.»

«Liebhaber?», fragte er und beobachtete meine Reaktion.

«Nicht dass ich wüsste. Tut mir Leid.»

Er brummte etwas und schaute auf seine Uhr.

«Was passiert als Nächstes?», fragte ich. «Werden Sie überprüfen, ob die DNA der Leiche mit Proben aus dem Haus übereinstimmt?»

Er musterte mich. «Sie scheinen sich ja auszukennen.»

Ich spürte, wie ich rot wurde. «Nicht wirklich.»

Ich war froh, dass er nicht nachhakte. «Noch wissen wir nicht, ob wir es hier mit einem Tatort zu tun haben. Wir haben eine Frau, die vielleicht vermisst wird, vielleicht auch nicht, das ist alles. Es gibt keine Verbindung zwischen ihr und der Leiche, die gefunden wurde.»

«Und der Hund?»

«Der könnte von einem anderen Tier getötet worden sein.»

«Soweit ich es erkennen konnte, sieht die Halswunde wie ein Schnitt aus, nicht wie ein Biss. Sie stammt von einer scharfen Kante.»

Wieder sah er mich abschätzend an, und ich hätte mich am liebsten getreten, weil ich den Mund nicht halten konnte. Ich war jetzt Arzt. Nichts anderes. «Mal sehen, was die

Forensiker sagen. Aber selbst wenn es so wäre, dann hätte auch Miss Palmer ihn umbringen können.»

«Das glauben Sie doch selbst nicht.»

Er schien etwas erwidern zu wollen, überlegte es sich dann aber anders. «Nein. Nein, das glaube ich nicht. Aber ich werde jetzt auch keine voreiligen Schlüsse ziehen.»

Die Haustür ging auf. Der Sergeant tauchte auf und schüttelte den Kopf. «Nichts. Aber im Flur und im Wohnzimmer ist das Licht angelassen worden.»

Mackenzie nickte, als wäre es genau das, was er erwartet hatte. Er wandte sich an mich. «Wir brauchen Sie dann nicht mehr, Dr. Hunter. Es wird jemand vorbeikommen, um Ihre Aussage aufzunehmen. Und ich würde es begrüßen, wenn Sie mit niemandem über diese Sache reden.»

«Selbstverständlich.» Ich versuchte, mich nicht darüber zu ärgern, dass er diese Bitte überhaupt für nötig hielt. Er drehte sich weg und sprach mit dem Sergeant. Ich ging los und blieb dann zögernd stehen.

«Eine Sache noch», sagte ich. Er schaute mich gereizt an. «Dieser Leberfleck da an Ihrem Hals. Wahrscheinlich ist es nichts, aber es könnte nicht schaden, ihn mal untersuchen zu lassen.»

Ich ließ ihn stehen und ging zum Wagen.

Benommen fuhr ich zurück ins Dorf. Die Straße führte an Manham Water vorbei, dem seichten See oder Teich, der jedes Jahr ein wenig mehr von seiner Fläche an das wuchernde Schilf verlor. Seine Oberfläche war spiegelglatt und wurde nur von einem Zug Gänse durchbrochen, die darauf einfielen. Weder der See noch die zugewachsenen Bäche und Kanäle, die durch die Sümpfe führten, waren schiffbar, und da es in der Nähe des Dorfes keinen Fluss gab, war Manham abgeschnitten vom Bootsverkehr und Touristenstrom, der während des Sommers im Rest der Broads einfiel. Obwohl die Nachbarorte nur wenige Meilen entfernt waren, schien es zu einem anderen Teil Norfolks zu gehören, einem älteren und weniger gastfreundlichen. Umgeben von Wäldern, Sümpfen und schlecht entwässertem Marschland, war das Dorf in jeder Hinsicht tiefste Provinz. Abgesehen von gelegentlichen Hobby-Ornithologen blieb es sich selbst überlassen und versank wie ein asozialer alter Mann immer tiefer in seine Isolation.

Perverserweise machte Manham an diesem Abend im Sonnenschein einen beinahe fröhlichen Eindruck. Die knallbunten Blumenbeete an der Kirche und auf der Dorfwiese leuchteten so hell, dass es schmerzte. Sie waren eine von Manhams wenigen Quellen des Stolzes und wurden gewissenhaft gepflegt vom alten George Mason und seinem Enkel Tom, den beiden Gärtnern, die ich angesprochen hatte, als ich damals im Dorf angekommen war. Sogar der Stein der Märtyrerin am Rande der Wiese war von den hiesigen Schulkindern mit Blumengirlanden geschmückt worden. Den alten Mühlstein zu dekorieren, an dem im sechzehnten Jahrhundert angeblich eine Frau von ihren Nachbarn gesteinigt worden ist, war ein jährliches Ereignis. Der Legende nach hatte sie einen Säugling von irgendeiner Lähmung geheilt, nur um zum Dank als Hexe angeklagt zu werden. Henry machte sich immer darüber lustig, dass nur Manham jemanden für eine gute Tat martern könnte, und scherzte, dass wir beide das nicht vergessen sollten.

Ich wollte nicht nach Hause, also fuhr ich in die Praxis. Ich hielt mich häufig dort auf, selbst wenn ich nicht musste. Manchmal fühlte ich mich in meinem Cottage einsam; in dem großen Haus gab es wenigstens immer die Illusion, etwas zu tun zu haben. Ich trat durch die Hintertür ein, die in die separate Praxis führte. Ein alter Wintergarten, der durch die Pflanzen, die Janice liebevoll pflegte, eng und feucht war, diente als Anmeldung und Wartezimmer. Ein Teil des Erdgeschosses war zu Henrys privaten Wohnräumen umgebaut worden. Aber der lag am anderen Ende des Hauses, das mehr als groß genug war, um uns beide unterzubringen. Ich hatte sein altes Sprechzimmer übernommen, und als ich die Tür hinter mir schloss, empfing mich der beruhigende Duft von altem Holz und Bienenwachs. Obwohl ich es seit meiner Ankunft fast jeden Tag benutzte, spiegelte das Zimmer mit seinem alten Jagdgemälde, dem Schreibtisch mit Rollverdeck und dem lederbezogenen Kapitänsstuhl immer noch mehr Henrys Persönlichkeit als meine. In den Bücherregalen standen neben seinen alten Medizinbüchern und Zeitschriften auch Bände, die weniger typisch für einen Landarzt waren. Es gab Texte von Kant und Nietzsche, und ein ganzes Regalbrett wurde von der Psychologie beansprucht, einem von Henrys Steckenpferden. Mein einziger Beitrag zum Zimmer war der Computer, der leise auf dem Schreibtisch summte; eine Neuerung, die Henry nach monatelangen Überredungskünsten mürrisch hingenommen hatte.

Er hatte sich nie wieder so weit erholt, um ganztägig arbeiten zu können. Wie sein Rollstuhl hatte sich mein Zeitvertrag zu einer Art Dauereinrichtung entwickelt. Zuerst war er verlängert und dann, als klar geworden war, dass Henry seine Praxis nicht mehr allein würde führen können, in eine Partnerschaft umgewandelt worden. Selbst der alte Landrover Defender, den ich jetzt fuhr, war einmal seiner gewesen. Es war ein zerbeulter, alter Automatikwagen, gekauft nach dem Autounfall, der ihn querschnittsgelähmt und seine Frau Diana getötet hatte. Ihn zu kaufen war eine demonstrative Geste gewesen, als er sich noch an die Hoffnung klammerte, wieder fahren und gehen zu können. Aber das war bisher nicht der Fall gewesen. Und es würde auch nicht mehr passieren, hatten ihm die Ärzte gesagt.

«Idioten. Kaum haben sie einen weißen Kittel an, schon glauben sie, sie wären Gott», hatte er geschimpft.

Aber schließlich hatte selbst Henry akzeptieren müssen, dass sie Recht hatten. Und so erbte ich nicht nur den Landrover, sondern Stück für Stück auch den größten Teil der Praxis. Anfänglich hatten wir die Arbeit noch mehr oder weniger gleichmäßig aufgeteilt, mit der Zeit hatte ich jedoch immer mehr übernommen. Was allerdings nichts daran änderte, dass er in der Augen der meisten Leute «der richtige Arzt» blieb. Ich hatte jedoch aufgehört, mich darüber zu ärgern. Für Manham war ich weiterhin ein Neuling und würde es wahrscheinlich auch immer bleiben.

In der Hitze des späten Nachmittages versuchte ich mir nun ein paar medizinische Webseiten anzuschauen, aber ich war nicht richtig bei der Sache. Ich stand auf und öffnete die Verandatüren. Der Ventilator auf meinem Schreibtisch surrte und rührte geräuschvoll die schwüle Luft um, ohne sie abzukühlen. Auch die offenen Fenster nützten nichts. Ich starrte hinaus in den ordentlich gepflegten Garten. Wie die gesamte Umgebung war auch er zu trocken; man konnte fast dabei zusehen, wie die Sträucher und der Rasen in der Hitze verkümmerten. Der Garten grenzte direkt an den See und hatte nur eine niedrige Uferböschung als Schutz vor den unvermeidlichen Überschwemmungen im Winter. An einem kleinen Steg war Henrys altes Dingi vertäut. Es handelte sich lediglich um ein besseres Ruderboot, aber für alles andere war Manham Water auch nicht tief genug. Der See war eben nicht der Solent, und es gab Zonen, die zu seicht oder mit Schilf zugewachsen waren, um sich hineinzuwagen. Trotzdem segelten wir beide gerne hinaus.

Heute wäre es allerdings sinnlos, ein Segel zu setzen. Es war absolut windstill. Aus meinem Blickwinkel trennte lediglich eine zackige Linie fernen Schilfes den See vom Himmel. Es gab nur die flache Ebene und das Wasser, eine Leere, die, abhängig von der Stimmung, entweder friedlich oder trostlos wirken konnte.

Jetzt fand ich sie nicht friedlich.

«Dachte mir doch, dass ich dich gehört habe.»

Ich drehte mich um, während Henry ins Zimmer rollte. «Ich versuche nur, ein paar Sachen zu regeln», sagte ich und fing meine abgeschweiften Gedanken wieder ein.

«Wie ein verdammter Ofen hier drinnen», brummte er und blieb vor dem Ventilator stehen. Abgesehen von seinen unbrauchbaren Beinen sah er wie das blühende Leben aus: cremig weißes Haar über einem gebräunten Gesicht und hellwache, dunkle Augen.

«Was hat es denn damit auf sich, dass die Yates-Kinder eine Leiche gefunden haben? Janice konnte sich gar nicht mehr einkriegen, als sie mir das Mittagessen gebracht hat.»

Sonntags brachte ihm Janice auf einem abgedeckten Teller meistens etwas von den Mahlzeiten, die sie für sich selbst gekocht hatte. Henry bestand zwar darauf, dass er in der Lage war, sein Sonntagsessen eigenhändig zu kochen, aber mir war aufgefallen, dass er sich selten ernsthaft dagegen wehrte. Janice war eine gute Köchin, und ich vermutete, dass ihre Gefühle für Henry über die einer Haushälterin hinausgingen. Da sie selbst unverheiratet war, hielt ich ihre Abneigung gegen seine verstorbene Frau hauptsächlich für Eifersucht, obwohl sie mehr als einmal irgendeinen vergangenen Skandal angedeutet hatte. Ich hatte deutlich gemacht, dass ich nichts davon wissen wollte. Auch wenn Henrys Ehe nicht die idyllische Beziehung gewesen war, an die er sich nun zu erinnern schien, hatte ich keinerlei Interesse daran, alten Klatsch aufgewärmt zu kriegen.

Dass Janice von der Leiche wusste, überraschte mich allerdings nicht. Die Nachricht war mittlerweile bestimmt schon im halben Dorf herum.

«Drüben bei Farnley Wood», erzählte ich ihm.

«Wahrscheinlich irgendein Vogelfreund. Ist wohl bei der Hitze umgefallen.»

«Wahrscheinlich.»

Seine dunklen Augenbrauen erhoben sich bei meinem Tonfall. «Was sonst? Erzähl mir nicht, wir haben einen Mord! Das würde ein bisschen Leben in die Bude bringen.» Sein Lächeln verschwand, als ich es nicht erwiderte. «Irgendetwas sagt mir, ich sollte keine Witze darüber machen.»

Ich erzählte ihm von meinem Besuch auf Sally Palmers Hof, in der Hoffnung, dass, wenn ich es aussprach, es die schlimme Ahnung milderte. Das tat es nicht.

«Himmelherrgott», sagte Henry bedrückt, nachdem ich fertig war. «Und die Polizei glaubt, dass sie es sein könnte?»

«Sie sagen weder das eine noch das andere. Ich nehme an, sie können noch nichts sagen.»

«Mein Gott, was für eine schreckliche Sache.»

«Vielleicht ist sie es ja auch nicht.»

«Ja, genau», stimmte er zu. Aber ich konnte ihm ansehen, dass er das genauso wenig glaubte wie ich. «Tja, ich weiß nicht, wie es mit dir ist, aber ich könnte einen Drink vertragen.»

«Danke, aber ich passe.»

«Willst du später noch ins Lamb?»

Das Black Lamb war der einzige Pub des Dorfes. Ich ging

häufig dort hin, aber ich wusste, dass das Hauptthema der Gespräche heute Abend eines sein würde, bei dem ich nicht mitreden wollte.

«Nein, ich glaube, ich bleibe heute Abend einfach zu Hause», sagte ich ihm.

Mein Haus war ein altes Steincottage am Rande des Dorfes. Ich hatte es mir gekauft, nachdem klar geworden war, dass ich länger als sechs Monate bleiben würde. Henry hatte mir gesagt, ich könnte gerne bei ihm wohnen bleiben, und Bank House war weiß Gott groß genug. Allein der Weinkeller hätte mein Cottage verschluckt. Aber ich hatte lieber in eine eigene Wohnung ziehen wollen, um endlich Wurzeln zu schlagen, anstatt ewiger Untermieter zu bleiben. Und sosehr mir meine neue Arbeit auch gefiel, ich wollte nicht mit ihr leben. Manchmal war es einfach besser, wenn man die Tür schließen und fortgehen konnte – in der Hoffnung, dass das Telefon wenigstens ein paar Stunden lang nicht klingelte.

Dies war so ein Moment. Über den Kirchhof strebten ein paar Leute zum Abendgottesdienst. Scarsdale, der Pfarrer, stand an der Kirchentür. Er war ein ältlicher, mürrischer Mann, den besonders zu mögen ich nicht behaupten konnte. Doch er lebte seit Jahren hier und hatte eine treue, wenn auch kleine Gemeinde. Ich hob meine Hand, um Judith Sutton zurückzugrüßen, eine Witwe, die mit ihrem erwachsenen Sohn Rupert zusammenwohnte, einem übergewichtigen Klotz, der immer zwei Schritte hinter seiner herrischen Mutter hertrottete. Sie sprach gerade mit Lee und Marjory Goodchild, einem prüden hypochondrischen Paar, das ständig bei uns im Wartezimmer saß. Ich hoffte, dass man mich jetzt nicht für eine spontane Konsultation aufhielt. Außer Dienst war man in Manham nie.

Doch heute Abend hielten mich weder die beiden noch irgendjemand anderes auf. Ich parkte auf dem ausgetrockneten Boden neben dem Cottage und ging hinein. Drinnen war es stickig. Ich öffnete die Fenster so weit wie möglich und nahm ein Bier aus dem Kühlschrank. Obwohl ich nicht ins Lamb gehen wollte, brauchte ich einen Drink. Und als mir klar wurde, wie sehr ich einen Drink brauchte, stellte ich das Bier zurück und machte mir stattdessen einen Gin Tonic.

Ich brach etwas Eis ins Glas, fügte einen Schnitz Zitrone hinzu und setzte mich an den kleinen Holztisch im hinteren Garten. Ich schaute über ein Feld zum Wald, was kein so spektakulärer Ausblick war wie der von der Praxis, aber dafür war die Landschaft auch nicht ganz so niederschmetternd. Ich ließ mir Zeit mit dem Gin, machte mir dann ein Omelett und aß es draußen. Die Hitze ließ endlich nach. Während ich am Tisch saß, wurde es langsam dunkler und die ersten zögerlichen Sterne kamen zum Vorschein. Ich dachte daran, was ein paar Meilen weiter im Gange war, an die Betriebsamkeit, die jetzt in dem einst friedlichen Landstrich herrschen würde, wo die Yates-Brüder ihre Entdeckung gemacht hatten. Ich versuchte, mir Sally Palmer irgendwo gesund und munter vorzustellen, als würde der Gedanke daran helfen, es Wahrheit werden zu lassen. Doch irgendwie verblasste das Bild von ihr in meinem Kopf gleich wieder.

Um den Moment hinauszuzögern, an dem ich ins Bett gehen und dem Schlaf gegenübertreten musste, blieb ich sitzen, bis sich der Himmel zu einem samtenen Indigoblau verfärbt hatte, durchstoßen vom strahlenden Flackern der Sterne, einer willkürlichen Zeichensprache aus längst toten Lichtflecken.

Ich fuhr aus dem Schlaf auf, schweißgebadet und nach Atem ringend. Ich starrte umher und hatte keine Ahnung, wo ich war. Dann hüllte mich das Bewusstsein wie ein Mantel wieder ein. Ich war nackt und stand vor dem offenen Schlafzimmerfenster. Das Fensterbrett drückte in meine Oberschenkel, denn ich hatte mich weit herausgelehnt. Ich wich mit wackeligen Beinen zurück und setzte mich aufs Bett. Im Mondschein leuchteten die zerknitterten weißen Laken fast. Während ich darauf wartete, dass sich mein Herzschlag wieder normalisierte, trockneten langsam die Tränen auf meinem Gesicht.

Ich hatte wieder den Traum gehabt.

Es war einer von den Schlimmen gewesen. Wie immer war er so lebendig gewesen, dass das Aufwachen wie die Illusion erschien und mein Traum wie die Realität. Das war das Grausamste daran. Denn in den Träumen waren Kara und Alice, meine Frau und meine sechsjährige Tochter, noch am Leben. Ich konnte sie sehen, mit ihnen sprechen. Sie berühren. In den Träumen konnte ich glauben, dass wir noch eine Zukunft hatten und nicht nur eine Vergangenheit.

Ich hatte Angst vor diesen Träumen. Nicht so, wie man einen Albtraum fürchtet, denn in meinen Träumen geschah nichts Fürchterliches. Nein, es war genau das Gegenteil. Ich hatte Angst vor ihnen, weil ich irgendwann wieder aufwachen musste.

Dann war der Schock der Trauer, des Verlustes genauso frisch wie damals, als es passierte. Häufig wachte ich auf und wusste nicht, wo ich war. Mein schlafwandelnder Körper bewegte sich ohne mein Bewusstsein. Ich stand vor dem offenen Fenster, wie jetzt, oder oben auf der steilen und gnadenlosen Treppe und konnte mich nicht erinnern, wie ich dorthin gelangt war oder welch unterbewusster Drang mich gelenkt hatte.

Trotz der schwülen Nachtluft zitterte ich. Draußen war das einsame Gebell eines Fuchses zu hören. Nach einer Weile legte ich mich hin und starrte an die Decke, bis die Schatten verblassten und die Dunkelheit verschwand.

KAPITEL 4

DER NEBEL LAG noch über dem Sumpf, als die junge Frau die Tür hinter sich schloss und sich auf ihren morgendlichen Lauf machte. Lyn Metcalf hatte einen lockeren, athletischen Laufstil. Obwohl die Zerrung in der Wade gut heilte, ging sie es zuerst langsam an und trabte entspannt los, als sie sich auf dem schmalen Weg von ihrem Haus entfernte. Nach einer Weile bog sie auf einen überwucherten Pfad, der durch das Marschland zum See führte.

Lange Grashalme, noch feucht und kalt vom Tau, schlugen ihr beim Laufen gegen die Beine. Sie holte tief Luft und genoss das Gefühl. Auch wenn es Montagmorgen war, einen besseren Start in die neue Woche konnte sie sich nicht vorstellen. Für sie war dies die schönste Zeit des Tages. Noch musste sie sich nicht um die Steuererklärungen von Bauern und kleinen Geschäftsleuten kümmern, die sich über ihre Ratschläge doch nur ärgerten, noch lag der Tag wie ein Versprechen vor ihr, und noch konnte ihr niemand die Laune verderben. Im Moment war alles frisch und klar, reduziert auf das rhythmische Federn ihrer Füße auf dem Weg und ihre gleichmäßigen Atemzüge.

Mit einunddreißig war Lyn stolz auf ihre Kondition. Stolz auf die Disziplin, mit der sie sich in Form hielt und dafür sorgte, dass sie immer noch gut aussah in ihren Laufshorts und dem knappen Top. Natürlich war sie nicht so selbstgefällig, das laut zu sagen. Aber sie genoss ihre Fitness, und das machte es ihr leichter, sich jeden Morgen zum Laufen zu motivieren. Sie genoss es, sich zu fordern, auszuprobieren, wo ihre Grenzen waren, um dann noch ein bisschen darüber hinauszugehen. Sie konnte sich keinen besseren Tagesbeginn vorstellen, als die Laufschuhe anzuziehen und ein paar Meilen zurückzulegen, während um sie herum die Welt langsam erwachte.

Na gut, außer Sex natürlich. Aber der Reiz daran war in letzter Zeit verblasst. Gut war er immer noch – beim Anblick, wie sich Marcus nach der Arbeit unter der Dusche den Baustaub abwusch und ihm die dunkle Behaarung im Wasser wie ein Otterpelz am Körper klebte, hatte sie immer noch Schmetterlinge im Bauch. Aber seit sie es nicht mehr nur zum Vergnügen taten, war die Freude daran für beide allmählich abgestumpft. Besonders, weil ihr Sex noch zu nichts geführt hatte.

Bisher.

Sie machte einen Satz über eine tiefe Furche im Weg, ohne ihren Trab zu unterbrechen, stets darauf bedacht, ihren Rhythmus nicht zu verlieren. *Meinen Rhythmus verlieren,* dachte sie erbittert. *Ich wünschte, ich könnte.* Was Rhythmen anging, war ihr Körper so regelmäßig wie ein Uhrwerk. Jeden einzelnen Monat, fast auf den Tag genau, begann die verhasste Blutung – das Ende eines weiteren Zyklus und eine neue Enttäuschung. Die Ärzte hatten gesagt, dass bei ihnen beiden alles in Ordnung wäre. Bei manchen Menschen dauerte es einfach länger als bei anderen; warum, das wusste niemand. Versuchen Sie es weiter, hatten sie gesagt. Und das hatten sie auch getan, anfänglich eifrig, darüber lachend, dass die Ärzte ihnen geraten hatten, was beide sowieso genossen. Fast so, als hätten sie es verschrieben bekommen, hatte Marcus gewitzelt. Doch mit der Zeit waren ihnen die

Witze vergangen und durch eine Atmosphäre ersetzt worden, die im Ansatz bereits einer Verzweiflung glich. Und sie begann alles andere zu übertünchen und jeden Aspekt ihrer Beziehung zu verderben.

Zugeben wollte es keiner von beiden. Aber die Verstimmung war da. Sie wusste, dass Marcus schon genug Probleme damit hatte, dass sie im Steuerbüro mehr verdiente als er, der Bauarbeiter. Die gegenseitigen Vorwürfe hatten noch nicht begonnen, doch sie hatte Angst, dass es bald so weit sein könnte. Und sie wusste, dass sie genauso gut austeilen konnte wie Marcus. Nach außen hin versicherten sie sich, dass es keinen Grund zur Sorge gab, dass sie keine Eile hatten. Aber sie hatten es nun schon seit Jahren probiert, und in weiteren vier Jahren würde sie fünfunddreißig sein, ein Alter, das sie immer als Grenze gesehen hatte. Sie stellte eine schnelle Rechnung auf. *Das sind noch achtundvierzig Menstruationen.* Es erschien beängstigend wenig. Noch achtundvierzig mögliche Enttäuschungen, die zu denen kamen, die sie bereits hinter sich hatte. Doch diesen Monat war es anders. Diesen Monat ließ die Enttäuschung schon seit drei Tagen auf sich warten.

Sie unterdrückte schnell den aufflackernden Hoffnungsschimmer. Dafür war es noch zu früh. Sie hatte Marcus nicht einmal erzählt, dass ihre Periode noch nicht eingesetzt hatte. Weshalb sollte sie ihm umsonst Hoffnungen machen? Sie würde noch ein paar Tage warten und dann einen Test machen. Allein dieser Gedanke reichte aus, um ihr ein flaues Gefühl im Magen zu bereiten. *Laufen, nicht denken,* sagte sie sich streng.

Jetzt kam die Sonne heraus und brachte den Himmel direkt vor ihr zum Leuchten. Der Pfad führte an einer Böschung am See entlang, durch das Schilf hindurch und mündete dann in ein dunkles Waldgebiet. Nebel stieg züngelnd vom Wasser auf, als würde es gleich brennen. Das Geräusch eines springenden Fisches durchbrach die Stille mit einem unsichtbaren Klatschen. Sie liebte das, sie liebte den Sommer und sie liebte diese Landschaft. Sie war zwar hier geboren worden, doch zum Studium fort gewesen und oft und viel gereist. Aber jedes Mal war sie zurückgekommen. Das gelobte Land, hatte ihr Dad immer gesagt. Sie glaubte eigentlich nicht an Gott, aber sie wusste, was er meinte.

Jetzt kam sie zum Lieblingsabschnitt ihrer Laufstrecke. Sie folgte einem Pfad, der in den Wald abzweigte. Als sich die Bäume über ihr schlossen und sie in Schatten hüllten, verlangsamte sie ihren Schritt. Zu leicht konnte man im schummerigen Licht über eine Wurzel stolpern. So hatte sie sich auch die Zerrung in der Wade zugezogen, und es hatte fast zwei Monate gedauert, bis sie wieder laufen konnte.

Doch die Sonne begann bereits die Düsternis zu durchbrechen und den Baldachin aus Laub in ein schimmerndes Gitterwerk zu verwandeln. Der Wald war alt hier, eine Wildnis aus mit Kletterpflanzen umrankten Stämmen und einem sumpfigen, tückischen Boden. Dazwischen verlief ein Gewirr mäandernder Pfade, die einen Unachtsamen in die Tiefen des Forstes locken konnten, nur um sich dann abrupt zu verlieren. Als sie gerade in ihr Haus gezogen waren, hatte Lyn während eines ihrer morgendlichen Läufe den Fehler gemacht, den Wald erkunden zu wollen. Es hatte Stunden gedauert, ehe sie durch reines Glück wieder auf vertrautes Gelände gelangt war. Marcus war vor Sorge außer sich gewesen – und wütend –, als sie schließlich nach Hause gefunden hatte. Seitdem blieb sie immer auf demselben Pfad, der sie in den Wald hinein- und wieder hinausführte.

Auf halbem Wege ihrer Sechs-Meilen-Strecke befand

sich eine kleine Lichtung, in deren Zentrum eine alte Steinsäule stand. Ob der Stein einmal Teil einer prähistorischen Anlage oder auch nur ein Torpfosten gewesen war, wusste niemand mehr. Überwachsen mit Moos und Gras, war seine Geschichte und sein Geheimnis längst vergessen. Aber er war eine praktische Wendemarke, und Lyn hatte es sich angewöhnt, seine raue Oberfläche zu tätscheln, bevor sie sich auf den Rückweg machte. Die Lichtung war nicht mehr weit, höchstens noch fünf Minuten. Tief, aber regelmäßig atmend dachte Lyn an das Frühstück, um sich zum schnelleren Laufen anzustacheln.

Sie war sich nicht sicher, wann das Unbehagen einsetzte. Es war eher ein ungutes Gefühl, ein unterschwelliger Juckreiz, der schließlich zu einem bewussten Gedanken wurde. Plötzlich schien der Wald unnatürlich ruhig zu sein. Bedrückend. Das dumpfe Geräusch ihrer Schritte auf dem Pfad klang in der Stille zu laut. Sie versuchte, das Gefühl zu ignorieren, doch es verging nicht. Es wurde noch intensiver. Sie unterdrückte den Impuls, sich umzudrehen. Was zum Teufel war los mit ihr? In den letzten zwei Jahren war sie diese Strecke doch fast jeden Morgen gelaufen. Noch nie war sie dabei beunruhigt gewesen.

Aber jetzt. Ihr Nacken kribbelte, als würde sie beobachtet werden. *Sei nicht dumm*, sagte sie sich. Doch der Drang, sich umzudrehen, wurde stärker. Sie hielt ihren Blick auf den Weg gerichtet. Das einzige größere Lebewesen, das sie jemals hier gesehen hatte, war ein Reh. Aber was auch immer es nun war, es fühlte sich nicht an wie ein Reh. *Weil es auch keines ist. Es ist nichts. Nur deine Phantasie. Deine Periode ist drei Tage zu spät, und du lässt dich davon verrückt machen.*

Der Gedanke lenkte sie ab, aber nur kurz. Sie riskierte einen kurzen Blick, lange genug, um nur dunkle Äste und den Pfad zu sehen, der sich aus ihrem Blickfeld schlängelte, ehe ihr Fuß gegen etwas stieß. Sie stolperte, ruderte mit den Armen, um ihr Gleichgewicht zu finden, und schaffte es mit pochendem Herzen, aufrecht zu bleiben. *Idiotin!* Doch jetzt lag die Lichtung genau vor ihr, eine Oase aus gesprenkelten Sonnenstrahlen im finsteren Wald. Sie legte einen kleinen Zwischenspurt ein, schlug mit der Hand auf die raue Oberfläche der Steinsäule und drehte sich schnell um.

Nichts. Nur düstere, im Schatten liegende Bäume.

Was hast du erwartet? Kobolde? Doch sie verließ die Lichtung noch nicht. Sie hörte kein Vogelgezwitscher, kein Insektensummen. Der Wald schien nachdenklich schweigend seinen Atem anzuhalten. Lyn hatte plötzlich Angst, die Stille zu durchbrechen, es widerstrebte ihr, die Zuflucht der Lichtung zu verlassen und erneut die Enge zwischen den Bäumen zu spüren. *Und was hast du nun vor? Willst du den ganzen Tag hier bleiben?*

Um sich gar keine Zeit zum Nachdenken zu lassen, stieß sie sich vom Stein ab. Noch fünf Minuten und sie wäre wieder draußen im Freien. Auf freiem Feld und unter freiem Himmel am offenen Wasser. Sie sah es in Gedanken vor sich. Die Unruhe war noch da, aber weniger eindringlich. Und der schattige Wald wurde lichter, die Sonne warf ihre Strahlen nun genau vor sie. Gerade als sie sich zu entspannen begann, sah sie etwas auf dem Boden liegen.

Sie blieb ein paar Meter davor stehen. Ausgebreitet wie eine Opfergabe lag in der Mitte des Weges ein totes Kaninchen. Nein, kein Kaninchen. Ein Hase, dessen weiches Fell mit Blut verfilzt war.

Er hatte eben noch nicht dort gelegen.

Schnell schaute sich Lyn um. Aber die Bäume gaben keinen Hinweis darauf, woher er gekommen war. Sie machte einen Schritt um den Hasen herum und lief dann weiter. Ein Fuchs, sagte sie sich, als sie wieder in ihren Rhythmus fand. Sie musste ihn gestört haben. Doch ein Fuchs hätte seine Beute nicht zurückgelassen, ob er gestört wurde oder nicht. Und der Hase sah nicht so aus, als wäre er einfach fallen gelassen worden. So, wie er dalag, sah es aus, als ob …

Es sah nach Absicht aus.

Aber das war Blödsinn. Sie schob den Gedanken beiseite, während sie den Pfad hinabstürmte. Und dann hatte sie den Wald hinter sich gelassen und war wieder im Freien, wo sich der See vor ihr ausbreitete. Die Angst, die sie noch vor wenigen Minuten gespürt hatte, verflog und verblasste mit jedem Schritt. Im Sonnenlicht erschien sie absurd. Sogar peinlich.

Später sollte sich ihr Mann Marcus daran erinnern, dass im Radio gerade die Lokalnachrichten liefen, als sie hereinkam. Während er Brot in den Toaster steckte und eine Banane in Scheiben schnitt, erzählte er Lyn, dass nur wenige Meilen entfernt eine Leiche gefunden worden war. Diese Information musste damals schon eine Assoziation in ihr geweckt haben, denn sie berichtete ihm von dem toten Hasen. Aber sie lachte und machte sich lustig darüber, wie unheimlich ihr zumute gewesen war. Als das Brot aus dem Toaster sprang, schien der Vorfall für beide bereits unwichtig zu sein.

Und nachdem sie aus der Dusche kam, wurde er nicht mehr erwähnt.

KAPITEL 5

ICH HATTE DIE HÄLFTE der morgendlichen Sprechstunde hinter mir, als Mackenzie eintraf. Janice überbrachte mir die Nachricht gemeinsam mit der nächsten Patientenkarte. Sie machte große Augen vor Neugierde.

«Ein Polizist möchte Sie sprechen. Ein Chief Inspector Mackenzie.»

Aus irgendeinem Grund war ich nicht überrascht. Ich sah auf das Krankenblatt. Ann Benchley, eine achtzig Jahre alte Frau mit chronischer Arthritis. Sie kam oft.

«Wie viele Patienten warten noch?», fragte ich, um Zeit zu gewinnen.

«Nach dieser noch drei.»

«Sagen Sie ihm, es dauert nicht lang. Und bitten Sie Mrs. Benchley herein.»

Sie sah überrascht aus, sagte aber nichts. Ich bezweifelte, dass es mittlerweile im Dorf noch irgendwen gab, der nicht von der am vergangenen Tag gefundenen Leiche wusste. Doch bisher schien niemand die Verbindung zu Sally Palmer hergestellt zu haben. Ich fragte mich, wie lange das noch so bliebe.

Ich tat so, als würde ich die Karteikarte studieren, bis Janice gegangen war. Mir war klar, dass Mackenzie nicht gekommen wäre, wenn es unwichtig gewesen wäre, und ich bezweifelte, dass einer der morgendlichen Patienten ein dringender Fall war. Abgesehen von einem tiefen Widerwillen, mir anzuhören, was er zu sagen hatte, war ich mir nicht sicher, warum ich ihn warten ließ.

Ich versuchte, nicht darüber nachzudenken, während ich verständnisvoll nickte, als mir Mrs. Benchley ihre knotigen Hände zeigte, gab die beruhigenden und letztlich sinnlosen Worte von mir, die von mir erwartet wurden, während ich ihr ein weiteres Rezept ausstellte, und lächelte unbestimmt, als sie zufrieden hinaushumpelte. Doch danach konnte ich es schlecht länger aufschieben.

«Schicken Sie ihn rein», bat ich Janice.

«Er sieht nicht besonders glücklich aus», warnte sie mich.

Nein, Mackenzie sah nicht besonders glücklich aus. Er hatte eine bedrohliche Röte im Gesicht, und sein Kiefer stand trotzig vor.

«Nett, dass Sie mich empfangen, Dr. Hunter», sagte er mit kaum verhohlenem Sarkasmus. Er hatte eine lederne Aktenmappe bei sich und hielt sie auf dem Schoß, als er sich unaufgefordert mir gegenüber setzte.

«Was kann ich für Sie tun, Inspector?»

«Ich würde nur gerne ein paar Punkte klären.»

«Haben Sie die Leiche identifiziert?»

«Noch nicht.»

Er holte die Packung Pfefferminzbonbons hervor und steckte sich einen in den Mund. Ich wartete. Ich hatte genug Polizisten kennen gelernt, um mich durch ihre Spielchen nicht aus der Ruhe bringen zu lassen.

«Ich hätte nicht gedacht, dass es so etwas noch gibt. Kleine Praxis, der Landarzt, Hausbesuche und so weiter», sagte er und schaute sich um. Sein Blick blieb am Bücherregal hängen. «Eine Menge Psychologiekram, wie ich sehe. Interessieren Sie sich dafür?»

«Die gehören nicht mir, sondern meinem Partner.»

«Ach so. Und wie viele Patienten haben Sie beide?»

Ich fragte mich, worauf er hinauswollte. «Vielleicht fünf-, sechshundert im Ganzen.»

«So viele?»

«Das Dorf ist klein, aber das Einzugsgebiet groß.»

Er nickte, als wäre dies nur eine belanglose Plauderei. «Bisschen was anderes, als praktischer Arzt in einer Stadt zu sein.»

«Das nehme ich an.»

«Vermissen Sie London?»

Jetzt wusste ich, was kommen würde. Auch das war eigentlich keine Überraschung. Eine Last begann sich mir auf die Schulter zu legen. «Vielleicht erzählen Sie mir lieber, was Sie wollen?»

«Ich habe auf unser Gespräch hin gestern ein bisschen nachgeforscht. Immerhin bin ich ja Polizist.» Er starrte mich kühl an. «Sie haben einen beeindruckenden Lebenslauf, Dr. Hunter. Ganz anders, als man sich den eines Landarztes vorstellen würde.»

Nachdem er den Reißverschluss der Aktenmappe aufgezogen hatte, tat er, als würde er durch die Papiere darin blättern. «Nach dem Medizinabschluss machten Sie Ihren Doktor in Anthropologie. Offensichtlich als Überflieger. Darauf folgte ein Aufenthalt in den Staaten an der University of Tennessee, dann die Rückkehr nach England als Spezialist für forensische Anthropologie.»

Er legte den Kopf schief. «Ich wusste nicht einmal genau, was forensische Anthropologie ist, und ich bin seit fast zwanzig Jahren Polizist. Unter ‹forensisch› konnte ich mir natürlich etwas vorstellen. Aber Anthropologie? Ich dachte immer, das würde bedeuten, alte Knochen zu studieren. Ein bisschen so wie Archäologie. Da sieht man mal wieder, was einem alles entgehen kann.»

«Ich dränge Sie nur ungern, aber meine Patienten warten.»

«Oh, ich werde nicht länger brauchen als nötig. Aber im Internet habe ich auch ein paar Arbeiten gefunden, die Sie geschrieben haben. Interessante Titel.» Er zog ein Blatt hervor. «‹Die Rolle der Entomologie bei der Bestimmung der Todeszeit›. ‹Die Chemie der menschlichen Dekomposition›.»

Er senkte das Blatt. «Ziemlich spezieller Kram. Deshalb habe ich einen Freund in London angerufen. Er ist Inspector bei Scotland Yard. Und wie sich herausstellte, kannte er Ihren Namen. Überraschung, Überraschung, es sieht so aus, als hätten Sie bei einer ganzen Reihe von Mordermittlungen für verschiedene Polizeikräfte immer wieder als Spezialist gearbeitet. In England, Schottland, sogar in Nordirland. Mein Kontakt sagt, Sie wären einer von wenigen registrierten forensischen Anthropologen im Land. Hätten an Massengräbern im Irak, in Bosnien, im Kongo und was weiß ich wo gearbeitet. Seinen Worten nach sind Sie eine ziemliche Koryphäe, wenn es um menschliche Überreste geht. Sie identifizieren sie nicht nur, sondern bestimmen, wie lange sie tot sind und woran sie gestorben sind. Er meinte, Sie würden dort anfangen, wo die Pathologen aufhören.»

«Können Sie zur Sache kommen?»

«Die Sache ist die, dass ich nicht anders kann, als mir die Frage zu stellen, warum Sie all das gestern nicht erwähnt haben. Obwohl Sie wussten, dass wir eine Leiche gefunden hatten, obwohl Sie vermuteten, dass es eine Frau aus der Gegend sein könnte, obwohl Sie wussten, dass wir die Leiche so schnell wie möglich identifizieren wollten, verdammt nochmal.» Er hatte seine Stimme nicht erhoben, aber sein Gesicht war noch röter geworden. «Mein Freund von Scotland Yard hat sich köstlich amüsiert. Da stehe ich, der leitende Kriminalbeamte einer Mordermittlung, vor einem der führenden forensischen Experten des Landes, und der tut so, als sei er Landarzt.»

Ich ließ mich nicht von der Tatsache ablenken, dass er es nun einen Mord genannt hatte. «Ich bin Landarzt.»

«Aber doch nicht nur, oder? Was soll die Geheimniskrämerei?»

«Weil es keine Rolle spielt, was ich früher einmal war. Jetzt bin ich Arzt.»

Mackenzie musterte mich, als versuchte er zu entscheiden, ob ich Witze machte oder nicht. «Danach habe ich noch andere Telefonate geführt. Ich weiß, dass Sie erst seit drei Jahren als Allgemeinmediziner praktizieren. Sie haben die forensische Anthropologie hingeschmissen und sind hierher gezogen, nachdem Ihre Frau und Ihre Tochter bei einem Verkehrsunfall gestorben sind. Der betrunkene Fahrer des anderen Wagens hat unverletzt überlebt.»

Ich saß völlig reglos da. Mackenzie besaß den Anstand, eine unglückliche Miene aufzusetzen. «Ich wollte keine alten Wunden aufreißen. Wenn Sie gestern ehrlich zu mir gewesen wären, hätte ich es vielleicht auch nicht tun müssen. Aber das Fazit lautet: Wir brauchen Ihre Hilfe.»

Ich wusste, er wollte, dass ich ihn fragte, wie, aber ich tat es nicht. Er fuhr trotzdem fort.

«Der Zustand der Leiche erschwert die Identifizierung. Wir wissen, dass es eine Frau war, mehr aber auch nicht. Und bis wir die Identität haben, sind wir ziemlich außer Gefecht gesetzt. Wir können nicht richtig mit der Mordermittlung beginnen, solange wir nicht mit Sicherheit wissen, wer das Opfer ist.»

Ich fand meine Sprache wieder. «Sie sagten ‹nicht mit Sicherheit›. Sie sind sich bereits ziemlich sicher, oder?»

«Wir haben Sally Palmer immer noch nicht gefunden.»

Ich hatte nichts anderes erwartet, aber es bestätigt zu bekommen erschütterte mich dennoch.

«Mehrere Leute erinnern sich, sie beim Grillfest im Pub getroffen zu haben, aber bisher haben wir niemanden aufgetrieben, der sie seitdem gesehen hat», fuhr Mackenzie fort. «Das ist fast vierzehn Tage her. Wir haben DNA-Proben von der Leiche und im Haus genommen, aber es wird eine Woche dauern, bis wir Ergebnisse kriegen.»

«Was ist mit Fingerabdrücken?»

«Keine Chance. Wir können noch nicht sagen, ob es am Zersetzungsprozess liegt oder sie absichtlich entfernt wurden.»

«Dann das Zahnschema.»

Er schüttelte den Kopf. «Es sind nicht genügend Zähne übrig für einen Abgleich.»

«Hat man sie herausgebrochen?»

«Könnte man so sagen. Entweder wurde es bewusst getan, damit wir die Leiche nicht identifizieren können, oder es ist einfach eine Folge der Verletzungen. Wir wissen es noch nicht.»

Ich rieb mir die Augen. «Also handelt es sich definitiv um Mord?»

«O ja, sie wurde ermordet, keine Frage», sagte er grimmig. «Die Leiche ist zu sehr verwest, um sagen zu können, ob sie auch noch sexuell missbraucht wurde, aber die Vermutung liegt nahe, dass dem so war. Und dann wurde sie getötet.»

«Wie?»

Wortlos nahm er einen großen Umschlag aus der Mappe und ließ ihn auf den Schreibtisch fallen. Die glänzenden Ränder von Fotografien schauten hervor. Meine Hand griff danach, bis mir klar wurde, was ich da tat.

Ich schob den Umschlag weg. «Nein, danke.»

«Ich dachte, Sie wollen es sich vielleicht selbst ansehen.»

«Ich sagte Ihnen bereits, dass ich Ihnen nicht helfen kann.»

«Können Sie nicht oder wollen Sie nicht?»

Ich schüttelte den Kopf. «Tut mir Leid.»

Er betrachtete mich noch einen Moment und stand dann abrupt auf. «Danke, dass Sie sich die Zeit genommen haben, Dr. Hunter.» Seine Stimme war kalt.

«Sie haben etwas vergessen.» Ich reichte ihm den Umschlag.

«Behalten Sie ihn. Vielleicht wollen Sie sich die Fotos später anschauen.»

Er ging hinaus. Ich hatte immer noch den Umschlag in der Hand. Ich hätte nur die Fotografien herausrutschen lassen müssen. Stattdessen öffnete ich eine Schublade und ließ ihn hineinfallen. Ich schob die Schublade zu und bat Janice, den nächsten Patienten hereinzuschicken.

Doch ich spürte die Anwesenheit der Fotos während des ganzen Vormittags. Ich spürte sie bei jedem Gespräch, bei jeder Untersuchung. Nachdem der letzte Patient aus der Tür war, versuchte ich mich damit abzulenken, sein Krankenblatt zu vervollständigen. Als das erledigt war, stand ich auf und starrte aus den Verandatüren. Noch zwei Hausbesuche, dann hatte ich den Nachmittag für mich. Wenn es einen Windhauch gegeben hätte, hätte ich mit dem Boot auf den See hinausfahren können. Aber bei diesem Wetter hätte ich mich auf dem Wasser genauso gefühlt wie jetzt: wie auf dem Trockenen.

Ich war seltsam gefühllos gewesen, als Mackenzie meine Vergangenheit aufgewühlt hatte. Er hätte von jemand anderem sprechen können. Und in gewisser Weise hatte er das auch getan. Es war ein anderer David Hunter gewesen, der sich in die obskure Chemie des Todes vertieft und das Resultat unzähliger durch Gewalt, Unfall und Natur herbeigeführter Verletzungen gesehen hatte. Ich hatte mit größter Selbstverständlichkeit unter die Haut auf das Skelett geschaut und rühmte meine Kenntnisse, von denen nur wenige andere Menschen wussten, dass sie überhaupt existierten. Was mit dem menschlichen Körper geschah, nachdem das Leben aus ihm gewichen war, war kein großes Geheimnis für mich. Ich war vertraut mit jeder Form der Verwesung und konnte ihr Fortschreiten abhängig vom Wetter, dem Boden und der Jahreszeit bestimmen. Grauenhaft, ja, aber notwendig. Und aus der Bestimmung des Wann, Wie und Wer zog ich die Befriedigung eines Zauberers. Dass ich es mit Individuen zu tun hatte, vergaß ich nie. Aber nur in einem abstrakten Sinn; ich kannte diese Fremden nur im Tod, nicht im Leben.

Und dann wurden mir die beiden Menschen entrissen, die ich mehr als alles andere in dieser Welt liebte. Meine Frau und meine Tochter, von einem Augenblick auf den anderen ausgelöscht von dem Betrunkenen, der den Unfall unversehrt überstanden hatte. Kara und Alice waren beide in einem Augenblick von lebenden Individuen in tote, organische Materie verwandelt worden. Und niemand wusste so genau wie ich, welche physische Metamorphose sich fast im selben Moment vollzog. Aber das konnte nicht die einzige Frage beantworten, die mich zu beherrschen begann und auf die mir mein gesamtes Wissen nicht einmal annähernd eine Antwort geben konnte: *Wo waren sie?* Was war mit dem Leben geschehen, das einmal in ihnen gewesen war? Wie konnte all diese Lebendigkeit, diese *Seele* einfach aufhören zu existieren?

Ich wusste es nicht. Und dieses Unwissen war mehr, als ich ertragen konnte. Meine Kollegen und Freunde waren verständnisvoll, doch ich bemerkte es kaum. Ich hätte mich gerne in meine Arbeit gestürzt, aber die erinnerte mich ständig daran, was ich verloren hatte, und an die Fragen, auf die ich keine Antwort fand.

Und so lief ich davon. Wandte mich von allem ab, was ich kannte, frischte meine medizinischen Grundkenntnisse auf und versteckte mich hier draußen, meilenweit von allem entfernt. Hier fand ich vielleicht kein neues Leben, aber einen neuen Beruf. Einen Beruf, der sich mehr um die Lebenden kümmerte als um die Toten und in dem ich versuchen konnte, die letzte Verwandlung wenigstens hinauszuzögern, auch wenn ich sie dadurch kein bisschen mehr verstand. Und es hatte funktioniert. Bis jetzt.

Ich ging zu meinem Schreibtisch und öffnete die Schublade. Ich zog die Fotos heraus und legte sie verkehrt herum hin. Ich würde sie mir anschauen und dann Mackenzie zurückgeben. Das verpflichtet mich noch zu gar nichts, sagte ich mir und drehte sie um.

Ich hatte keine Ahnung gehabt, wie ich mich fühlen würde, aber womit ich nicht gerechnet hatte, war, wie vertraut mir der Anblick erschien. Das lag nicht so sehr an dem Motiv der Fotos – das war weiß Gott mehr als erschreckend. Doch das Betrachten der Bilder war wie ein Sprung in die Vergangenheit. Ohne zu merken, was ich da tat, begann ich sie auf der Suche nach Anhaltspunkten zu studieren.

Es waren sechs Fotografien, aufgenommen aus verschiedenen Blickwinkeln. Ich blätterte sie einmal schnell durch, dann begann ich von vorn und schaute jedes einzelne ausführlicher an. Die Leiche war unbekleidet und lag auf dem Bauch, die Arme waren über den Kopf gestreckt, als wäre sie im Begriff, in die langen Halme des Sumpfgrases einzutauchen. Allein durch die Fotografien hätte man unmöglich das Geschlecht bestimmen können. Die dunkel verfärbte Haut hing an der Leiche wie schlecht sitzendes Leder, aber das war nicht, was einem zuerst ins Auge fiel. Sam hatte Recht gehabt. Er hatte gesagt, dass die Leiche Flügel hatte, und so war es auch. Auf beiden Seiten des Rückgrates war jeweils ein tiefer Schlitz in das Fleisch geschnitten worden.

In diese Schlitze waren weiße Schwanenflügel gesteckt worden, die der Leiche den Anblick eines gefallenen, verwesenden Engels gaben.

Auf der verrottenden Haut hatten sie eine erschreckend obszöne Wirkung. Ich schaute sie mir noch eine Weile an und studierte dann die Leiche selbst. Maden rieselten wie Reiskörner aus den Wunden. Nicht nur aus den beiden großen auf den Schulterblättern, sondern auch aus zahlreichen kleineren Wunden auf dem Rücken, den Armen und Beinen. Die Verwesung war weit fortgeschritten. Wahrscheinlich hatten Hitze und Feuchtigkeit den Prozess beschleunigt, außerdem hatten Tiere und Insekten ihren Teil dazu beigetragen. Jeder einzelne Faktor hatte jedoch seine eigene Geschichte zu erzählen, durch deren Kombination sich herausfinden ließ, wie lange sie bereits dort lag.

Die letzten drei Fotos zeigten die Leiche, nachdem sie umgedreht worden war. Auch hier gab es kleine Schnitte am Körper und den Gliedmaßen. Das Gesicht war eine formlose Masse aus gesplitterten Knochen. Darunter klaffte die durchtrennte Kehle weit auf und man sah die Knorpel, die langsamer und nicht so leicht verwesten wie das weichere Gewebe, das sie bedeckt hatte. Ich musste an Bess denken, Sallys Collie. Auch die Kehle des Hundes war durchtrennt worden. Ich schaute mir die Fotos noch einmal an. Nachdem ich merkte, dass ich an der Leiche nach wiedererkennbaren Merkmalen suchte, legte ich sie zurück auf den Schreibtisch. Ich blieb dort sitzen, bis es an der Tür klopfte. Es war Henry.

«Janice hat mir gesagt, dass die Polizei hier war. Haben es die Einheimischen wieder mit dem Vieh getrieben?»

«Es war nur wegen gestern.»

«Ach so.» Er ließ seine Witze. «Probleme?»

«Eigentlich nicht.»

Was nicht ganz der Wahrheit entsprach. Mir war nicht wohl dabei, Henry etwas zu verschweigen, aber ich hatte ihn noch nicht in alle Einzelheiten meiner Vergangenheit eingeweiht. Er wusste zwar, dass ich Anthropologe gewesen war, aber das war ein weites Feld und konnte alles Mögliche heißen. Den forensischen Aspekt meiner Arbeit sowie meine Beteiligung an polizeilichen Ermittlungen hatte ich für mich behalten. Ich hatte nicht darüber reden wollen.

Ich wollte es immer noch nicht.

Sein Blick schwenkte zu den Fotografien auf dem Schreibtisch. Er war zu weit weg, um Einzelheiten zu erkennen, ich hatte aber trotzdem das Gefühl, durchschaut worden zu sein. Als ich die Fotos zurück in den Umschlag steckte, hob er seine Augenbrauen.

«Können wir später darüber reden?», meinte ich.

«Natürlich. Ich wollte nicht neugierig sein.»

«Das bist du nicht. Es ist nur … ich muss im Moment über ein paar Dinge nachdenken.»

«Alles in Ordnung? Du kommst mir ein bisschen … abwesend vor.»

«Nein, alles in Ordnung.»

Er nickte, doch die Sorge wich nicht aus seinem Blick. «Was hältst du davon, mal wieder mit dem Boot rauszufahren? Ein bisschen Bewegung würde uns beiden gut tun.»

Obwohl er Hilfe beim Ein- und Aussteigen benötigte, hielt Henrys Behinderung ihn nicht vom Rudern oder Segeln ab, saß er erst einmal im Boot. «Abgemacht. Aber gib mir ein paar Tage.»

Ich spürte, dass er noch etwas fragen wollte, es sich dann aber anders überlegte. Er rollte zurück zur Tür. «Ein Wort genügt. Du weißt ja, wo ich bin.»

Nachdem er weg war, legte ich meinen Kopf an die Rückenlehne und schloss die Augen. *Ich wollte das alles nicht.* Aber wer wollte das schon. Die tote Frau bestimmt nicht. Ich dachte an die Bilder, die ich gerade gesehen hatte, und mir wurde klar, dass ich, genau wie sie, keine Wahl hatte.

Mackenzie hatte mir mit den Fotos auch seine Karte dagelassen. Ich konnte ihn jedoch weder im Büro noch über sein Handy erreichen. Beide Male hinterließ ich die Bitte um Rückruf und legte auf. Ich konnte nicht behaupten, mich nach der Entscheidung besser zu fühlen, aber ein Teil der Last schien von mir genommen.

Danach musste ich mich um die Hausbesuche kümmern. Es waren nur zwei, keine ernsten Fälle: ein Kind mit Mumps und ein bettlägeriger alter Mann, der sich weigerte zu essen. Gegen Mittag war ich fertig. Ich befand mich gerade auf dem Rückweg und überlegte, ob ich zu Hause oder im Pub essen sollte, als mein Telefon klingelte. Ich zog es schnell hervor, aber es war nur Janice, die mir sagte, dass die Schule angerufen hatte. Man machte sich Sorgen um Sam Yates.

Ob ich kurz vorbeischauen könnte? Ich sagte zu, froh, etwas Konstruktives zu tun, während ich auf Mackenzies Rückruf wartete.

In Manham waren die Polizeibeamten auf den Straßen eine ernüchternde Mahnung an das, was passiert war. Ihre Uniformen standen im krassen Kontrast zu der Fröhlichkeit der Blumen, die auf dem Kirchhof und der Dorfwiese blühten, zudem lag eine gedämpfte, aber unverkennbare Unruhe über dem Dorf. In der Schule schien jedoch alles seinen normalen Gang zu gehen. Die älteren Kinder mussten zwar fünf Meilen in die nächste Gesamtschule fahren, doch Manham hatte noch eine eigene kleine Grundschule. Auf dem von der Sonne hell erleuchteten Pausenhof der ehemaligen Kapelle herrschte ein buntes Treiben. Dies war die letzte Schulwoche vor den langen Sommerferien, und das Wissen darum schien die Kinder in der Mittagspause noch ungestümer zu machen als sonst. Ein kleines Mädchen prallte gegen meine Beine, als sie einer Mitschülerin auswich, die sie fangen wollte. Kichernd liefen die beiden davon, so in ihr Spiel vertieft, dass sie mich kaum wahrgenommen hatten.

Durch das leere Schulhaus ging ich in das Sekretariat. Betty, die Sekretärin, schenkte mir ein strahlendes Lächeln, als ich an die offene Tür klopfte.

«Hallo. Sie wollen zu Sam?»

Sie war eine zierliche, warmherzige Frau, die ihr Leben lang im Dorf gewohnt hatte. Sie war nie verheiratet gewesen, lebte mit ihrem Bruder zusammen und behandelte die Kinder wie ihre erweiterte Familie.

«Wie geht es ihm?», fragte ich. Sie zog die Nase kraus.

«Ein bisschen durcheinander. Er ist nebenan in der Krankenabteilung. Gehen Sie einfach rein.»

«Krankenabteilung» war eine ziemlich hochtrabende Bezeichnung für einen kleinen Raum mit einem Waschbecken, einer Liege und einem Erste-Hilfe-Schränkchen. Sam saß mit gesenktem Kopf und baumelnden Beinen auf der Liege. Er sah blass und den Tränen nahe aus.

Neben ihm saß eine junge Frau und sprach beruhigend auf ihn ein, während sie ihm ein Buch zeigte. Als ich eintrat, hielt sie inne und schaute mich erleichtert an.

«Hallo, ich bin Dr. Hunter», sagte ich zu ihr und lächelte dann den Jungen an. «Wie geht es dir, Sam?»

«Er ist ein bisschen müde», antwortete die junge Frau für ihn. «Anscheinend hat er letzte Nacht schlecht geträumt. Nicht wahr, Sam?»

Sie klang sachlich und ruhig, ohne herablassend zu wirken. Ich vermutete, dass sie seine Lehrerin war, aber ich hatte sie noch nie gesehen, und ihr Dialekt war für eine Einheimische nicht ausgeprägt genug. Sam hatte sein Kinn auf die Brust fallen lassen. Ich ging in die Hocke, damit ich auf seiner Augenhöhe war.

«Stimmt das, Sam? Was für Albträume?» Nachdem ich die Fotos gesehen hatte, konnte ich es mir gut vorstellen. Er hob den Kopf nicht und schwieg weiter. «Na gut, dann wollen wir mal nachschauen.»

Ich rechnete nicht damit, irgendwelche körperlichen Ursachen zu finden, und entdeckte auch keine. Seine Temperatur war vielleicht etwas hoch, aber das war alles. Ich zerzauste sein Haar, als ich aufstand.

«Stark wie ein Ochse. Kommst du klar, wenn ich kurz mit deiner Lehrerin spreche?»

«Nein!», sagte er ängstlich.

Sie lächelte ihn beruhigend an. «Schon gut, wir sind nur draußen auf dem Flur. Ich lasse die Tür auf und gleich bin ich wieder da, okay?»

Sie gab ihm das Buch. Nach einem Augenblick nahm er es mürrisch in die Hand. Ich folgte ihr hinaus auf den Flur. Wie versprochen ließ sie die Tür auf, ging aber so weit, bis wir außer Hörweite waren.

«Tut mir Leid, dass Sie kommen mussten. Ich wusste mir nicht zu helfen», sagte sie mit gesenkter Stimme. «Vorhin ist er völlig hysterisch geworden. Ganz untypisch für ihn.»

Ich musste wieder an die Fotos denken. «Ich nehme an, Sie haben gehört, was gestern geschehen ist?»

Sie verzog das Gesicht. «Jeder hat davon gehört. Das ist ja gerade das Problem. Die anderen Kinder wollen alle wissen, was los war. Das ist ihm einfach zu viel geworden.»

«Haben Sie seine Eltern benachrichtigt?»

«Ich habe es versucht. Aber ich konnte sie unter keiner der Nummern erreichen, die wir von ihnen haben.» Sie zuckte entschuldigend mit den Achseln. «Deswegen dachte ich, es wäre besser, Sie zu rufen. Ich habe mir ernsthaft Sorgen um ihn gemacht.»

Das war ihr anzusehen. Ich hätte sie auf Ende zwanzig oder Anfang dreißig geschätzt. Ihr kurz geschnittenes, blondes Haar sah natürlich aus, aber es war einige Töne heller als die dunklen Augenbrauen, die im Moment besorgt hochgezogen waren. Sie hatte ein paar Sommersprossen im Gesicht, die durch eine leichte Bräune hervorgehoben wurden.

«Er hatte einen schlimmen Schock. Es könnte eine Weile dauern, bis er darüber hinweg ist», sagte ich.

«Armer Sam. Ausgerechnet, wo die Ferien anfangen.» Sie schaute kurz zur geöffneten Tür. «Glauben Sie, er braucht therapeutische Hilfe?»

Das hatte ich mich auch schon gefragt. Sollte sich sein Zustand in ein oder zwei Tagen nicht gebessert haben, würde ich ihn überweisen müssen. Aber ich hatte da so meine Erfahrungen und wusste, dass eine Wunde manchmal nur mehr blutete, wenn man darin herumstocherte. Das war vielleicht keine moderne Ansicht, aber ich würde Sam lieber die Möglichkeit geben, allein darüber hinwegzukommen.

«Schauen wir mal, wie er sich macht. Vielleicht ist er gegen Ende der Woche schon wieder der Alte.»

«Das hoffe ich.»

«Ich halte es im Moment für das Beste, wenn er nach Hause geht», sagte ich ihr. «Haben Sie es in der Schule seines Bruders versucht? Dort weiß man vielleicht, wie man seine Eltern erreichen kann.»

«Nein. Darauf ist niemand gekommen.» Sie sah unzufrieden mit sich aus.

«Kann jemand bei ihm bleiben, bis sie hier sind?»

«Ich. Ich werde jemanden holen, um meine Klasse in Schach zu halten.» Ihre Augen wurden groß. «Oh, tut mir Leid, das hätte ich gleich sagen sollen. Ich bin seine Lehrerin.»

Ich lächelte. «Das habe ich mir fast gedacht.»

«Gott, ich habe mich noch gar nicht vorgestellt, oder?» Sie errötete, was ihre Sommersprossen noch mehr hervorstechen ließ. «Jenny. Jenny Hammond.»

Unsicher streckte sie eine Hand aus. Sie war warm und trocken. Ich erinnerte mich, gehört zu haben, dass eine neue Lehrerin Anfang des Jahres hier angefangen hatte, aber ich hatte sie noch nie getroffen. Dachte ich jedenfalls.

«Ich glaube, ich habe Sie ein- oder zweimal im Lamb gesehen», sagte sie.

«Das ist gut möglich. Das Nachtleben ist hier ein wenig eindimensional.»

Sie grinste. «Habe ich gemerkt. Aber deswegen zieht man ja hierher, oder? Um dem Trubel zu entfliehen.» In meinem Gesicht musste sich etwas geregt haben. «Entschuldigen Sie, Sie klingen nicht wie ein Einheimischer, deswegen dachte ich …»

«Schon in Ordnung, ich bin nicht von hier.»

Sie sah nur wenig erleichtert aus. «Dann gehe ich wohl lieber mal zurück zu Sam.»

Ich folgte ihr, um mich zu verabschieden und mich zu vergewissern, dass er kein Beruhigungsmittel brauchte. Am Abend wollte ich noch einmal nach ihm sehen und seiner Mutter sagen, dass sie ihn noch ein paar Tage aus der Schule nehmen sollte, bis die unmittelbare Erinnerung an das, was er gesehen hatte, ausreichend vernarbt war, um die bohrenden Fragen seiner Mitschüler auszuhalten.

Ich war bereits wieder beim Landrover, als mein Telefon klingelte. Dieses Mal war es Mackenzie.

«Sie haben mir eine Nachricht hinterlassen», sagte er ohne Umschweife.

Ich sprach hastig, wie um es schnell loszuwerden. «Ich werde Ihnen helfen, die Leiche zu identifizieren. Aber mehr nicht. Ich werde mich darüber hinaus nicht in die Sache hineinziehen lassen, okay?»

«Wie Sie wollen.» Er klang nicht gerade freundlich, aber das war mein Angebot ja auch nicht gewesen. «Und wie wollen Sie vorgehen?»

«Ich muss die Stelle sehen, wo die Leiche gefunden wurde.»

«Die ist bereits in der Leichenhalle, aber ich kann Sie dort in einer Stunde treffen.»

«Nein, ich will nicht die Leiche sehen, sondern den Ort, an dem sie gefunden wurde.»

Ich konnte seine Gereiztheit durch die Leitung spüren. «Weshalb? Was soll das bringen?»

Mein Mund war trocken. «Ich werde nach Laub suchen.»

KAPITEL 6

DER REIHER TRIEB träge über den Sumpf und segelte durch die eisblaue Luft. Er sah zu groß aus, um sich dort oben halten zu können, ein Riese verglichen mit den kleineren Enten, über die sein Schatten glitt. Als er zum See hinabglitt, winkelte er seine Schwingen an und bremste seine Landung mit zwei Flügelschlägen ab. Mit einem arroganten Kopfschütteln stocherte er dann bedächtig durch die Untiefe, ehe er auf seinen spindeldürren Beinen reglos wie eine versteinerte Statue stehen blieb.

Ich wandte mich widerstrebend von ihm ab, als ich Mackenzie näher kommen hörte. «Hier», sagte er und reichte mir eine versiegelte Plastiktüte. «Ziehen Sie das an.»

Ich nahm den weißen Papieroverall aus der Tüte und stieg vorsichtig hinein, um das dünne Material nicht zu zerreißen, als ich es über Schuhe und Hose zog. Kaum hatte ich den Reißverschluss geschlossen, begann ich zu schwitzen. Das feuchte, unbehagliche Gefühl war mir irritierend vertraut.

Es war wie ein Sprung in die Vergangenheit.

Ich hatte ein Déjà-vu-Gefühl nicht abschütteln können, seit ich Mackenzie genau an der Stelle getroffen hatte, zu der ich am gestrigen Tag die zwei Polizisten gebracht hatte. Jetzt war die Straße mit Polizeiwagen und großen Wohnwagen gesäumt, die als mobile Einsatzzentralen dienten. Nachdem ich den Overall und die Papierschuhe angezogen hatte, gingen wir schweigend auf dem Pfad durch das Sumpfgelände.

Unser Weg war von parallel gespannten Absperrbändern der Polizei gekennzeichnet. Ich wusste, dass er gerne gefragt hätte, was ich zu tun gedachte, und ich wusste auch, dass er es für ein Zeichen von Schwäche hielt, mir seine Neugier zu zeigen. Doch ich schwieg nicht aus dem unangebrachten Verlangen, meine Macht auszuspielen. Ich zögerte lediglich den Moment heraus, dem Grund meiner Anwesenheit hier ins Gesicht zu sehen.

Das Gebiet, in dem die Leiche gefunden worden war, war ebenfalls abgeriegelt. Hinter dem Absperrband schwärmten Beamte der Spurensicherung über das Gras. In ihren weißen Overalls sahen sie anonym und identisch aus, ein Anblick, der weitere unerfreuliche Erinnerungen auslöste.

«Wo ist das verdammte Wick?», fragte Mackenzie in die Runde.

Eine Beamtin reichte ihm ein Glas Inhalationsbalsam. Er rieb sich etwas unter die Nase und bot es mir an.

«Obwohl die Leiche weg ist, riecht es noch immer ziemlich streng.»

Früher war ich so an die mit meiner Arbeit verbundenen Gerüche gewohnt gewesen, dass ich mich gar nicht mehr um sie kümmerte. Aber das war damals. Ich schmierte mir den nach Menthol riechenden Balsam auf die Oberlippe und zwängte dann meine Hände in ein Paar chirurgische Latexhandschuhe.

«Es gibt auch eine Maske, wenn Sie wollen», sagte Mackenzie. Ich schüttelte automatisch den Kopf. Wenn es sich vermeiden ließ, hatte ich nie gerne Masken getragen. «Dann kommen Sie.»

Er bückte sich unter dem Band hindurch. Ich folgte ihm. Die Beamten der Spurensicherung durchkämmten das Terrain im Innenbereich der Absperrung. Ein paar kleine, im

Boden steckende Markierungen zeigten an, wo potenzielle Beweisstücke gefunden worden waren. Ich wusste, dass sich die meisten als irrelevant erweisen würden – Bonbonpapier, Zigarettenkippen und Splitter von Tierknochen, die am Ende nichts mit dem Fall zu tun hatten. In diesem Stadium hatte man jedoch noch keine Ahnung, was wichtig war und was nicht. Alles wurde eingetütet und zur Untersuchung fortgeschafft.

Wir wurden mit ein paar neugierigen Blicken bedacht, doch meine Aufmerksamkeit war auf den Bodenbereich in der Mitte der Absperrung gerichtet. Das Gras war schwarz verfärbt und tot, beinahe so, als hätte dort ein Feuer gebrannt. Aber nicht Hitze hatte das Gras abgetötet. Nun machte sich auch etwas anderes bemerkbar, ein unverwechselbarer Geruch, den selbst das intensive Mentholbalsam nicht übertünchen konnte.

Mackenzie warf einen Minzbonbon in den Mund und steckte die Packung weg, ohne sie anzubieten. «Das ist Dr. Hunter», erklärte er den umstehenden Beamten und zerkaute den Bonbon. «Er ist forensischer Anthropologe und wird uns helfen, die Leiche zu identifizieren.»

«Na, dann wird er sich aber ziemlich anstrengen müssen», sagte einer von ihnen. «Die ist nämlich nicht mehr hier.»

Es gab Gelächter. Dies war ihr Job, und sie hatten gegen jeden eine Abneigung, der sich einmischte. Besonders gegen einen Zivilisten. Eine Haltung, die mir schon früher begegnet war.

«Dr. Hunter ist auf Wunsch von Detective Superintendent Ryan hier. Sie werden ihm selbstverständlich alle Hilfe leisten, die er benötigt.» Mackenzies Stimme klang scharf. An den plötzlich verschlossenen Gesichtern konnte ich sehen, dass seine Worte nicht gut angekommen waren. Es störte mich nicht. Ich hatte mich bereits neben dem abgestorbenen Gras niedergekauert.

Der Fleck hatte ungefähr die Form der Leiche, die darauf gelegen hatte, eine Silhouette der Fäulnis. Ein paar Maden wanden sich noch in den schwarzen und platt gedrückten Halmen, zwischen denen wie Schnee weiße Federn verstreut waren.

Ich untersuchte eine der Federn. «Stammten die Flügel definitiv von einem Schwan?»

«Nehmen wir an», sagte einer der Beamten der Spurensicherung. «Wir haben sie an einen Ornithologen geschickt, um es zu klären.»

«Wie sieht es mit Bodenproben aus?»

«Sind bereits im Labor.»

Man konnte den Eisengehalt des Bodens überprüfen, um festzustellen, wie viel Blut er aufgesogen hatte. Wenn die Kehle des Opfers hier durchtrennt worden war, wo man die Leiche gefunden hatte, dann würde der Eisengehalt hoch sein. Wenn der Eisengehalt niedrig war, dann war die Wunde entweder nach Eintritt des Todes zugefügt worden oder die Frau war irgendwo anders getötet und ihre Leiche erst später hier abgelegt worden.

«Was ist mit Insekten?», fragte ich.

«Wir machen das nicht zum ersten Mal, wissen Sie.»

«Ich weiß. Ich versuche nur herauszufinden, wie weit Sie gekommen sind.»

Er seufzte übertrieben auf. «Ja, wir haben Insektenproben genommen.»

«Was haben Sie gefunden?»

«Man nennt die Viecher Maden.»

Damit löste er ein wenig Gekicher aus. Ich sah ihn an.

«Was ist mit Puppen?»

«Was soll damit sein?»

«Welche Farbe hatten die Maden? Blass? Dunkel? Gab es leere Hüllen, Schalen?»

Er blinzelte mich nur mürrisch an. Jetzt lachte niemand mehr.

«Was ist mit Käfern? Gab es viele Käfer auf der Leiche?»

Er starrte mich an, als wäre ich verrückt. «Das ist eine Morduntersuchung und keine Biologiestunde!»

Er war einer von der alten Schule. Die neue Generation der Beamten der Spurensicherung war darum bemüht, neue Techniken zu lernen, und jedem Wissensgebiet gegenüber offen, das ihnen weiterhelfen konnte. Aber es gab noch ein paar von denen, die gegen alles resistent waren, was nicht in ihren eingeschränkten Erfahrungshorizont passte. Ich war diesem Typus gelegentlich über den Weg gelaufen. Anscheinend war er immer noch nicht ausgestorben.

Ich wandte mich an Mackenzie. «Jedes Insekt hat einen anderen Lebenszyklus. Diese Larven hier sind hauptsächlich Fliegen der Unterordnung Deckelschlüpfer. Schmeißfliegen. Angesichts der offenen Wunden der Leiche können wir davon ausgehen, dass die Insekten sofort angezogen worden sind. Bei Tageslicht werden sie innerhalb einer Stunde mit dem Eierlegen begonnen haben.»

Ich stocherte im Boden herum, hob eine reglose Made auf und legte sie auf meine Hand. «Diese Made steht kurz vor der Verpuppung. Je älter sie sind, desto dunkler werden sie. So, wie diese aussieht, würde ich sagen, dass sie sieben oder acht Tage alt ist. Ich kann hier keine Schalenteile herumliegen sehen, was bedeutet, dass sich die Puppen noch nicht gehäutet haben. Der volle Lebenszyklus der Fliege dauert vierzehn Tage, es liegt also die Vermutung nahe, dass die Leiche nicht so lange hier gelegen hat.»

Ich ließ die Larve ins Gras fallen. Die anderen Beamten hatten jetzt mit der Arbeit innegehalten und hörten zu.

«Okay, ausgehend vom Entwicklungsstadium der Insekten kann man also vorläufig feststellen, dass die Todeszeit zwischen einer und zwei Wochen zurückliegt. Ich nehme an, Sie wissen, was das für ein Zeug ist?», fragte ich und zeigte auf die Spuren einer gelb-weißen Substanz, die an manchen Grashalmen klebte.

«Das ist ein Nebenprodukt der Verwesung», sagte der Beamte der Spurensicherung steif.

«Richtig», sagte ich. «Man nennt es Adipocire, auch bekannt als Leichenwachs. Im Grunde eine Seife, die sich aus den Fettsäuren der Leiche bildet, wenn die Muskelproteine zerfallen. Dringt sie in den Boden ein, wird dieser äußerst alkalihaltig, wodurch das Gras abgetötet wird. Und wenn Sie sich dieses weiße Zeug anschauen, dann werden Sie bemerken, dass es spröde und krümelig ist. Das lässt auf eine ziemlich rasche Verwesung schließen, denn wenn sie langsamer verläuft, ist die Adipocire eher weicher. Was man wiederum bei einer Leiche nicht anders erwarten sollte, die bei der Hitze im Freien liegt und eine Menge offener Wunden aufweist, in die Bakterien eindringen. Doch selbst unter diesen Bedingungen gibt es in unserem Fall noch nicht viel Adipocire, ein weiterer Hinweis darauf, dass die Todeszeit weniger als zwei Wochen zurückliegt.»

Schweigen. «Wie viel weniger?», fragte Mackenzie und brach das Schweigen.

«Ohne mehr zu wissen, kann man das unmöglich sagen.» Ich betrachtete die verkümmerte Vegetation und zuckte mit den Achseln. «Unter Berücksichtigung des schnellen Verlaufs der Verwesung würde ich grob geschätzt von neun, zehn Tagen ausgehen. Wenn die Leiche wesentlich länger in dieser Hitze gelegen hätte, dann wäre sie mittlerweile vollständig skelettiert gewesen.»

Während ich sprach, hatte ich das tote Gras in Augenschein genommen, um zu suchen, was ich dort zu finden hoffte. «Wie war die Leiche ausgerichtet?», fragte ich den Beamten der Spurensicherung.

«Wie?»

«Auf welcher Seite war der Kopf?»

Mürrisch zeigte er es mir. Ich sah im Geiste die Fotos vor mir, die ich betrachtet hatte, sah die über dem Kopf ausgestreckten Arme, und begann, den Boden in diesem Bereich zu untersuchen. Da ich im toten Gras nicht finden konnte, was ich wollte, dehnte ich meine Suche darüber hinaus aus und teilte vorsichtig die Grashalme, um zu sehen, was an ihrer Wurzel lag.

Als ich schon zu glauben begann, dass ich nichts finden würde und dass irgendein Aasfresser entdeckt hatte, wonach ich suchte, sah ich es.

«Kann ich einen Beweisbeutel haben?»

Ich wartete, bis einer gebracht wurde, griff dann ins Gras und hob behutsam einen verschrumpelten, braunen Fetzen auf. Ich steckte ihn in die Tüte und versiegelte sie.

«Was ist das?», fragte Mackenzie und reckte den Kopf.

«Wenn ein Körper ungefähr eine Woche tot ist, beginnt sich die Haut zu lösen. Deswegen sieht die Haut einer Leiche so verschrumpelt aus, als würde sie nicht richtig passen. Besonders an den Händen. Am Ende fällt die obere Schicht vollständig ab, wie ein Handschuh. Das wird häufig übersehen, weil die Leute nicht wissen, was es ist, und es für Laub halten.»

Ich hielt den durchsichtigen Plastikbeutel hoch, der den pergamentartigen Gewebefetzen enthielt.

«Sie wollten doch Fingerabdrücke.»

Mackenzie zog seinen Kopf schroff zurück. «Sie machen Witze!»

«Nein. Ich weiß nicht, ob dies von der rechten oder von der linken Hand stammt, aber das Gegenstück müsste auch noch irgendwo zu finden sein, wenn es kein Tier gefressen hat. Die Suche überlasse ich Ihnen.»

Der Beamte der Spurensicherung schnaubte. «Und wie soll man davon Abdrücke nehmen?», ereiferte er sich. «Schauen Sie sich das an! Das Ding ist hart und wellig wie ein Kartoffelchip!»

«Ach, das ist ganz einfach», erklärte ich ihm. Langsam genoss ich die Situation. «Wie auf der Packung angegeben: Nur Wasser hinzufügen.» Er schaute mich verdutzt an. «Weichen Sie es über Nacht ein. Es wird rehydrieren und Sie können es sich über die Finger ziehen wie einen Handschuh. Dann müssten Sie einen anständigen Satz Fingerabdrücke erhalten.»

Ich reichte ihm den Beutel. «Aber wenn ich Sie wäre, würde ich es von jemandem mit kleinen Händen machen lassen. Und erst Gummihandschuhe anziehen.»

Er starrte auf den Beutel, und ich ließ ihn stehen und bückte mich unter dem Absperrband hindurch. Die Reaktion ließ bestimmt nicht lange auf sich warten. Ich zog den Overall und die Papierschuhe aus, froh, beides los zu sein.

Mackenzie kam zu mir, als ich die Schutzkleidung gerade zusammenknüllte. Er schüttelte den Kopf. «Tja, man lernt nie aus. Wo haben Sie sich das bloß angeeignet?»

«Drüben in den Staaten. Ich war ein paar Jahre im anthropologischen Forschungsinstitut in Tennessee. Die Leichenfarm wird es inoffiziell genannt. Es ist der einzige Ort auf der Welt, wo man die Verwesung an menschlichen Leichen erforscht. Wie lange sie unter bestimmten Bedingungen dauert, welche Faktoren sie verursachen und so weiter. Das FBI trainiert dort, wie man Leichen birgt.» Ich deutete mit einem Nicken zu dem Beamten der Spurensicherung, der dem restlichen Team schlecht gelaunt Anweisungen gab. «Hier könnten wir auch so etwas gebrauchen.»

«Da können wir lange drauf warten.» Er zwängte sich aus seinem Overall. «Ich hasse diese Scheißdinger», brummte er und schälte sich heraus. «Sie glauben also, dass das Opfer seit ungefähr zehn Tagen tot ist?»

Ich streifte die Handschuhe ab. Der Geruch nach Latex und feuchter Haut brachte mehr Erinnerungen hoch, als mir lieb war. «Neun oder zehn. Was aber nicht heißt, dass die Leiche die ganze Zeit hier gelegen haben muss. Sie könnte erst später hergebracht worden sein, aber das werden Ihre Fachleute Ihnen bestimmt sagen können.»

«Sie könnten ihnen helfen.»

«Tut mir Leid. Aber ich hatte Ihnen nur versprochen, bei der Identifizierung der Leiche zu helfen. Morgen um diese Zeit müssten Sie schon genauer wissen, wer es ist.» Oder wer es nicht ist, dachte ich, behielt es aber für mich. Doch Mackenzie konnte offensichtlich Gedanken lesen.

«Wir haben jetzt intensiv begonnen, nach Sally Palmer zu suchen. Niemand, mit dem wir bisher gesprochen haben, hat sie seit dem Grillfest im Pub gesehen. Am nächsten Tag wollte sie eine Lebensmittelbestellung abholen, ist aber nie im Laden aufgetaucht. Und normalerweise kauft sie jeden Morgen beim Zeitschriftenhändler ihre Tageszeitung. Anscheinend ist sie eine passionierte *Guardian*-Leserin. Aber da ist sie auch nicht mehr gewesen.»

Ein dunkles, hässliches Gefühl begann in mir zu wachsen. «Und das hat bis heute niemand gemeldet?»

«Anscheinend nicht. Sieht so aus, als hätte sie niemand vermisst. Jeder glaubte, sie müsste verreist oder mit ihrer Schreiberei beschäftigt sein. Der Zeitschriftenhändler sagte mir, sie wäre ja keine Einheimische. So viel dazu, in einer kleinen, netten Gemeinde zu wohnen, wo jeder jeden kennt.»

Ich konnte schlecht etwas sagen. Mir war ihre Abwesenheit auch nicht aufgefallen. «Das muss nicht heißen, dass sie es ist. Das Grillfest war vor fast zwei Wochen. Wer hier gefunden wurde, ist noch nicht so lange tot. Und was ist mit Sallys Handy?»

«Was soll damit sein?»

«Es war noch in Betrieb, als ich anrief. Wenn sie schon so lange vermisst wäre, müsste der Akku längst leer gewesen sein.»

«Nicht unbedingt. Es ist ein neues Modell mit einer Stand-by-Zeit von vierhundert Stunden. Das sind ungefähr sechzehn Tage. Vielleicht nicht ganz, aber wenn es nur in ihrer Tasche lag, ohne benutzt zu werden, könnte der Akku so lange halten.»

«Es könnte trotzdem jemand anderes sein», beharrte ich, ohne mir selbst zu glauben.

«Vielleicht.» Sein Tonfall deutete an, dass er Informationen hatte, die er nicht mit mir teilen wollte. «Aber egal, wer es ist, wir müssen herausfinden, wer die Frau umgebracht hat.»

Dagegen gab es nichts einzuwenden. «Glauben Sie, es ist ein Einheimischer? Jemand aus dem Dorf?»

«Noch glaube ich gar nichts. Das Opfer könnte ebenso gut eine Tramperin gewesen sein, und der Mörder könnte sie einfach abgeladen haben, als er hier vorbeigekommen ist. Es ist noch zu früh, um etwas Genaues zu sagen.» Er holte Luft. «Hören Sie …»

«Die Antwort ist immer noch nein.»

«Sie wissen doch noch gar nicht, was ich fragen wollte.»

«Doch, weiß ich. Nur noch eine kleine Gefälligkeit, um Ihnen zu helfen. Und dann noch eine und noch eine.» Ich schüttelte den Kopf. «Ich mache diese Arbeit nicht mehr. Dafür gibt es in diesem Land andere Leute.»

«Nicht viele. Und Sie waren der Beste.»

«Jetzt nicht mehr. Ich habe getan, was ich kann.»

Seine Miene wurde kalt. «Wirklich?»

Er drehte sich um und marschierte davon und ließ mich allein zurück zum Landrover gehen. Ich fuhr los, aber nur, bis ich außer Sichtweite war. Meine Hände zitterten unkontrolliert, als ich am Straßenrand anhielt. Mit einem Mal konnte ich nicht mehr atmen. Ich legte meinen Kopf auf das Lenkrad und versuchte, nicht hektisch nach Luft zu schnappen, weil ich wusste, dass alles nur noch schlimmer wurde, wenn ich hyperventilierte.

Schließlich legte sich die Panikattacke. Mein Hemd klebte schweißnass an mir, aber ich rührte mich erst wieder, als ich hinter mir eine Hupe hörte. Ein Trecker tuckerte auf mich zu, ich blockierte die Straße. Als ich aufsah, bedeutete mir der Fahrer wütend, dass ich den Weg frei machen sollte. Ich hob entschuldigend meine Hand und fuhr los.

Als ich das Dorf erreichte, wurde ich langsam ruhiger. Ich hatte keinen Hunger, wusste aber, dass ich etwas essen sollte. Ich hielt vor dem Laden an, der für Dorfverhältnisse fast ein Supermarkt war. Ich wollte mir ein Sandwich kaufen und es mit nach Hause nehmen und ein oder zwei Stunden ausruhen, um meine Gedanken zu ordnen, bevor die Abendsprechstunde begann. Als ich an der Drogerie vorbeiging, kam eine junge Frau heraus und stieß beinahe mit mir zusammen. Ich erkannte sie als eine von Henrys Patientinnen, eine von den treuen, die es immer noch vorzogen zu warten, bis sie zu ihm konnten. Ich hatte sie einmal behandelt, als ich Henry vertreten hatte, musste aber dennoch nach ihrem Namen suchen. Lyn, glaubte ich. Lyn Metcalf.

«Oh, entschuldigen Sie», sagte sie und umklammerte ein Päckchen.

«Kein Problem. Wie geht es Ihnen?»

Sie schenkte mir ein breites Lächeln. «Großartig, danke.»

Ich erinnere mich, dass ich dachte, wie schön es war, jemanden zu treffen, der so offensichtlich glücklich war, als sie sich auf der Straße entfernte. Und dann dachte ich nicht mehr an sie.

KAPITEL 7

OBWOHL ES SPÄTER als sonst war, als Lyn den Damm erreichte, der durch das Schilf führte, war der Morgen noch nebliger als am vergangenen Tag. Alles war mit einem weißen Schleier überzogen, der sich zu ziellosen Formen kräuselte. Später sollte er abziehen, und zur Mittagszeit sollte es einer der heißesten Tage des Jahres werden. Doch im Moment war es kühl und feucht, sodass man sich weder Sonne noch Hitze vorstellen konnte.

Sie fühlte sich steif und außer Form. Sie und Marcus waren am vergangenen Abend lange aufgeblieben, um einen Film anzuschauen, und das nahm ihr Körper immer noch übel. An diesem Morgen war ihr das Aufstehen ungewöhnlich schwer gefallen, und sie hatte sich über Marcus geärgert, der nur abweisend gebrummt und sich im Bad eingeschlossen hatte. Jetzt, hier draußen, waren ihre Muskeln steif und müde. *Lauf es weg. Danach wirst du dich besser fühlen.* Sie verzog das Gesicht. Ja, genau.

Um sich von der Qual des Laufens abzulenken, dachte sie an das Päckchen, das sie in der Kommode unter ihren BHs und Slips versteckt hatte, wo Marcus es mit Sicherheit nicht finden würde. Er interessierte sich nur dann für ihre Unterwäsche, wenn sie von ihr getragen wurde.

Sie war nicht mit der Absicht in die Drogerie gegangen, einen Schwangerschaftstest zu kaufen. Doch als sie die Packungen auf dem Regal gesehen hatte, hatte sie spontan eine in ihren Korb zu den Tampons gelegt, die sie hoffentlich nicht mehr benötigen würde. Selbst dann hätte sie es sich fast noch anders überlegt. In diesem Ort konnte man kaum etwas geheim halten, und der Kauf eines Schwangerschaftstests könnte dazu führen, dass noch vor Tagesende das gesamte Dorf davon wusste.

Aber die Drogerie war leer gewesen, und an der Kasse hatte nur ein gelangweiltes junges Mädchen gesessen. Sie war neu, gleichgültig jedem gegenüber, der älter als achtzehn war, und hatte wahrscheinlich nicht einmal wahrgenommen, was Lyn gekauft hatte, geschweige denn Interesse an Klatsch. Mit rotem Gesicht war Lyn vorgetreten und hatte in ihrer Tasche nach dem Geld gekramt, während der Teenager lustlos den Preis des Tests in die Kasse getippt hatte.

Dämlich grinsend war sie hinausgeeilt, nur um geradewegs mit einem der Ärzte zusammenzustoßen. Mit dem jüngeren, nicht mit Dr. Maitland. Dr. Hunter. Ein stiller Mann, aber recht gut aussehend. Als er nach Manham gekommen war, hatte er unter den jüngeren Frauen einen ziemlichen Wirbel verursacht, was er allerdings nicht zu bemerken schien. Gott, es war ihr so peinlich gewesen, dass sie nur lachen konnte. Er musste sie für verrückt gehalten haben, als sie ihn wie eine Idiotin angestrahlt hatte. Oder er dachte, sie wäre scharf auf ihn. Bei dem Gedanken musste sie nun erneut lächeln.

Der Lauf zeigte seine Wirkung. Ihre Muskeln lockerten sich endlich, Verspannungen und Schmerzen ließen nach, als das Blut zu pulsieren begann. Jetzt lag der Wald direkt vor ihr, und als sie in die Bäume schaute, wurde eine dunkle Assoziation in ihrem Unterbewusstsein aufgewühlt. Abgelenkt durch die Erinnerung an die Ereignisse in der Drogerie konnte sie sie zuerst nicht einordnen. Dann dämmerte es ihr. Bis jetzt hatte sie nicht mehr an den toten Hasen gedacht, den sie gestern auf dem Weg gefunden hatte. Auch nicht an das Gefühl, beobachtet worden zu sein, als sie in den Wald gekommen war.

Plötzlich war ihr die Vorstellung, wieder in den Wald zu laufen, seltsam unangenehm, besonders bei diesem Nebel. *Töricht*, dachte sie und gab ihr Bestes, den Gedanken zu verscheuchen. Trotzdem wurde sie etwas langsamer, als sie sich dem Wald näherte. Nachdem ihr das bewusst wurde, schnalzte sie irritiert mit der Zunge und beschleunigte wieder. Erst als sie die Baumreihe schon fast erreicht hatte, musste sie an die Frauenleiche denken, die gefunden worden war. Aber das war nicht hier in der Nähe gewesen, sagte sie sich. Außerdem müsste der Mörder schon ein ziemlicher Masochist sein, wenn er so früh draußen wäre, dachte sie voller Ironie. Und dann schlossen sich die ersten Bäume um sie.

Es war eine Erleichterung, dass sich die Vorahnung, die sie am vergangenen Tag gespürt hatte, nicht erneut einstellte. Der Wald war wieder einfach nur ein Wald. Der Pfad war leer, und der tote Hase war mittlerweile bestimmt ein Teil der Nahrungskette. So war die Natur nun einmal. Sie warf einen Blick auf die Stoppuhr an ihrem Handgelenk, sah, dass sie ein oder zwei Minuten über ihrer üblichen Zeit lag, und beschleunigte ihren Schritt, als sie sich der Lichtung näherte. Die Steinsäule war nun in Sichtweite, eine dunkle Gestalt im Nebel vor ihr. Sie hatte sie fast erreicht, als sie bemerkte, dass mit dem Stein etwas nicht stimmte. Dann lösten sich Licht und Schatten auf, und alle Gedanken ans Laufen verschwanden.

Ein toter Vogel war an den Stein gebunden worden. Eine Wildente, deren Hals und Füße mit Draht umwickelt waren.

Lyn schaute sich schnell um. Aber es war nichts zu sehen. Nur Bäume und die tote Ente. Sie wischte sich Schweiß aus den Augen und betrachtete sie erneut. Blut hatte die Federn dunkel verfärbt, wo der dünne Draht in den Körper schnitt. Unsicher, ob sie das Tier losbinden sollte oder nicht, beugte sie sich vor, um den Draht genauer zu untersuchen.

Der Vogel öffnete die Augen.

Lyn schrie auf und stolperte zurück, während die Ente zu zetern begann und mit dem Kopf am Draht riss, der ihren Hals festhielt. Sie verletzte sich dabei noch mehr, aber Lyn brachte es nicht über sich, den wild schlagenden Flügeln näher zu kommen. Sie begann wieder klar zu denken und stellte eine Verbindung zwischen dem Vogel und dem toten Hasen her, der auf dem Pfad gelegen hatte, als sollte sie ihn finden. Und dann überfiel sie eine noch viel schrecklichere Erkenntnis.

Wenn der Vogel noch am Leben war, dann konnte er noch nicht lange hier sein. Jemand hatte ihn erst vor kurzem dort festgebunden.

Jemand, der wusste, dass sie ihn finden würde.

Ein Teil von ihr wollte das als Hirngespinst abtun, aber sie sprintete schon den Pfad zurück. Zweige peitschten sie, als sie an ihnen vorbeirannte. Rhythmus und Tempo spielten nun keine Rolle mehr, eine Stimme in ihrem Kopf schrie nur: *Raus hier, raus hier, raus hier*. Es war ihr völlig egal, ob sie töricht war oder nicht, sie wollte einzig und allein den Wald hinter sich lassen und wieder ins Freie gelangen. Nur noch eine Biegung des Pfades, dann könnte sie den Waldausgang sehen. Sie keuchte beim Laufen, warf immer wieder einen kurzen Blick zu den Bäumen auf beiden Seiten und erwartete jeden Augenblick, dass jemand hervortreten würde. Aber niemand tauchte auf. Halb stöhnend, halb schluchzend näherte sie sich der letzten Kurve. *Gleich geschafft,* dachte sie, und während sich Erleichterung in ihr breit machte, schnappte unter ihr etwas nach ihrem Fuß.

Sie hatte keine Zeit zu reagieren. Sie stürzte vornüber zu Boden, und beim Aufprall wich alle Luft aus ihrer Lunge. Sie konnte nicht atmen, sie konnte sich nicht bewegen. Betäubt schnappte sie nach Luft, dann noch einmal und sog dabei den feuchten Geruch der Lehmerde ein. Noch immer benommen, schaute sie nach, was sie zum Stolpern gebracht hatte. Zuerst ergab das, was sie sah, keinen Sinn. Ein Bein war seltsam ausgestreckt und der Fuß in einem komischen Winkel verdreht. Eine dünne, schimmernde Angelschnur war darum geschlungen. Nein, wurde ihr klar, keine Angelschnur.

Draht.

Die Erkenntnis kam zu spät. Als sie versuchte, sich aufzurappeln, fiel ein Schatten über sie. Etwas drückte auf ihr Gesicht und würgte sie. Sie versuchte, dem erstickenden, chemischen Gestank auszuweichen, und wehrte sich mit aller Kraft ihrer Arme und Beine. Es reichte nicht. Und nun verebbte selbst diese Kraft. Ihre Gegenwehr wurde schwächer, während der Morgen zu verschwimmen begann und das Licht verblasste und alles schwarz wurde. *Nein!* Sie wollte sich widersetzen, doch wie ein Kieselstein, der in einen Brunnen fiel, sank sie immer tiefer in die Dunkelheit.

Gab es noch einen letzten Augenblick der Fassungslosigkeit, ehe sie das Bewusstsein verlor? Möglich, auch wenn er nur kurz gewesen sein wird.

Sehr kurz.

Für den Rest des Dorfes brach ein Tag wie jeder andere an. Vielleicht gab es ein wenig mehr Aufregung wegen der andauernden Präsenz der Polizei und den Spekulationen über die Identität der toten Frau. Es war wie in einer Seifenoper, Manham bekam sein eigenes Melodrama. Jemand war gestorben, ja, aber für die meisten Leute war es noch eine Tragödie, mit der sie nichts zu tun hatten, und deshalb im Grunde überhaupt keine Tragödie. Die unausgesprochene Vermutung lautete, dass es sich um eine Fremde handelte. Wüsste es denn nicht jeder, wenn es jemand aus dem Dorf gewesen wäre? Würde man das Opfer nicht vermisst und den Täter erkannt haben? Nein, viel wahrscheinlicher war es jemand von außerhalb, irgendein menschliches Strandgut aus der Stadt, das in den falschen Wagen gestiegen war, nur um hier angespült zu werden. Und so wurde die Sache beinahe als Unterhaltung angesehen, ein seltenes Schauspiel, das ohne Schrecken und Kummer genossen werden konnte.

Nicht einmal die Tatsache, dass die Polizei nach Sally Palmer fragte, konnte etwas daran ändern. Jeder wusste, dass sie Schriftstellerin war und häufig nach London fuhr. Ihr Gesicht war den Leuten noch zu frisch im Gedächtnis, um es mit dem Fund im Sumpf in Verbindung zu bringen. Und deshalb waren die Bürger Manhams unfähig, irgendeinen Aspekt der Sache ernst zu nehmen, und brauchten lange, um die Tatsache zu akzeptieren, dass sie nicht nur Zuschauer waren, sondern eine wesentlich zentralere Rolle spielten.

Noch vor Ende des Tages sollte sich das ändern.

Für mich änderte es sich um elf Uhr am Vormittag mit einem Anruf von Mackenzie. Ich hatte schlecht geschlafen und war früh in die Praxis gegangen, wo ich versuchte, die Spuren eines weiteren Albtraumes aus dem Kopf zu kriegen. Als das Telefon auf meinem Schreibtisch klingelte und Janice mir sagte, wer mich sprechen wollte, krampfte sich mein Magen noch weiter zusammen.

«Stellen Sie ihn durch.»

Die Pause in der Verbindung erschien endlos und doch nicht lang genug.

«Wir haben einen übereinstimmenden Fingerabdruck», sagte Mackenzie, sobald er durchgestellt war. «Es ist Sally Palmer.»

«Sind Sie sicher?» Dumme Frage, dachte ich.

«Es besteht kein Zweifel. Die Abdrücke stimmen mit den Proben aus ihrem Haus überein. Und außerdem haben wir ihre Abdrücke in der Datei. Sie wurde als Studentin bei einer Demonstration verhaftet.»

Sie war mir nicht besonders militant vorgekommen, aber ich hatte sie ja auch nicht gut genug kennen gelernt. Und das würde ich nun auch nicht mehr.

Mackenzie war noch nicht fertig. «Jetzt, wo wir die Identität festgestellt haben, können wir loslegen. Aber ich dachte, es würde Sie interessieren, dass wir immer noch niemanden gefunden haben, der sich erinnern kann, sie nach dem Grillfest gesehen zu haben.»

Er wartete, als müsste ich in dieser Information eine Bedeutung erkennen. Es dauerte einen Moment, bis ich mich darauf konzentrieren konnte, aber dann sah ich, was er meinte. «Sie meinen, die Rechnung geht nicht auf.»

«Wenn sie erst seit neun oder zehn Tagen tot war, stimmt was nicht. Es sieht nun so aus, als wäre sie seit fast zwei Wochen verschwunden gewesen. Damit bleiben mehrere Tage ungeklärt.»

«Das war nur eine Schätzung», sagte ich. «Ich könnte mich täuschen. Was meint der Pathologe?»

«Er ist noch bei der Arbeit», sagte er trocken. «Aber bisher kommt er zu keinen anderen Schlüssen.»

Das überraschte mich nicht. Einmal hatte ich es mit einem Mordopfer zu tun gehabt, das mehrere Wochen in einem

Kühlschrank gelagert worden war, ehe der Mörder sich der Leiche schließlich entledigt hatte, aber normalerweise folgten die chemischen Prozesse der Verwesung einem geordneten Zeitplan. Abhängig von der Umgebung konnten sie variieren und durch Temperatur und Luftfeuchtigkeit verlangsamt oder beschleunigt werden. Aber wenn diese Variablen berücksichtigt wurden, war der Prozess nachvollziehbar. Und was ich am vergangenen Tag im Sumpf gesehen hatte – ich brachte es immer noch nicht fertig, das Gesehene mit der Frau in Verbindung zu bringen, die ich gekannt hatte –, war so unbestechlich gewesen wie die Hand auf einer Stoppuhr. Man musste es nur lesen können.

Und damit waren nur wenige Pathologen vertraut. Es gab gewisse Überschneidungen zwischen der forensischen Anthropologie und der Pathologie, aber sobald sie es mit ernsthafter Verwesung zu tun hatten, mussten die meisten Pathologen passen. Ihr Fachgebiet war die Ermittlung der Todesursache, und die war zunehmend schwieriger zu bestimmen, sobald die Chemie des Körpers zusammenbrach. An diesem Punkt begann meine Arbeit.

Aber jetzt nicht mehr, sagte ich mir.

«Sind Sie noch dran, Dr. Hunter?», fragte Mackenzie.

«Ja.»

«Gut, denn nun stehen wir vor einem Dilemma. So oder so, wir müssen wissen, was in diesen ungeklärten Tagen passiert ist.»

«Sie könnte einfach weg gewesen sein. Vielleicht musste sie verreisen und hatte keine Zeit, es jemandem zu sagen.»

«Und dann wurde sie gleich nach ihrer Rückkehr ermordet, ohne dass irgendwer im Dorf sie gesehen hat?»

«Warum nicht?», sagte ich stur. «Sie könnte einen Einbrecher überrascht haben.»

«Vielleicht», räumte Mackenzie ein. «Wie auch immer, wir müssen Klarheit haben.»

«Ich verstehe nicht, was ich damit zu tun habe.»

«Was ist mit dem Hund?»

«Dem Hund?», wiederholte ich, doch ich konnte mir bereits vorstellen, worauf er hinauswollte.

«Man kann getrost davon ausgehen, dass der Mörder von Sally Palmer auch ihren Hund getötet hat. Die Frage lautet also: Wie lange ist der Hund schon tot?»

Einerseits war ich beeindruckt von Mackenzies Scharfsinn, andererseits ärgerte mich, dass ich nicht selbst darauf gekommen war. Ich hatte natürlich alles getan, um nicht darüber nachzudenken. Aber früher hätte ich nicht auf die Idee gebracht werden müssen.

Er fuhr fort. «Wenn der Hund ungefähr genauso lange tot ist, dann wird Ihre Einbrechergeschichte glaubwürdiger. Sie kehrt von irgendwo zurück, ihr Hund stört einen Eindringling, der beide tötet und ihre Leiche in den Sumpf bringt. Oder so ähnlich. Wenn der Hund jedoch schon länger tot ist, wirft es ein ganz anderes Licht auf die Geschichte. Denn dann hat ihr Mörder sie nicht sofort umgebracht. Er hat sie ein paar Tage gefangen gehalten, bis ihm langweilig wurde und er sie mit einem Messer aufgeschlitzt hat.»

Mackenzie hielt inne, damit seine Worte ihre Wirkung entfalten konnten. «Und ich denke, das müssen wir herausfinden, oder, Dr. Hunter?»

Sally Palmers Haus hatte sich seit meinem letzten Besuch verwandelt. Damals war es still und leer gewesen, jetzt war es voller grimmiger und ungebetener Besucher. Überall auf dem Hof standen Polizeifahrzeuge, während uniformierte

Beamte und solche in den weißen Overalls der Spurensicherung ihrer Arbeit nachgingen. Doch die Betriebsamkeit schien die Atmosphäre der Verlassenheit nur zu verstärken und verwandelte ein ehemaliges Zuhause in eine erbärmliche Konserve der jüngsten Vergangenheit, die auseinander genommen und genau studiert wurde.

Nichts schien mehr auf Sally hinzudeuten, als ich mit Mackenzie über den Hof ging.

«Der Tierarzt ist wegen der Ziegen gekommen», erzählte er mir. «Die Hälfte war bereits tot, ein paar musste er einschläfern, er war jedoch überrascht, wie viele überlebt haben. Ein oder zwei Tage länger, und die wären auch verendet. Ziegen sind zähe Viecher, aber nach seiner Ansicht müssen sie ein, zwei Wochen ohne Futter und Wasser gewesen sein, um in einen solchen Zustand zu kommen.»

Der Bereich hinter dem Haus, wo ich den Hund entdeckt hatte, war abgesperrt worden, aber sonst war noch alles so, wie ich es vorgefunden hatte. Niemand hatte es besonders eilig, einen Hund abzutransportieren, und entweder hatte das Team der Spurensicherung seine Arbeit hier bereits erledigt, oder man glaubte, dass andere Dinge Priorität hatten. Mackenzie trat zurück und steckte sich einen Minzbonbon in den Mund, während ich mich neben den Kadaver hockte. Er sah deutlich kleiner aus als beim letzten Mal – was nicht unbedingt eine trügerische Erinnerung war, da die Verwesung mittlerweile einen beinahe sichtbaren Zermürbungskrieg mit den Überresten führte.

Das Fell täuschte und verdeckte die Tatsache, dass der Hund zum größten Teil nur noch aus Knochen bestand. Auch Sehnen und Knorpel waren noch vorhanden, wie die offene Halsröhre, die in der Wunde an der Kehle zu sehen war. Weiches Gewebe gab es jedoch so gut wie gar nicht mehr. Mit einem Stock stocherte ich leicht im Boden herum, registrierte die leeren Augenhöhlen und stand dann auf.

«Und?», fragte Mackenzie.

«Schwer zu sagen. Man muss die geringere Körpermasse berücksichtigen. Außerdem wird das Fell eine gewisse Auswirkung auf das Tempo der Verwesung haben. Welche, weiß ich allerdings nicht genau. Ich habe bei meiner Arbeit erst einmal mit Tieren zu tun gehabt, und zwar mit Schweinen, aber die haben eine Haut und kein Fell. Ich vermute jedoch, dass es für Insekten schwerer ist, ihre Eier abzulegen, mal abgesehen von den offenen Wunden. Also verlangsamt das Fell den Prozess wahrscheinlich.»

Ich dachte eher laut nach, als dass ich zu ihm sprach, ich durchforstete meine verstaubte Erinnerung und durchsuchte das Wissen, das in den letzten Jahren untätig geschlummert hatte.

«Das frei liegende Gewebe haben Tiere weggeknabbert. Sehen Sie hier, an den Augenhöhlen? Der Knochen ist abgenagt. Für Füchse sind die Spuren zu klein, wahrscheinlich waren es Nagetiere oder Vögel. Das ist vermutlich ziemlich früh passiert, denn wenn das Fleisch fault, gehen die Tiere nicht mehr dran. Aber deshalb gibt es weniger weiches Gewebe und weniger Insektenbefall. Und der Boden hier ist wesentlich trockener als der Sumpf, wo die Frau gefunden wurde.» Ich brachte es nicht über mich, Sally Palmer zu sagen. «Deswegen sieht der Kadaver vertrocknet aus. Bei dieser Hitze und ohne Feuchtigkeit mumifiziert er. Wir haben es mit einer völlig anderen Form der Verwesung zu tun.»

«Sie wissen also nicht, wie lange der Hund schon tot ist?», meinte Mackenzie.

«Ich *weiß* überhaupt nichts. Ich weise lediglich darauf

hin, dass es hier eine Menge Variablen gibt. Ich kann Ihnen sagen, was ich denke, aber vergessen Sie nicht, dass es nur eine vorläufige Einschätzung ist. Man erhält keine schnellen und stichhaltigen Antworten nach einem kurzen Blick.»

«Aber …?»

«Tja, ich habe keine leeren Hüllen gesehen, aber einige Larven sehen so aus, als wären sie kurz vorm Ausschlüpfen. Sie sind dunkler als die, die wir in der Umgebung der Leiche im Sumpf gefunden haben, und offensichtlich älter.» Ich zeigte auf die offene Wunde an der Kehle des Hundes. In der Nähe konnte man ein paar glänzende schwarze Panzer im Gras herumkrabbeln sehen. «Ein paar Käfer gibt es auch. Nicht viele, aber die kommen immer erst später. Fliegen und Maden sind sozusagen die erste Welle. Aber während die Verwesung fortschreitet, ändert sich das Verhältnis. Weniger Maden, mehr Käfer.»

Mackenzie runzelte die Stirn. «Gab es Käfer, wo Sally Palmer gefunden wurde?»

«Ich habe keine gesehen. Käfer sind allerdings kein so verlässlicher Indikator wie Maden. Und, wie gesagt, man muss alle anderen Variablen berücksichtigen.»

«Hören Sie, ich verlange nicht, dass Sie es unter Eid beschwören. Ich möchte nur eine Ahnung kriegen, wie lange der verdammte Köter tot ist.»

«Eine grobe Schätzung?» Ich schaute auf das elende Bündel aus Fell und Knochen. «Zwölf bis vierzehn Tage.»

Er kaute auf seiner Lippe und machte eine finstere Miene. «Also wurde er vor der Frau getötet.»

«So sieht es meiner Meinung nach aus. Wenn ich das hier damit vergleiche, was ich gestern gesehen habe, dann ist die Verwesung vielleicht drei, vier Tage weiter fortgeschritten. Zieht man den Tag ab, den der Hund nun schon länger draußen liegt, bleiben immer noch ungefähr drei Tage. Aber wie gesagt, das ist in diesem Stadium nur eine Vermutung.»

Er musterte mich nachdenklich. «Könnten Sie sich täuschen?»

Ich zögerte. Aber er wollte einen Rat, keine falsche Bescheidenheit. «Nein.»

Er seufzte. «Scheiße.»

Sein Handy klingelte. Er zog es von seinem Gürtelclip und ging ein Stück beiseite, bevor er sich meldete. Ich blieb beim Kadaver des Hundes und untersuchte ihn nach Spuren, die mich dazu veranlassen könnten, meine Meinung zu ändern. Aber die gab es nicht. Ich bückte mich, um mir die Kehle genauer anzusehen. Knorpel überdauerten länger als weiches Gewebe, aber auch hier hatten Tiere herumgenagt. Dennoch handelte es sich eindeutig um einen Schnitt und nicht um einen Biss. Ich nahm eine Stiftlampe aus meiner Tasche und leuchtete in die Öffnung. Bevor ich wieder die Mandeln eines Patienten untersuchte, würde ich daran denken müssen, sie zu desinfizieren. Der Schnitt ging bis zum zervikalen Rückenwirbel. Ich richtete den Lichtstrahl auf eine blasse Kerbe im Knochen. Das hatte kein Tier verursacht. Die Klinge war so tief eingedrungen, dass sie auch das Rückgrat beschädigt hatte.

Es musste also ein großes Messer gewesen sein. Und ein scharfes.

«Was entdeckt?»

Ich war so vertieft gewesen, dass ich nicht gehört hatte, wie Mackenzie zurückgekommen war. Ich erzählte ihm, was ich herausgefunden hatte. «Wenn die Kerbe tief genug ist, könnte man vielleicht feststellen, ob es ein Sägemesser war oder nicht. Auf jeden Fall braucht man Kraft, um so tief einzuschneiden. Sie suchen nach einem kräftigen Mann.»

Mackenzie nickte, er machte aber einen abwesenden Eindruck. «Passen Sie auf, ich muss los. Nehmen Sie sich hier so viel Zeit, wie Sie brauchen. Ich sage den Beamten, dass Sie nicht gestört werden sollen.»

«Nicht nötig. Ich bin fertig.»

«Sie lassen sich nicht umstimmen?»

«Ich habe Ihnen alles gesagt, was ich sagen kann.»

«Sie könnten uns mehr sagen, wenn Sie wollten.»

Allmählich ärgerte mich, wie er mich zu manipulieren versuchte. «Damit waren wir doch schon durch. Ich habe getan, was Sie wollten.»

Mackenzie schien etwas abzuwägen. Er schielte in die Sonne. «Die Situation hat sich verändert», sagte er, nachdem er eine Entscheidung getroffen hatte. «Es ist noch jemand verschwunden. Vielleicht kennen Sie die Frau. Lyn Metcalf.»

Der Name traf mich wie ein Schlag. Mir fiel wieder ein, sie am Abend vorher bei der Drogerie gesehen zu haben. Und dass ich gedacht hatte, wie glücklich sie wirkte.

«Ist heute Morgen laufen gegangen und nicht zurückgekommen», fuhr Mackenzie fort. «Könnte falscher Alarm sein, aber im Moment sieht es nicht danach aus. Und wenn es kein falscher Alarm ist, wenn dies der gleiche Mann ist, dann ist die Kacke wirklich am Dampfen. Denn dann ist Lyn Metcalf entweder tot, oder sie wird irgendwo gefangen gehalten. Und nach allem, was man Sally Palmer angetan hat, wünsche ich das niemandem.»

Ich hätte fast gefragt, warum er mir das alles erzählte, doch während sich die Frage noch formte, wusste ich die Antwort schon. Einerseits übte er mehr Druck auf mich aus, damit ich kooperierte. Andererseits war Mackenzie eben Polizist. Die Tatsache, dass ich Sally Palmer als vermisst gemeldet hatte, setzte mich zwar weit ans Ende der Liste der möglichen Verdächtigen, da es nun aber ein zweites Opfer gab, war wieder alles offen. Jeder musste berücksichtigt werden.

Auch ich.

Mackenzie hatte meine Reaktion beobachtet. Seine Miene war unergründlich. «Ich melde mich. Und ich muss Sie sicherlich nicht bitten, niemandem davon zu erzählen, Dr. Hunter. Ich weiß ja, dass Sie Geheimnisse gut für sich behalten können.»

Mit diesen Worten wandte er sich ab und ging davon. Sein Schatten folgte ihm über den Rasen wie ein schwarzer Hund.

Ich weiß nicht, ob er es ernst gemeint hatte, aber Mackenzie hätte es sich sparen können, mir zu sagen, ich sollte Lyn Metcalfs Verschwinden für mich behalten. In einem kleinen Ort wie Manham blieb ein solcher Vorfall nicht lange geheim. Als ich von Sally Palmers Hof zurückkam, hatten sich bereits die ersten Gerüchte verbreitet. Sie machten ungefähr zur gleichen Zeit die Runde, als die Nachricht durchsickerte, dass die ermordete Frau Sally Palmer war, ein Doppelschlag, der nur schwer zu verkraften war. Innerhalb weniger Stunden hatte sich die fiebrige Aufregung des gesamten Dorfes in einen Schock gewandelt. Die meisten Leute klammerten sich an die Hoffnung, dass die beiden Ereignisse nichts miteinander zu tun hatten und dass das mutmaßliche zweite ‹Opfer› gesund und wohlbehalten wieder auftauchte.

Aber es war eine Hoffnung, die mit jeder Stunde schwächer wurde.

Nachdem Lyn nicht von ihrem Lauf zurückgekehrt war, hatte sich ihr Ehemann Marcus aufgemacht, um sie zu suchen. Er gab später zu, dass er am Anfang nicht übermäßig besorgt gewesen war. Zu diesem Zeitpunkt, bevor Sally Palmers Name bekannt gegeben worden war, hatte er vor allem befürchtet, dass seine Frau eine andere Strecke ausprobiert haben könnte und sich verlaufen hatte. Das war schon einmal passiert, und als er dem Weg zum See folgte, rief er noch mit einer gewissen Verärgerung nach ihr. Lyn wusste, dass er einen arbeitsreichen Tag vor sich hatte, und nun sorgte ihr stures Bestehen auf einem Morgenlauf dafür, dass er zu spät dran war.

Auch als er das Schilf durchquerte und in den Wald kam, war er noch nicht besonders besorgt. Als er die tote, an den Stein gebundene Wildente sah, war seine erste Reaktion Wut über die sinnlose Grausamkeit. Er hatte immer auf dem Land gelebt und war kein Typ, der bei Tieren sentimental wurde, doch er verabscheute gleichgültigen Sadismus. Erst durch diesen Gedanken begann sich Angst in ihm breit zu machen. Er redete sich ein, dass der tote Vogel unmöglich etwas mit Lyns Verspätung zu tun haben konnte. Doch einmal da, war die Angst nicht mehr zu verdrängen.

Sie wurde stärker, genährt von seinen Rufen, die unbeantwortet im Wald widerhallten. Als er wieder zurückging, bemühte er sich, ruhig zu bleiben. Während er zum See zurückeilte, sagte er sich, dass sie wahrscheinlich zu Hause auf ihn wartete. Und dann sah er etwas, das seine Hoffnungen wegfegte wie eine Staubwolke.

Halb versteckt neben einer Baumwurzel lag Lyns Stoppuhr.

Er hob sie auf, sah das zerrissene Band und das gesprungene Zifferblatt. Die Angst ging nun in Panik über; er suchte nach anderen Hinweisen auf sie. Aber da war nichts. Oder er hatte nichts als solche erkannt. Er sah einen Holzpfahl, der in der Nähe in den Boden gehämmert worden war, ohne seine Bedeutung zu begreifen. Es dauerte mehrere Stunden, bis das Team der Spurensicherung feststellte, dass es die Reste einer Falle waren, und weitere, bis Blutspritzer von Lyn auf dem Weg gefunden wurden.

Aber von Lyn selbst fehlte jede Spur.

KAPITEL 8

ES SCHIEN, als beteilige sich fast das ganze Dorf an der Suche. Zu einer anderen Zeit und unter anderen Umständen hätten die Leute vielleicht gedacht, dass Lyn Metcalf aus eigenem Antrieb verschwunden war. Man sagte zwar, dass sie und Marcus eine recht glückliche Ehe führten. Aber man konnte nie wissen. Da sie jedoch direkt nach dem Mord an einer anderen Frau verschwunden war, nahm der Vorfall sofort eine wesentlich düsterere Dimension an. Und während die Polizei ihre Anstrengungen auf den Wald und das Gebiet konzentrierte, in dem sie laufen gegangen war, wollte praktisch jeder, der gesund und munter war, helfen, sie zu finden.

Es war ein herrlicher Sommerabend. Während die Sonne sich am Himmel senkte und Schwalben durch die Luft segelten und die Gemeinde eine seltene Einheit und Entschlossenheit zeigte, hätte man die Atmosphäre fast festlich nennen können. Aber lange konnte niemand vergessen, warum man hier draußen war. Und hinzu kam eine weitere, schwer zu verdauende Gewissheit.

Der Mörder war einer von ihnen.

Unmöglich konnte man weiterhin einen Außenstehenden beschuldigen. Jetzt nicht mehr. Es konnte kaum ein Unglück und mit Sicherheit kein Zufall sein, dass die beiden Frauen aus dem gleichen Dorf stammten. Niemand konnte glauben, dass ein Fremder nach dem Mord an Sally Palmer entweder geblieben oder zurückgekehrt war, um ein zweites Opfer zu fordern. Und das bedeutete, dass derjenige, der eine Frau niedergemetzelt und einen Draht über einen Waldweg gespannt hatte, um eine weitere in seine Gewalt zu bringen, aus der Gegend sein musste. Es bestand die Möglichkeit, dass es jemand aus einem Nachbardorf gewesen war, aber da fragte man sich doch, warum beide Taten in Manham ausgeführt worden waren. Die Alternative war gleichzeitig wahrscheinlicher und beängstigender. Dass wir nämlich nicht nur die beiden Frauen kannten, sondern auch die Bestie, die für diese Verbrechen verantwortlich war.

Die Saat dieser Erkenntnis war bereits gelegt, als die Leute ausströmten, um nach Lyn Metcalf zu suchen. Und obwohl sie erst zu gedeihen begann, schlug sie schon Triebe. Man spürte es in der leichten Distanz, mit der sich die Menschen begegneten. Jeder wusste von Mordfällen, bei denen sich der Täter an der Suche beteiligt hatte. Fälle, bei denen der Täter öffentlich Abscheu und Mitleid geäußert und sogar Krokodilstränen vergossen hatte, während das Blut des Opfers an seinen Händen kaum getrocknet war und die letzten Schreie und das letzte Flehen noch in seinen Ohren nachklangen. Und so wurde die Solidarität, die Manham als Gemeinde zeigte, bereits von innen ausgehöhlt, als die Bürger des Ortes durch das lange Gras stocherten und unter jeden Busch schauten.

Ich hatte mich der Suche angeschlossen, sobald die Abendsprechstunde beendet war. Das Epizentrum war ein Wohnwagen der Polizei, der so nah am Wald, in dem Marcus Metcalf die Stoppuhr seiner Frau gefunden hatte, abgestellt worden war, wie es die Straße erlaubte. Sie lag am Rande des Dorfes, die Hecken auf beiden Seiten waren über eine Strecke von einer Viertelmeile mit Autos zugeparkt worden.

Manche Leute waren einfach auf eigene Faust aufgebrochen, die Mehrheit war jedoch, angezogen von der hektischen Betriebsamkeit, hierher gekommen. Ein paar Journalisten waren auch da, aber nur die der Regionalpresse. Zu diesem Zeitpunkt hatten die überregionalen Zeitungen die Geschichte noch nicht aufgenommen, vielleicht hatten sie auch das Gefühl, dass eine ermordete Frau und eine weitere, die entführt worden war, keine besondere Nachricht wert waren. Das sollte sich bald ändern, doch für den Moment konnte Manham der Suche noch in relativer Anonymität nachgehen.

Die Polizei hatte eine Tafel aufgestellt, um die öffentliche Suche zu koordinieren. Das Ganze war auch eine PR-Maßnahme, die der Gemeinde das Gefühl geben sollte, nicht untätig zu sein. Außerdem wollte man dafür Sorge tragen, dass die Freiwilligen den Beamten nicht im Wege waren. Die Gegend um Manham war jedoch eine derartige Wildnis, dass sie unmöglich vollständig abgesucht werden konnte. Sie konnte die Suchteams wie einen Schwamm aufsaugen, ohne jemals ihre Geheimnisse preiszugeben.

Ich sah Marcus Metcalf in einer Gruppe Männer stehen und dennoch etwas abseits von ihnen. Er hatte die typischen Muskeln eines Handwerkers und ein Gesicht, das unter normalen Umständen angenehm und freundlich unter einem dichten, blonden Haarschopf hervorschaute. Jetzt sah er abgespannt aus, seine gebräunten Züge waren blass. Neben ihm stand Scarsdale, der Pfarrer, der endlich eine Situation gefunden hatte, die zu seiner strengen Miene passte. Ich überlegte, ob ich hinübergehen sollte, um … was? Mein Mitgefühl auszusprechen? Mein Beileid? Doch alles, was ich hätte sagen können, kam mir hohl und leer vor, und die Erinnerung daran, wie wenig Wert ich auf die verlegenen Beileidsbekundungen nahezu fremder Menschen gelegt hatte, hielt mich davon ab. Stattdessen ließ ich ihn in der Obhut des Pfarrers und ging geradewegs zu der Tafel, um mir sagen zu lassen, wo ich suchen sollte.

Es war eine Entscheidung, die ich später bereuen sollte.

Ein paar unproduktive Stunden lang trottete ich als Teil einer Gruppe, zu der auch Rupert Sutton gehörte, über einen sumpfigen Acker. Er schien froh zu sein, eine Ausrede zu haben, seine dominante Mutter los zu sein. Seine massige Gestalt machte es ihm nicht leicht, mit uns anderen Schritt zu halten, doch er gab nicht auf und atmete schwer durch den Mund, während wir uns langsam durch die unwirtliche Landschaft arbeiteten und versuchten, die sumpfigeren Abschnitte zu umgehen. Einmal rutschte er aus, stolperte und fiel auf die Knie. Sein schwitzender Körper strömte einen tierischen Geruch aus, als ich ihm aufhalf.

«Scheiße», keuchte er mit einem vor Verlegenheit rot angelaufenen Gesicht, als er auf den Schlamm starrte, der seine Hände wie schwarze Handschuhe bedeckte. Seine Stimme war überraschend hoch, beinahe mädchenhaft. «Scheiße», wiederholte er immer wieder und blinzelte wütend.

Ansonsten wurde wenig gesprochen. Als die einsetzende Abenddämmerung die weitere Suche unsinnig machte, gaben wir unsere Bemühungen auf und gingen zurück. Die allgemeine Stimmung war so düster wie die dunkler werdende Landschaft. Ich wusste, dass viele Helfer im Black Lamb Halt machen würden, eher aus dem Bedürfnis nach Gesellschaft als nach Alkohol. Ich wäre beinahe geradewegs nach Hause gefahren. Aber ich hatte an diesem Abend genauso wenig Lust, allein zu sein, wie alle anderen. Ich parkte vor dem Pub und ging hinein.

Abgesehen von der Kirche war das Black Lamb das älteste Gebäude im Dorf, dazu eines der wenigen, das ein traditionelles Strohdach hatte. In jedem anderen Ort in den Broads wäre es niedlich herausgeputzt worden, da in Manham jedoch nur die Einheimischen zufrieden gestellt werden mussten, wurde kein ernsthafter Versuch unternommen, seinen langsamen Verfall aufzuhalten. Das Strohdach begann allmählich zu schimmeln und der ungestrichene Putz der Mauern war rissig und fleckig.

An diesem Abend war in dem Pub eine Menge los, auch wenn ganz und gar keine Partyatmosphäre herrschte. Mir wurde ernst zugenickt, die Gespräche waren leise und gedrückt. Der Wirt sah stumm auf, als ich an die Theke kam. Er war auf einem Auge blind, der milchige Schleier verstärkte seine Ähnlichkeit mit einem alten Labrador.

«Ein Pint, bitte, Jack.»

«Haben Sie an der Suche teilgenommen?», fragte er, während er das Glas vor mir abstellte. Als ich nickte, schob er mein Geld zurück. «Aufs Haus.»

Kaum hatte ich einen Schluck getrunken, fiel eine Hand auf meine Schulter. «Dachte mir doch, dass du heute Abend hier bist.»

Ich schaute hoch zu dem Riesen, der neben mir aufgetaucht war. «Hallo, Ben.»

Ben Anders war fast zwei Meter groß und schien beinahe halb so breit zu sein. Er war Aufseher im Hickling-Broad-Naturschutzgebiet und hatte sein ganzes Leben im Dorf verbracht. Wir sahen uns nicht häufig, aber ich mochte ihn gern. In seiner Gesellschaft fühlte ich mich wohl, mit ihm konnte man genauso gut reden wie schweigen. Er hatte ein freundliches, beinahe verträumtes Lächeln in einem kantigen Gesicht, das aussah, als wäre es zusammengeknüllt und nur teilweise wieder geglättet worden. Und von der gebräunten und wettergegerbten Haut hoben sich leuchtend seine strahlend grünen Augen ab.

Normalerweise funkelten sie vergnügt, aber jetzt war keine Freude in ihnen. Er stützte einen Ellbogen auf die Theke. «Schlimme Sache.»

«Fürchterlich.»

«Ich habe Lyn vor ein paar Tagen gesehen. Sie war völlig unbekümmert. Und dann auch noch Sally Palmer. Als wäre zweimal der Blitz eingeschlagen.»

«Ich weiß.»

«Ich hoffe inständig, dass sie nur abgehauen ist. Aber es sieht nicht gut aus, oder?»

«Nicht besonders, nein.»

«Gott, der arme Marcus. Ich mag gar nicht dran denken, was der arme Kerl jetzt durchmacht.» Er senkte seine Stimme, um nicht von den anderen gehört zu werden. «Man munkelt, dass Sally Palmer ziemlich übel zugerichtet worden ist. Wenn derselbe Scheißkerl sich jetzt Lyn geschnappt hat … Mein Gott, man möchte dem Wichser den Hals umdrehen, oder?»

Ich schaute hinab in mein Glas. Offensichtlich war noch nicht bekannt geworden, dass ich der Polizei geholfen hatte. Einerseits war ich froh, andererseits gab es mir nun ein schlechtes Gefühl, so als würde ich zum Lügner werden, wenn ich nichts von meiner Beteiligung sagte.

Ben schüttelte langsam seinen massigen Schädel. «Glaubst du, es gibt noch eine Chance für sie?»

«Keine Ahnung.» Das war die ehrlichste Antwort, die ich geben konnte. Ich erinnerte mich, was Mackenzie gesagt hatte. Wenn ich Recht hatte, dann war Sally Palmer erst drei Tage nach ihrem Verschwinden getötet worden. Ich bin kein psychologischer Profiler, aber ich wusste, dass Serienmörder einem Muster folgten. Und sollte es sich um denselben Täter handeln, dann bestand die Möglichkeit, dass Lyn noch am Leben war.

Noch am Leben. Gott, konnte das sein? Und wenn, wie lange würde sie noch leben? Ich sagte mir, dass ich getan hatte, was ich tun konnte, dass ich der Polizei geliefert hatte, was unter den Umständen von mir erwartet werden konnte. Doch es kam mir wie billiger Pragmatismus vor.

Ich merkte, dass Ben mich anschaute. «Was ist?»

«Ich fragte, ob bei dir alles in Ordnung ist. Du siehst ziemlich fertig aus.»

«Es war einfach ein langer Tag.»

«Das kannst du laut sagen.» Sein Blick verfinsterte sich, als er Richtung Tür schaute. «Gerade wenn man denkt, es könnte nicht mehr schlimmer werden.»

Ich drehte mich um und sah die dunkle Silhouette von Pfarrer Scarsdale hereinkommen. Die Gespräche verstummten, als er sich mit strenger Miene der Theke näherte.

«Der bringt sie auch nicht wieder zurück», brummte Ben.

Scarsdale räusperte sich. «Gentlemen!» Er registrierte missbilligend die paar Frauen im Pub, bemühte sich aber nicht, sie ebenfalls anzusprechen. «Ich dachte, Sie sollten wissen, dass ich morgen Abend eine Andacht für Lyn Metcalf und Sally Palmer halten werde.»

Sein trockener Bariton war es gewohnt, vor Publikum zu reden.

«Ich bin mir sicher, dass Sie alle …» Er ließ seinen Blick durch den Pub schweifen. «… Sie *alle* morgen Abend kommen werden, um den Toten Ihren Respekt zu erweisen und den Lebenden beizustehen.» Er hielt inne, bevor er steif seinen Kopf neigte. «Ich danke Ihnen.»

Auf dem Weg zur Tür blieb er vor mir stehen. Selbst im Sommer schien er einen muffigen Geruch zu verströmen. Ich konnte die weißen Schuppen auf der schwarzen Wolle seines Jacketts sehen und den Hauch von Mottenkugeln in seinem Atem riechen.

«Ich vertraue darauf, auch Sie zu sehen, Dr. Hunter.»

«Wenn meine Patienten es zulassen.»

«Ich bin mir sicher, dass niemand so egoistisch sein wird, Sie von Ihrer Pflicht abzuhalten.» Ich war mir nicht ganz sicher, was er damit meinte. Er beehrte mich mit einem humorlosen Lächeln. «Außerdem glaube ich, dass Sie die meisten Menschen in der Kirche finden werden. Bei Tragödien rücken Gemeinden wie diese zusammen. Da Sie aus der Stadt kommen, finden Sie das wahrscheinlich seltsam. Aber hier wissen wir, wo unsere Prioritäten liegen.»

Mit einem letzten knappen Nicken verschwand er. «Da geht ein aufrechter Christ», sagte Ben. Er hob sein leeres Pintglas, das in seiner riesigen Hand nur halb so groß aussah. «Nimmst du auch noch eins?»

Ich lehnte ab. Scarsdales Auftritt hatte meine Stimmung nicht verbessert. Ich wollte gerade mein Bier austrinken und nach Hause gehen, als mich jemand von hinten ansprach.

«Dr. Hunter?»

Es war die junge Lehrerin, die ich am vergangenen Tag in der Schule kennen gelernt hatte. Ihr Lächeln verblasste angesichts meines Gesichtsausdrucks. «Entschuldigen Sie, ich wollte nicht stören …»

«Nein, schon in Ordnung. Ich meine, nein, Sie stören nicht.»

«Ich bin Sams Lehrerin, wir haben uns gestern kennen gelernt, wissen Sie noch?», fragte sie unsicher.

Normalerweise kann ich mir Namen schlecht merken, an ihren erinnerte ich mich jedoch sofort. Jenny. Jenny Hammond.

«Natürlich. Wie geht es ihm?»

«Ganz gut, glaube ich. Heute war er allerdings nicht in der Schule. Aber es schien ihm schon besser zu gehen, als seine Mutter ihn gestern Nachmittag abgeholt hat.»

Ich hatte eigentlich bei ihm vorbeischauen wollen, aber dann waren andere Dinge dazwischengekommen. «Ich bin sicher, er wird sich erholen. Es ist doch nicht weiter schlimm, wenn er einen Tag fehlt, oder?»

«Oh, nein, überhaupt nicht. Ich dachte nur, ich … ich sage mal hallo, das ist alles.»

Sie sah verlegen aus. Ich hatte vorausgesetzt, dass sie zu mir gekommen war, um mich etwas wegen Sam zu fragen. Verspätet kam mir in den Sinn, dass sie vielleicht einfach nur nett sein wollte.

«Sind Sie mit ein paar Kollegen hier?», fragte ich.

«Nein, ich bin allein. Ich hatte mich an der Suche beteiligt und dann … tja, meine Mitbewohnerin ist unterwegs, und ich hatte einfach keine Lust, heute Abend allein zu Hause zu sitzen, verstehen Sie?»

Ich verstand. Wir schwiegen uns eine Weile an.

«Wollen Sie etwas trinken?», fragte ich schließlich, genau im gleichen Moment, als sie gerade sagte: «Na gut, bis dann.» Wir lachten beide befangen. «Was möchten Sie?»

«Nein, schon in Ordnung, wirklich.»

«Ich wollte sowieso gerade etwas bestellen.» Während ich das sagte, fiel mir auf, dass mein Glas noch halb voll war. Ich hoffte, dass sie es nicht merkte.

«Dann nehme ich eine Flasche Becks. Danke.»

Ben war gerade bedient worden, als ich mich über die

Theke beugte. «Meinung geändert? Komm, ich zahle.» Er steckte eine Hand in die Tasche.

«Nein, danke. Ist nicht für mich.»

Er warf einen kurzen Blick über meine Schulter. Sein Mund formte sich zu einem Lächeln. «Alles klar. Bis später.»

Ich nickte und wusste, dass ich rot geworden war. Als ich bedient wurde, hatte ich mein Bier ausgetrunken. Ich bestellte ein weiteres und nahm die Getränke mit zu Jenny.

Sie prostete mir zu und trank dann aus der Flasche. «Der Wirt sieht das nicht gerne, aber aus einem Glas schmeckt es einfach nicht so gut.»

«Und man muss weniger abspülen, Sie tun ihm also eigentlich einen Gefallen.»

«Das merke ich mir für das nächste Mal, wenn er mich deswegen ausschimpft.» Sie wurde etwas ernster. «Ich kann einfach nicht glauben, was passiert ist. Es ist so schrecklich, nicht wahr? Ich meine, zwei Frauen aus dem Dorf. Ich dachte immer, Orte wie dieser sind sicher.»

«Sind Sie deshalb hierher gezogen?»

Es sollte nicht so neugierig klingen, wie es tat. Sie schaute hinab auf die Flasche in ihrer Hand. «Sagen wir einfach, ich hatte es satt, in der Stadt zu leben.»

«Wo war das?»

«Norwich.»

Sie hatte begonnen, das Etikett von der Flasche zu pulen. Als würde ihr bewusst werden, was sie tat, hörte sie plötzlich damit auf. Ihre Miene heiterte sich auf, und sie lächelte mich an.

«Egal, was ist mit Ihnen? Wir haben bereits festgestellt, dass Sie auch kein Einheimischer sind.»

«Stimmt. Ich komme eigentlich aus London.»

«Und was hat Sie dazu veranlasst, nach Manham zu kommen? Die Neonlichter und das glitzernde Nachtleben?»

«So ähnlich.» Ich sah, dass sie mehr erwartete. «Das Gleiche wie Sie, nehme ich an. Ich wollte eine Veränderung.»

«Ja, das ist es wirklich.» Sie lächelte. «Aber mir gefällt es ganz gut. Ich gewöhne mich langsam daran, weitab vom Schuss zu leben. Sie wissen schon, die Ruhe und so. Keine Menschenmassen und wenig Autos.»

«Keine Kinos.»

«Oder Bars.»

«Oder Läden.»

Wir mussten grinsen. «Wie lange sind Sie denn schon hier?», fragte sie.

«Drei Jahre.»

«Und wie lange haben Sie gebraucht, um akzeptiert zu werden?»

«Ich arbeite noch daran. Noch zehn Jahre und ich könnte für einen Dauergast gehalten werden. Von den etwas fortschrittlicheren Leuten jedenfalls.»

«Sagen Sie das nicht. Ich bin erst ein halbes Jahr hier.»

«Dann sind Sie noch eine Touristin.»

Lachend wollte sie gerade etwas sagen, als es einen Aufruhr an der Tür gab.

«Wo ist der Doktor?», rief eine Stimme. «Ist er hier?»

Ich drängelte mich nach vorn, als ein Mann halb hereingeführt, halb hereingetragen wurde. Sein Gesicht war schmerzverzerrt. Ich erkannte ihn als Scott Brenner, der zu einer großen Familie gehörte, die in einem baufälligen Haus außerhalb von Manham lebte. Ein Stiefel und der Saum eines Hosenbeines waren blutgetränkt.

«Setzen Sie ihn hin. Vorsichtig», sagte ich, während er zu einem Stuhl geführt wurde. «Was ist passiert?»

«Er ist in eine Falle getreten. Wir wollten gerade zur Praxis, da haben wir vor der Tür Ihren Landrover gesehen.»

Sein Bruder Carl hatte gesprochen. Die Brenners waren ein verschworener Haufen, angeblich Landarbeiter, aber auch dem Wildern nicht abgeneigt. Carl war der Älteste, ein drahtiges, querköpfiges Individuum, und während ich vorsichtig die blutgetränkte Jeans von Scotts Bein entfernte, hegte ich den unfreundlichen Gedanken, dass dies dem falschen Bruder passiert war. Dann sah ich den Schaden, der angerichtet worden war.

«Haben Sie einen Wagen?», fragte ich seinen Bruder.

«Glauben Sie, wir sind zu Fuß hierher gelaufen, oder was?»

«Gut, denn er muss ins Krankenhaus.»

Carl fluchte. «Können Sie ihn nicht einfach wieder zusammenflicken?»

«Ich kann ihn notdürftig verbinden, aber mehr nicht. Diese Verletzung ist zu schwer für meine Mittel.»

«Werde ich meinen Fuß verlieren?», fragte Scott keuchend.

«Nein, aber Sie werden eine Weile nicht gerade herumspringen können.» Ich war nicht so zuversichtlich, wie ich klang. Ich überlegte, ihn in die Praxis zu bringen, aber so, wie er aussah, war er schon genug herumgeschleppt worden. «Unter einer Decke auf dem Rücksitz meines Landrovers ist ein Erste-Hilfe-Koffer. Kann mir den jemand holen?»

«Ich», sagte Ben. Ich gab ihm meine Autoschlüssel. Während er hinausging, bat ich um Wasser und saubere Handtücher und begann, das Blut um die Wunde abzuwischen.

«Was für eine Falle war das?»

«Eine Drahtschlinge», sagte Carl Brenner. «Wenn man

mit dem Fuß reinkommt, zieht sie sich zusammen. Das schneidet bis auf die Knochen ein.»

Das hatte es auch getan. «Wo ist das passiert?»

Scott antwortete mit abgewandtem Gesicht, um nicht zusehen zu müssen, was ich tat. «Drüben am anderen Ende vom Sumpf, in der Nähe der alten Windmühle …»

«Wir haben nach Lyn gesucht», mischte sich Carl ein und sah seinen Bruder ermahnend an.

Das bezweifelte ich. Ich wusste, welche Stelle sie meinten. Wie die meisten Windmühlen in den Broads war auch die bei Manham eigentlich eine Pumpe mit Windantrieb, die gebaut worden war, um den Sumpf trockenzulegen. Sie war schon seit Jahrzehnten außer Betrieb und nun ein leeres Gemäuer ohne Flügel oder Leben. Die Gegend war selbst für Manhams Verhältnisse trostlos, aber ideal für jeden, der abseits von neugierigen Blicken jagen gehen oder Fallen aufstellen wollte. Angesichts des Rufs der Brenners hielt ich das für einen wahrscheinlicheren Grund, warum sie sich um diese Zeit dort draußen aufgehalten hatten, als irgendein öffentliches Pflichtgefühl. Während ich das Blut aus der Wunde wischte, fragte ich mich, ob sie es fertig gebracht hatten, in eine ihrer eigenen Fallen zu tappen.

«Das war keine von unseren», sagte Scott, als hätte er meine Gedanken gelesen.

«Scott!», schnauzte sein Bruder ihn an.

«Aber es war keine von unseren! Sie war auf dem Weg unter Gras versteckt. Und sie war zu groß für Hasen oder Rehe.»

Auf diese Aussage setzte Schweigen ein. Obwohl die Polizei es noch nicht bestätigt hatte, hatte jeder von den Resten des Stolperdrahtes gehört, die an der Stelle im Wald gefunden worden waren, wo Lyn verschwunden war.

Ben kehrte mit dem Erste-Hilfe-Koffer zurück. Ich reinigte und verband die Wunde, so gut ich konnte. «Er soll den Fuß hochlagern, und bringen Sie ihn so schnell wie möglich in die Unfallstation», sagte ich Carl.

Grob hievte er seinen Bruder hoch und brachte ihn halb stützend, halb schleppend nach draußen. Ich wusch mir die Hände und ging dann zurück zu Jenny, die mit meinem Bier auf mich wartete.

«Wird er wieder in Ordnung kommen?», fragte sie.

«Kommt darauf an, wie schwer die Sehnen beschädigt sind. Wenn er Glück hat, wird er am Ende nur hinken.»

Sie schüttelte den Kopf. «Gott, was für ein Tag!»

Ben kam herüber und reichte mir meine Wagenschlüssel. «Die brauchst du wohl noch.»

«Danke.»

«Und was denkst du? Glaubst du, es hat was damit zu tun, was Lyn passiert ist?»

«Keine Ahnung.» Aber wie jeder andere hatte ich ein ungutes Gefühl bei der Sache.

«Warum sollte es?», fragte Jenny.

Er schien unsicher zu sein, wie er antworten sollte. Mir wurde klar, dass die beiden sich nicht kannten.

«Ben, das ist Jenny. Sie ist Lehrerin an der Schule», erzählte ich ihm.

Er nahm das als Aufforderung fortzufahren. «Weil es ein zu großer Zufall wäre. Ich habe zwar keine Sympathien für einen Brenner, diesen Haufen wildernder Arsch...» Er verstummte mit einem Blick zu Jenny. «Egal, ich hoffe bei Gott, dass nicht mehr dahinter steckt. Dass es nur ein Zufall ist.»

«Ich kann nicht folgen.»

Ben sah mich an, aber ich wollte es nicht sagen. «Weil es

nämlich, wenn es kein Zufall ist, bedeuten würde, dass es einer von hier ist. Aus dem Dorf.»

«Das können Sie doch gar nicht wissen», entgegnete Jenny.

Sein Gesicht sagte, dass er anderer Meinung war, aber er war zu höflich, um sich zu streiten. «Na ja, wir werden sehen. Und damit wird es wohl Zeit für mich, gute Nacht zu sagen.»

Er leerte sein Glas und ging zur Tür. Als wäre ihm etwas eingefallen, wandte er sich noch einmal zu Jenny um. «Ich weiß, dass es mich nichts angeht, aber sind Sie mit dem Wagen gekommen?»

«Nein, warum?»

«Vielleicht ist es keine gute Idee, allein nach Hause zu gehen.»

Mit einem letzten Blick zu mir, um sicherzustellen, dass ich verstanden hatte, ging er hinaus. Jenny lächelte verunsichert. «Glauben Sie, dass es so schlimm ist?»

«Ich hoffe nicht. Aber er hat wohl Recht.»

Sie schüttelte ungläubig den Kopf. «Ich glaube das nicht. Vor zwei Tagen war dies der friedlichste Ort auf Erden.»

Vor zwei Tagen war Sally Palmer bereits tot gewesen, und die Bestie, die dafür verantwortlich war, hatte wahrscheinlich Lyn Metcalf schon ins Visier genommen. Aber das sagte ich nicht.

«Kennen Sie hier jemand, der Sie begleiten kann?», fragte ich.

«Eigentlich nicht. Aber ich komme schon klar. Ich kann selbst auf mich aufpassen.»

Das bezweifelte ich nicht. Aber ich konnte sehen, dass trotz der zur Schau gestellten Dickköpfigkeit der Mut sie verlassen hatte.

«Ich werde Sie fahren», sagte ich.

Als ich nach Hause kam, setzte ich mich im Garten an den Tisch. Die Nacht war warm, kein Windhauch wehte. Ich legte den Kopf zurück und schaute hinauf zu den Sternen. Der Mond war fast voll, eine asymmetrische, von einem hellen Hof umgebene Scheibe. Ich versuchte, seine gesprenkelten Konturen zu erkennen, aber mein Blick wanderte nach unten, bis ich auf den dunklen Wald jenseits des Feldes schaute. Normalerweise gefiel mir dieser Blick sogar nachts. Doch jetzt wurde mir unbehaglich zumute, als ich auf das undurchdringliche Dickicht der Bäume schaute.

Ich ging ins Haus, schenkte mir einen kleinen Whisky ein und nahm ihn mit nach draußen. Es war nach Mitternacht, und ich musste früh aufstehen. Doch mir war jede Ausrede recht, um nicht schlafen zu gehen. Außerdem hatte ich ausnahmsweise einmal zu viel zum Nachdenken, um müde zu sein. Ich hatte Jenny zu dem kleinen Cottage begleitet, das sie mit einer anderen jungen Frau bewohnte. Den Wagen hatte ich stehen lassen. Es war eine warme, klare Nacht, und sie wohnte nur ein paar hundert Meter entfernt. Während wir gingen, erzählte sie mir ein wenig von ihrer Arbeit und von den Kindern, die sie unterrichtete. Nur einmal kam sie dabei auf ihre Vergangenheit zu sprechen und erwähnte, dass sie in einer Schule in Norwich gearbeitet hatte. Doch schnell hatte sie das Thema wieder beendet und die Gesprächspause mit einem Schwall Worte gefüllt. Ich hatte so getan, als wäre es mir nicht aufgefallen. Ich wusste nicht, was ihr zu schaffen machte, und es ging mich auch nichts an.

Als wir durch die schmale Gasse zu ihrem Haus gingen, heulte plötzlich in der Nähe ein Fuchs auf. Jenny packte meinen Arm.

«Entschuldigen Sie», sagte sie und ließ ihn so schnell wieder los, als brenne er. Sie lachte verlegen auf. «Man sollte eigentlich annehmen, ich hätte mich mittlerweile daran gewöhnt, hier draußen zu leben.»

Danach herrschte betretene Stille zwischen uns. Als wir ihr Haus erreichten, blieb sie vor der Gartenpforte stehen.

«Also dann. Danke.»

«Kein Problem.»

Mit einem letzten Lächeln eilte sie nach drinnen. Ich wartete, bis ich das Schloss einrasten hörte, ehe ich mich umdrehte. Während ich zurück durch das dunkle Dorf ging, konnte ich den Druck ihrer Hand auf meinem nackten Arm spüren.

Ich konnte ihn noch immer spüren. Ich nippte an meinem Drink und zuckte innerlich zusammen, als ich mir klar machte, wie nervös ich geworden war, nur weil eine junge Frau mich zufällig berührt hatte. Kein Wunder, dass sie danach ganz still geworden war.

Ich trank den Whisky aus und ging hinein. Noch etwas anderes lag mir auf der Seele, ein nagendes Gefühl, dass ich etwas tun müsste. Ich überlegte einen Moment, ehe es mir einfiel. Scott Brenner. Bestimmt hatte sein Bruder nicht zugelassen, dass er der Polizei von der Drahtschlinge berichtete. Vielleicht war die Sache unbedeutend, aber Mackenzie musste davon wissen. Ich fand seine Karte und wählte die Handynummer. Es war fast ein Uhr, doch ich könnte ihm eine Nachricht auf der Mailbox hinterlassen, damit er es gleich am Morgen erfuhr.

Er meldete sich sofort. «Ja?»

«Hier ist David Hunter», sagte ich überrumpelt. «Tut mir Leid, ich weiß, dass es spät ist. Ich wollte mich nur vergewissern, dass Scott Brenner sich gemeldet hat.»

Ich konnte seinen Ärger und seine Mattigkeit in der Pause förmlich hören. «Scott wer?»

Ich erzählte ihm, was geschehen war. Als er antwortete, war seine Müdigkeit verschwunden. «Wo war das?»

«In der Nähe einer alten Windmühle, ungefähr eine Meile südlich des Dorfes. Glauben Sie, da könnte es eine Verbindung geben?»

Es entstand ein Geräusch, das ich erst nach einem Moment identifizierte – das Kratzen seiner Barthaare, während er sein Gesicht rieb.

«Ach, was soll's. Wir werden morgen sowieso damit an die Öffentlichkeit gehen», sagte er. «Zwei meiner Beamten sind heute Abend verletzt worden. Einer ist in eine Drahtfalle getreten und der andere in ein Loch, in dem ein angespitzter Pfahl steckte.»

Die Wut in seiner Stimme war nicht zu überhören.

«Ich glaube, wir müssen davon ausgehen, dass derjenige, der sich Lyn Metcalf geschnappt hat, darauf vorbereitet war, dass wir nach ihm suchen.»

In dieser Nacht gab es zum Ende des Traumes kein Erschrecken. Ich war nur plötzlich wach und starrte mit offenen Augen auf das Mondlicht, das durchs Fenster fiel. Ausnahmsweise befand ich mich noch im Bett, meine nächtliche Wanderung hatte sich dieses Mal auf den Traum beschränkt. Doch die Erinnerung an ihn blieb so lebendig, als wäre ich gerade von einem Zimmer in das andere gegangen.

Der Traum spielte sich immer in der gleichen Umgebung ab. In einem Haus, das ich in wachem Zustand nie gesehen hatte, von dem ich wusste, dass es nicht existierte, in dem ich mich aber trotzdem zu Hause fühlte. Kara und Alice waren dort, lebendig und real. Wir sprachen über meinen Tag, über nichts Besonderes, einfach so, wie wir es immer getan hatten, als sie noch lebten.

Und dann wachte ich jedes Mal auf und wurde wieder mit der nackten Tatsache konfrontiert, dass sie tot waren.

Ich musste wieder daran denken, was Linda Yates gesagt hatte. *Man träumt nie ohne Grund*. Ich fragte mich, was sie aus meinem Traum lesen würde. Ich konnte mir vorstellen, was ein Psychiater sagen würde oder selbst ein Amateurpsychologe wie Henry. Doch diese Träume entzogen sich jedem gescheiten Erklärungsmuster. Sie hatten eine Logik und Wirklichkeit, die weit vom Traumhaften entfernt war. Und obwohl ich mir das selbst nicht eingestehen wollte, konnte ein Teil von mir nicht glauben, dass nicht mehr hinter ihnen steckte.

Wenn ich aber diesen Gedanken zuließ, dann wäre es der erste Schritt in eine Richtung, vor der ich Angst hatte. Denn es gab nur einen Weg, jemals wieder mit meiner Familie vereint zu sein, und ich wusste, ihn zu gehen wäre ein Akt der Verzweiflung und nicht der Liebe.

Noch mehr Angst machte mir, dass mir das manchmal egal war.

KAPITEL 9

AM NÄCHSTEN MORGEN hatten sich zwei weitere Menschen in Fallen verletzt. Es handelte sich um getrennte Vorfälle, die beide nicht in der Nähe jener der vergangenen Nacht passiert waren. Ich wusste davon, weil es in unserer Praxis keine fest angestellte Krankenschwester gab und ich deshalb beide behandelte. Zum einen hatte sich eine Polizistin die Wade an einem Stock aufgespießt, der mit der Spitze nach oben in einem verborgenen Erdloch gesteckt hatte. Genau wie bei Scott Brenner tat ich, was ich konnte, und schickte sie zum Nähen der Wunde ins Krankenhaus. Die andere Verletzung, die Dan Marsden, ein Farmarbeiter aus dem Dorf, erlitten hatte, war weniger schwer. Die Drahtschlinge war nur teilweise durch seine festen Lederstiefel gedrungen.

«Gott, ich würde den Scheißkerl, der die Schlinge da ausgelegt hat, gerne zwischen die Finger bekommen», sagte er mit zusammengebissenen Zähnen, während ich die Wunde verband.

«War sie gut versteckt?»

«Völlig unsichtbar. Und was für eine Größe! Ich möchte mal wissen, was der mit dem Scheißding fangen wollte.»

Ich sagte nichts. Aber ich dachte, dass die Fallen wahrscheinlich genau ihren Zweck erfüllt hatten.

Mackenzie war der gleichen Meinung. Er setzte die Suche nach Lyn Metcalf zeitweilig aus und hatte vor der mobilen Einsatzzentrale eine Erste-Hilfe-Station einrichten lassen.

Außerdem gab er eine Warnung heraus, dass jeder die Wälder und Felder in der Umgebung des Dorfes meiden sollte. Was das bewirkte, hätte man sich denken können. Vorher hatte größtenteils dumpfes Entsetzen geherrscht, doch als nun bekannt wurde, dass die Gegend um Manham nicht mehr sicher war, war zum ersten Mal echte Angst zu spüren.

Natürlich gab es solche, die es nicht glauben wollten oder stur behaupteten, sich nicht von dem Land verscheuchen zu lassen, das ein Leben lang ihres gewesen war. Das dauerte so lange, bis einer der lautesten Protestierer, angeheitert durch ein nachmittägliches Besäufnis im Lamb, in ein Loch trat, das mit trockenem Gras verdeckt war, und sich den Knöchel brach. Sein Geschrei hatte wesentlich mehr Wirkung als jede Warnung der Polizei.

Als immer mehr Polizeikräfte anrückten und die überregionalen Medien endlich wach wurden und mit ihren Mikrophonen und Kameras im Dorf einfielen, begann sich Manham wie ein Ort unter Belagerung zu fühlen.

«Bisher gibt es nur zwei verschiedene Fallentypen», erzählte mir Mackenzie. «Die Variante mit dem Draht ist in etwa die Urform einer Falle, die jeder Wilderer herstellen könnte. Außer, dass diese Schlingen groß genug sind, um den Fuß eines Erwachsenen einzufangen. Die angespitzten Pfähle sind noch schlimmer. Es könnte ein ehemaliger Soldat oder einer dieser Survival-Typen sein. Oder es ist einfach jemand mit einer widerlichen Phantasie.»

«Sie sagten bisher?»

«Wer die Fallen aufgestellt hat, weiß, was er tut. Dahinter steckt Überlegung. Wir müssen davon ausgehen, dass er weitere Überraschungen vorbereitet hat.»

«Könnte es nicht genau das sein, was er wollte? Die Unterbrechung der Suche?»

«Kann sein. Aber wir können es nicht darauf ankommen lassen. Bisher haben die Fallen nur Verletzungen verursacht. Wenn wir weiter durch den Wald stolpern, wird am Ende noch jemand getötet.»

Er verstummte, als wir an eine Kreuzung kamen, und trommelte ungeduldig auf das Lenkrad, während wir darauf warteten, dass der Wagen vor uns weiterfuhr. Ich schaute aus dem Fenster. In der Stille kehrten meine Ängste zurück.

Ich hatte Mackenzie gleich morgens früh angerufen, um ihm zu sagen, dass ich Sally Palmers Überreste untersuchen würde, wenn er es immer noch wollte. Dass ich es tun würde, hatte ich in dem Moment gewusst, als ich aufgewacht war, so als wäre die Entscheidung im Schlaf getroffen worden. Und in gewisser Weise war sie das wohl auch.

Im Grunde fragte ich mich, ob ich überhaupt von großem Nutzen sein konnte. Bestenfalls könnte ich einen exakteren Todeszeitpunkt feststellen, vorausgesetzt, mein eingerostetes Wissen hatte mich nicht verlassen. Aber ich hatte keinerlei Illusion, dass es Lyn Metcalf viel helfen würde. Der Grund meiner Entscheidung war lediglich, dass ich nicht länger untätig sein konnte.

Was nicht bedeutete, dass ich glücklich mit ihr war.

Mackenzie hatte weder überrascht noch besonders beeindruckt geklungen, als ich ihm meinen Entschluss mitgeteilt hatte. Er sagte nur, er würde sich mit seinem Superintendent besprechen und sich wieder bei mir melden. Als ich auflegte, hatte ich das Gefühl, in der Luft zu hängen, und fragte mich, ob ich mich verschätzt hatte.

Innerhalb einer halben Stunde rief er jedoch zurück und fragte, ob ich diesen Nachmittag beginnen könnte. Mit trockenem Mund sagte ich zu.

«Die Leiche liegt noch beim Pathologen. Ich hole Sie um eins ab und bringe Sie hin», hatte er gesagt.

«Ich kann selbst hinfahren.»

«Ich muss sowieso zurück ins Revier. Und es gibt da ein, zwei Dinge, über die ich gerne reden würde.»

Ich fragte mich, welche Dinge er meinte, während ich zu Henry ging, um ihn zu fragen, ob er mich am Nachmittag in der Sprechstunde vertreten könnte.

«Natürlich. Ist was passiert?»

Er schaute mich erwartungsvoll an. Ich war immer noch nicht dazu gekommen, ihm zu erzählen, warum Mackenzie überhaupt zu mir gekommen war. Ich hatte ein schlechtes Gewissen deswegen, aber ich hätte ihm dafür mehr erklären müssen, als ich wollte. Ich wusste jedoch, dass ich es nicht mehr viel länger aufschieben konnte. Das war ich ihm schuldig.

«Gib mir noch Zeit bis zum Wochenende», sagte ich. Bis dahin müsste ich erledigt haben, was ich zu tun hatte, und dann würde uns auch keine Sprechstunde in die Quere kommen. «Dann werde ich dir alles erzählen.»

Er hatte mich gemustert. «Alles in Ordnung?»

«Ja. Es ist nur … kompliziert.»

«Das sind die meisten Dinge. Heute vor einer Woche hätte niemand gedacht, dass der ganze Ort vor Journalisten wimmeln und die Polizei jedem Fragen stellen könnte. Da fragt man sich, wo das alles enden soll.»

Er hatte sich bemüht, eine weniger düstere Miene aufzusetzen. «Na gut. Komm Sonntag zum Mittagessen vorbei. Ich habe Lust zu kochen, außerdem habe ich einen guten Bordeaux und suche schon lange nach einem Grund, ihn aufzumachen. Es redet sich immer leichter mit vollem Magen.»

Dankbar, das Ganze wenigstens noch so lange aufschieben zu können, hatte ich zugesagt.

Die Autos strömten vorbei, als Mackenzie an einen Kreisverkehr kam. Das Innere des Wagens roch nach Mentholluftauffrischer und seinem Aftershave. Alles war so ordentlich, als wäre der Wagen gerade frisch gereinigt worden. Auf den Straßen draußen herrschte dagegen nur Chaos und Lärm. Es kam mir gleichzeitig vertraut und fremd vor. Ich versuchte mich zu erinnern, wann ich das letzte Mal in einer Stadt gewesen war, und stellte erschrocken fest, dass ich seit dem verregneten Nachmittag, als ich angekommen war, zum ersten Mal außerhalb Manhams war. In mir flammten gegensätzliche Gefühle auf; einerseits wünschte ich, ich wäre dort geblieben, andererseits war ich erstaunt, dass ich mich so lange vergraben hatte.

Das Leben draußen war einfach weitergegangen.

Ich beobachtete eine Gruppe Kinder vor den Toren einer Schule, die sich gegenseitig schubsten, während ein Lehrer versuchte, für Ordnung zu sorgen. Leute hasteten vorbei, mit ihren eigenen Angelegenheiten beschäftigt. Jeder Einzelne mit seinem Leben, das unberührt war von meinem. Oder von denen der anderen.

«Der Draht, der für die Fallen verwendet wurde, ist die gleiche Sorte wie der Draht, mit dem Lyn Metcalf zu Fall gebracht wurde», sagte Mackenzie und holte mich zurück ins Hier und Jetzt. «Und wie der, mit der die Wildente an den Stein gebunden wurde. Ich weiß nicht, ob alles von derselben Rolle stammt, aber ich glaube, davon kann man ausgehen.»

«Wie verstehen Sie das? Den Vogel, meine ich?»

«Ich bin mir noch nicht sicher. Könnte benutzt worden sein, um sie in Panik zu versetzen. Könnte auch eine Art Stilmittel oder Unterschrift sein.»

«Wie die Flügel auf Sally Palmers Rücken?»

«Möglich. Der Ornithologe hat sich deswegen übrigens bei uns gemeldet. Höckerschwan. Ist hier ziemlich häufig, besonders zu dieser Jahreszeit.»

«Glauben Sie, es besteht eine Verbindung zwischen den Flügeln des Schwans und der Ente?»

«Ich kann nicht glauben, dass es Zufall ist, wenn Sie das meinen. Vielleicht hat er einfach was gegen Vögel.» Er überholte einen langsam fahrenden Transporter. «Jetzt arbeiten Psychologen daran, um uns eine Vorstellung zu geben, mit was für einer Psyche wir es zu tun haben. Und alle möglichen anderen Spezialisten, die man sich vorstellen kann. Vielleicht ist das ja irgendein heidnisches Ritual oder Satanismus oder so ein Bockmist.»

«Aber Sie glauben nicht daran?»

Er antwortete nicht gleich und überlegte offensichtlich, wie viel er sagen sollte. «Nein, ich glaube nicht daran», sagte er schließlich. «Die Flügel auf Palmers Rücken haben jeden bestürzt. Manche Leute meinten, der Mörder benutzt eine religiöse oder altertümliche Symbolik, von Engeln bis Gott weiß was. Aber ich bin mir da nicht so sicher. Wenn die Ente geopfert oder verstümmelt worden wäre, dann vielleicht. Aber nur mit einem Draht festgebunden? Nein, ich glaube, der Typ fügt einfach gerne Schmerzen zu. Er demonstriert seine Macht, wenn man so will.»

«Wie mit den Fallen.»

«Wie mit den Fallen. Man muss zugeben, es behindert unsere Arbeit. Wir können uns nicht voll auf die Suche konzentrieren, wenn wir aufpassen müssen, was er sonst noch ausgeheckt haben könnte. Aber sonst? Jeder, der ausgebufft genug ist, Fallen zu bauen und Menschen zu verschleppen, wird doch auch wissen, wie man seine Spuren verwischt. Doch stattdessen finden wir den Vogel und die Pfähle, an die der Draht gespannt war, um sein Opfer zu schnappen. Und nun die Fallen. Ihm ist es entweder völlig egal, ob wir Spuren finden, oder er hat einfach, ich weiß nicht …»

«Sein Territorium markiert?», meinte ich.

«So was in der Art. Er zeigt uns, dass er am Drücker ist. Und es kostet ihn ja nicht mal viel Mühe. Er stellt einfach an ein paar strategischen Punkten Fallen auf und schaut sich dann aus sicherer Entfernung den Spaß an.»

Ich schwieg eine Weile und dachte über seine Worte nach. «Könnte nicht mehr dahinter stecken?»

«Wie meinen Sie das?»

«Er hat aus Wald und Wiesen eine Sperrzone gemacht. Die Leute haben Angst, spazieren zu gehen, weil sie in eine seiner Schlingen treten könnten.»

Er runzelte die Stirn. «Und?»

«Vielleicht fügt er nicht nur gerne Schmerzen zu. Vielleicht löst er auch gerne Angst und Schrecken aus.»

Mackenzie starrte nachdenklich durch die Windschutzscheibe. Sie war mit den zerdrückten Überresten toter Insekten gesprenkelt. «Könnte sein», sagte er schließlich. «Würden Sie mir sagen, wo Sie gestern Morgen zwischen sechs und sieben Uhr gewesen sind?»

Der abrupte Themenwechsel irritierte mich. «Um sechs Uhr stand ich wahrscheinlich unter der Dusche. Dann habe ich gefrühstückt und bin in die Praxis gefahren.»

«Um welche Zeit?»

«Ungefähr Viertel vor sieben.»

«Ziemlich früh.»

«Ich hatte nicht gut geschlafen.»

«Kann diese Zeiten jemand bezeugen?»

«Henry. Als ich ankam, habe ich mit ihm eine Tasse Kaffee getrunken. Schwarz, ohne Zucker, falls Sie das auch interessiert.»

«Das ist reine Routine, Dr. Hunter. Sie waren doch früher an genügend Polizeiermittlungen beteiligt, um zu wissen, wie es läuft.»

«Halten Sie an.»

«Was?»

«Halten Sie einfach an.»

Er schien etwas entgegnen zu wollen, betätigte dann den Blinker und blieb am Straßenrand stehen.

«Bin ich hier als Verdächtiger oder weil Sie meine Hilfe brauchen?»

«Hören Sie, wir fragen jeden …»

«Was nun?»

«In Ordnung, tut mir Leid, vielleicht hätte ich nicht so damit rausplatzen sollen. Aber das sind Fragen, die wir stellen müssen.»

«Wenn Sie annehmen, dass ich irgendetwas damit zu tun haben könnte, dann darf ich nicht hier sein. Glauben Sie etwa, ich freue mich darauf? Ich wäre überglücklich, wenn ich mein Leben lang keine einzige Leiche mehr sehen müsste. Wenn Sie mir also nicht vertrauen, dann kann ich auch gleich aussteigen.»

Er seufzte. «Hören Sie, ich glaube nicht, dass Sie etwas damit zu tun haben. Wenn ich es täte, dann hätten wir Ihre Hilfe nicht in Anspruch genommen, ganz bestimmt nicht. Aber wir fragen jeden im Dorf das Gleiche. Ich dachte einfach, ich bringe es schnell hinter mich, okay?»

Die Art und Weise, wie er die Frage auf mich losgelassen hatte, gefiel mir trotzdem nicht. Er hatte mich überraschen wollen, um zu sehen, wie ich reagierte. Ich fragte mich, ob der Rest unseres Gesprächs ein ähnlicher Test gewesen war. Aber ob es mir gefiel oder nicht, das war sein Job. Und mir wurde langsam klar, dass er etwas davon verstand. Widerwillig nickte ich.

«Kann ich jetzt weiterfahren?», fragte er.

Ich musste lächeln. «Ich denke schon.»

Er bog wieder auf die Straße. «Und wie lange wird das dauern? Die Untersuchung?», fragte er nach einer Weile und durchbrach das Schweigen.

«Schwer zu sagen. Viel hängt vom Zustand der Leiche ab. Hat der Pathologe etwas herausgefunden?»

«Nicht viel. Die Leiche ist zu stark verwest, um zu sagen, ob es zu sexuellen Handlungen gekommen ist. Aber da sie nackt gefunden wurde, ist das ziemlich wahrscheinlich. Am Torso und an den Gliedmaßen gibt es zahlreiche kleine Schnitte, aber sie sind nur oberflächlich. Er kann nicht einmal mit Sicherheit sagen, ob die Halswunde oder die Schädelverletzungen zum Tode geführt haben. Besteht eine Möglichkeit, dass Sie das herausfinden?»

«Das weiß ich noch nicht.» Durch die Fotografien vom Tatort hatte ich zwar ein paar Vorstellungen, wollte mich jedoch noch nicht festlegen.

Mackenzie sah mich von der Seite an. «Ich weiß, dass ich die Frage wahrscheinlich bereuen werde, aber was genau haben Sie eigentlich vor?»

Ich hatte absichtlich nicht darüber nachgedacht. Doch die Antwort kam automatisch. «Ich muss die Leiche röntgen, sollte das noch nicht geschehen sein. Dann werde ich Gewebeproben nehmen, um die Todeszeit festzustellen und …»

«Wie das?»

«Man kann die Veränderungen des Organismus analysieren, um herauszufinden, wie lange er tot ist. Die Zusammensetzung von Aminosäuren, der Abbau der Fettsäuren, der Grad des Proteinzerfalls. Danach werde ich das gesamte noch vorhandene weiche Gewebe entfernen müssen, damit ich das Skelett untersuchen kann. Daran kann ich sehen, welche Traumata daran entstanden sind und welcher Waffentyp sie verursacht hat. Solche Dinge.»

Mackenzie runzelte angewidert seine Stirn. «Wie machen Sie das denn?»

«Nun, wenn nicht mehr viel Gewebe übrig ist, kann man entweder ein Skalpell oder eine Zange nehmen. Oder man kocht die Leiche ein paar Stunden in Lösungsmittel.»

Mackenzie verzog das Gesicht. «Jetzt kann ich verstehen, warum Sie Landarzt werden wollten.» Ihm war anzusehen, dass ihm dann meine anderen Gründe einfielen. «Entschuldigen Sie», fügte er hinzu.

«Vergessen Sie's.»

Eine Weile fuhren wir schweigend weiter. Ich bemerkte, wie Mackenzie sich am Hals kratzte.

«Haben Sie ihn schon untersuchen lassen?», fragte ich.

«Wen?»

«Den Leberfleck. Sie haben sich gerade daran gekratzt.»

Schnell senkte er die Hand. «Hat nur gejuckt.» Er fuhr auf einen Parkplatz. «Da sind wir.»

Ich folgte ihm ins Krankenhaus. Wir nahmen den Fahrstuhl vom Erdgeschoss in den Keller. Die Leichenhalle befand sich am Ende eines langen Korridors. Kaum trat ich ein, überwältigte mich der Chemiegeruch, ein süßlicher, stechender Mantel, der sich bereits nach einem Atemzug auf die Lungen zu legen schien. Der Raum war in Weißtönen, rostfreiem Stahl und Glas gehalten. Als wir hereinkamen, erhob sich hinter einem Schreibtisch eine junge Asiatin in einem weißen Laborkittel.

«Hallo, Marina», sagte Mackenzie zwanglos. «Doktor Hunter, Marina Patel. Sie wird Ihnen bei Bedarf gerne helfen.»

Sie lächelte, als wir uns die Hand gaben. Ich versuchte noch, mich zu orientieren, mich darauf einzustellen, wieder in einer einerseits vertrauten, andererseits ganz fremden Umgebung zu sein.

Mackenzie schaute auf seine Uhr. «Gut, ich muss wieder aufs Revier. Rufen Sie mich einfach an, wenn Sie fertig sind, dann lasse ich Sie zurückbringen.»

Nachdem er verschwunden war, schaute mich die junge Frau erwartungsvoll an. «Sie … sind also die Pathologin?», fragte ich und schob den Moment etwas länger hinaus.

Sie grinste. «Beinahe. Ich bin mitten im Studium. Aber was nicht ist, kann ja noch werden.»

Ich nickte. Wir rührten uns beide nicht.

«Wollen Sie die Leiche sehen?», fragte sie mich schließlich.

Nein. Nein, ich wollte nicht. «In Ordnung.»

Sie gab mir einen Laborkittel und führte mich durch ein Paar schwerer Pendeltüren. Dahinter befand sich ein kleinerer Raum, eine Art Operationssaal. Es war kalt hier. Die Leiche lag auf einem rostfreien Stahltisch und wirkte auf der perfekten matten Metalloberfläche fehl am Platz. Marina schaltete die Strahler an, die die Leiche in ihrer mitleiderregenden Gesamtheit ausleuchteten.

Ich schaute hinab auf das, was Sally Palmer gewesen war. Doch es hatte nichts mehr mit ihr zu tun. Die Erleichterung, die ich spürte, verflüchtigte sich und wurde schnell durch eine klinische Distanz ersetzt.

«Okay. Fangen wir an», sagte ich.

Die Frau hatte bessere Zeiten gesehen. Ihr Gesicht war pockennarbig und angegriffen, ihre Züge begannen jede Ausprägung, die sie einmal gehabt haben mochten, zu verlieren. Den Kopf gesenkt, schien sie das ganze Gewicht der Welt auf ihren Schultern zu tragen. Dennoch hatte ihre Resignation etwas Anmutiges, als würde sie ihr Schicksal, so unerfreulich es auch war, wortlos hinnehmen.

Die Statue der unbekannten Heiligen fiel mir während des Gottesdienstes auf. Was mir an der auf einer Steinsäule stehenden Figur gefiel, hätte ich nicht sagen können. Sie war grob gearbeitet, und selbst für mein ungeschultes Auge hatte der Bildhauer ein schlechtes Gefühl für Proportionen gehabt. Ob es die durch das Alter aufgeweichten Konturen waren oder etwas Unbestimmteres, irgendwie hatte sie jedenfalls etwas Ansprechendes. Sie stand dort seit Jahrhunderten und hatte frohe und leidvolle Zeiten gesehen. Und sie würde immer noch da sein, wachsam und stumm, nachdem jeder andere längst vergessen wäre. Sie erinnerte daran, dass alles, das Gute wie das Böse, irgendwann verging.

In diesem Moment war das ein tröstlicher Gedanke. In der alten Kirche war es selbst an diesem warmen Abend kühl und muffig. Blaues und violettes Licht fiel durch die Buntglasfenster, deren alte Scheiben verformt und schief in den Bleirahmen hingen. Der Mittelgang war mit unebenen, mittlerweile glatt getretenen Steinplatten ausgelegt, dazwischen lagen alte Grabsteine. Auf dem Stein direkt neben mir war ein Schädel zu sehen, darunter hatte irgendein mittelalterlicher Steinmetz eine düstere Botschaft eingemeißelt.

So, wie du jetzt bist, so war ich einmal.

So, wie ich jetzt bin, so wirst du sein.

Ich rutschte auf der harten Holzbank umher, während Scarsdales heimtückischer Bariton von den Steinmauern widerhallte. Es war vorhersehbar gewesen. Was angeblich eine Andacht hatte sein sollen, war dem Pfarrer zum Anlass geraten, den unfreiwilligen Zuhörern seine ureigenste Glaubensvorstellung aufzudrängen.

«Noch während wir für die Seele von Sally Palmer und für die Erlösung von Lyn Metcalf beten, stellt sich uns mit Macht eine Frage, auf die wir alle eine Antwort suchen. Warum? Warum musste dies geschehen? Ist es Gottes Wille, dass diese beiden jungen Frauen so brutal aus unserer Mitte gerissen worden sind? Aber aus welchem Grund? Und wen will Gott damit strafen?»

Scarsdale umklammerte die alte Holzkanzel mit beiden Händen und schaute finster hinab auf seine Gemeinde.

«Wir alle unterstehen dem Willen Gottes, zu jeder Zeit. Es kommt uns nicht zu, Ihn in Frage zu stellen. Es kommt uns nicht zu, Sein Urteil als ungerecht zu beklagen. Gottes Erbarmen ist groß, aber wir haben kein Recht, Seine Gnade zu erwarten. Seine Wege sind unergründlich. Es kommt uns nicht zu, Sein Urteil zu beklagen, nur weil wir unwissend sind.»

Blitzlichter flackerten lautlos auf, während Scarsdale innehielt, um Luft zu holen. Er hatte die Medien in der Kirche zugelassen, was das Unwirkliche der Situation noch verstärkte. Das normalerweise spärlich besuchte Gotteshaus platzte aus allen Nähten. Bei meinem Eintreffen waren die Bänke alle schon besetzt gewesen, und ich musste mich ganz nach hinten durchkämpfen.

Ich hatte den Gottesdienst vergessen gehabt, bis ich die Menschenmasse auf dem Kirchhof gesehen hatte. Mackenzie hatte für meine Rückfahrt nach Manham durch einen schweigsamen Sergeant in Zivil gesorgt, dem es eindeutig nicht passte, Taxidienste übernehmen zu müssen. Das Handy des Inspectors war ausgeschaltet gewesen, als ich angerufen hatte, um ihm zu sagen, dass ich für heute fertig war. Ich hatte jedoch eine Nachricht auf seiner Mailbox hinterlassen, und er hatte mich fast umgehend zurückgerufen.

«Wie ist es gelaufen?»

«Ich habe Proben für eine Gaschromatographie verschickt. Wenn sie zurück sind, werde ich die Todeszeit exakter bestimmen können», hatte ich ihm erzählt. «Morgen kann ich mit der Untersuchung des Skeletts beginnen. Dann wissen wir vielleicht, welche Waffe benutzt worden ist.»

«Sie haben also noch nichts?» Er klang enttäuscht.

«Nur, dass Marina mir erzählt hat, der Pathologe wäre der Meinung, dass eher die Kopfverletzungen als die Halswunde zum Tode geführt haben.»

«Und Sie sind anderer Meinung?»

«Ich behaupte nicht, dass sie nicht tödlich gewesen wären. Aber sie war noch am Leben, als ihre Kehle durchtrennt wurde.»

«Sind Sie sicher?»

«Die Leiche ist verfrüht ausgetrocknet. Auch bei der Hitze der letzten Tage wäre das nicht so schnell gegangen, wenn es keinen großen Blutverlust gegeben hätte. Und den gibt es selbst bei einer durchtrennten Kehle nach Eintritt des Todes nicht mehr.»

«Die Bodenproben vom Fundort der Leiche weisen einen niedrigen Eisengehalt auf.»

Also hatte der Boden dort, wo die Leiche gefunden worden war, nicht viel Blut aufgesogen. Bei der Menge, die aus einer durchtrennten Drosselvene hervorquellen würde, hätte der Eisengehalt enorm hoch sein müssen.

«Dann wurde sie an einem anderen Ort getötet.»

«Was ist mit den Kopfverletzungen?»

«Entweder haben sie nicht zum Tode geführt, oder sie sind nachträglich zugefügt worden.»

Er schwieg eine Weile, aber ich konnte mir vorstellen, was er dachte. Was auch immer Sally Palmer durchgemacht hatte, stand nun Lyn Metcalf bevor. Und wenn sie noch nicht tot war, dann war es nur noch eine Frage der Zeit.

Außer, es geschah ein Wunder.

Scarsdale kam langsam zur Sache. «Einige hier werden sich fragen, was diese zwei armen Frauen getan haben und womit sie das verdient haben. Oder was unsere Gemeinde getan hat und womit wir das verdient haben.» Er breitete seine Arme aus. «Vielleicht nichts. Vielleicht stimmt die allgemeine, moderne Auffassung; vielleicht gibt es hinter unserem Universum keinen höheren Sinn und keine übergeordnete Weisheit.»

Er machte eine dramatische Pause. Ich fragte mich, ob er diese Show für die Kameras abzog.

«Oder sind wir nur zu benebelt von unserer Arroganz, um sie zu erkennen?», fuhr er fort. «Viele der Anwesenden haben seit Jahren keinen Fuß mehr in diese Kirche gesetzt. Sie sind zu beschäftigt, um ihr Leben mit Gott zu teilen. Ich kann nicht behaupten, Sally Palmer oder Lyn Metcalf gekannt zu haben. Sie hatten nicht viel mit dieser Kirche zu tun. Dass sie trotzdem tragische Opfer sind, bezweifle ich nicht. Aber Opfer wovon?»

Jetzt beugte er sich vor und streckte uns seinen Kopf entgegen.

«Es schaue ein jeder von uns in sein Herz! Christus sagt: ‹Wie du säst, so wirst du ernten.› Und heute tun wir genau das. Wir ernten die Frucht der geistigen Fäulnis unserer Gesellschaft. Wir werden dafür bestraft, dass wir die Augen vor ihr verschlossen haben. Das Böse hört nicht auf zu existieren, nur weil wir geneigt sind, es zu ignorieren. Wo sollen wir also die Schuld suchen?»

Er erhob einen knochigen Finger und schwenkte ihn langsam durch die voll besetzte Kirche.

«Bei uns selbst. Wir sind diejenigen, die es der Schlange erlaubt haben, sich unter uns breit zu machen. Wir selbst und niemand anderes. Und nun müssen wir zu Gott beten, damit Er uns die Kraft gibt, sie wieder aus unserer Mitte zu verbannen!»

Es entstand eine unbehagliche Stille, in der die Leute versuchten, seine Worte zu verdauen. Aber Scarsdale ließ sie nicht. Er hob das Kinn und schloss die Augen, während sein Gesicht im Blitzlichtgewitter flackerte.

«Lasst uns beten.»

Die Gemeinde stand nach dem Gottesdienst nicht wie sonst üblich in Grüppchen vor der Kirche. Ein Wohnwagen der Polizei war am Dorfplatz abgestellt worden, und die Anwesenheit des weißen, wuchtigen Gefährts wirkte nicht nur unpassend, sondern auch einschüchternd. Trotz aller Versuche der Medien ließen sich nur wenige Leute zu einem Interview bewegen. Dafür war alles noch zu schockierend und zu persönlich. Es mochte angehen, sich Berichte über andere Gemeinden anzuschauen, die von einem Schicksalsschlag getroffen worden waren. Selbst zu so einer Gemeinde zu gehören, war etwas ganz anderes.

Deshalb begegnete man den fiebrigen Fragen der Journalisten mit versteinerten Mienen, die zu undurchdringlich waren, um noch höflich zu sein. Mit nur wenigen Ausnahmen kehrte Manham den Blicken der Außenwelt geschlossen den Rücken. Überraschenderweise war Scarsdale einer der wenigen, die sich interviewen ließen. Eigentlich hätte man von ihm am wenigsten erwartet, dass er etwas mit den Medien am Hut hatte, er hatte aber offensichtlich das Gefühl, dass es dieses eine Mal erlaubt war, sich mit dem Teufel einzulassen. Dem Tenor seiner Predigt nach schien er das Geschehene als Rechtfertigung seiner Berufung zu betrachten. In seinen missgünstigen Augen war er bestätigt worden, und diesen Moment wollte er mit beiden knotigen Händen festhalten.

Henry und ich sahen zu, wie er im Kirchhof zu den nach O-Tönen gierenden Journalisten predigte, während hinter ihm aufgeregte Kinder auf den Stein der Märtyrerin kletterten und über die verwelkten Blumen trampelten, die diesen immer noch schmückten, um ins Bild der Kamera zu kommen. Scarsdales Stimme, wenn auch nicht der genaue Wortlaut seiner Epistel, war bis zur Dorfwiese zu hören, wo wir unter der Kastanie warteten. Ich hatte Henry dort entdeckt, als ich nach dem Gottesdienst die Kirche verlassen hatte. Er hatte mich schief angelächelt, als ich zu ihm gekommen war.

«Bist du nicht mehr reingekommen?», fragte ich.

«Ich habe es gar nicht versucht. Ich wollte meinen Respekt erweisen, aber ich habe überhaupt keine Lust, Scarsdale auch noch zu bestätigen. Geschweige denn, mir anzuhören, wie er Gift und Galle spuckt. War es Gottes Strafe für unsere Sünden? Haben wir uns das alles selbst zuzuschreiben?»

«So ähnlich», gab ich zu.

Henry schnaubte. «Genau das, was Manham braucht. Eine Aufforderung zur Paranoia.»

Während Scarsdale seine spontane Pressekonferenz fortsetzte, fiel mir auf, dass zu der Reihe seiner treuesten Gemeindemitglieder hinter ihm einige neu Bekehrte gekommen waren. Zu Leuten wie Lee und Marjory Goodchild, Judith Sutton und ihrem Sohn Rupert hatten sich andere gesellt, die bestimmt seit Jahren keinen Fuß mehr in die Kirche gesetzt hatten. Wie ein stummer, zustimmender Chor sahen sie zu, wie der Pfarrer seine Stimme hob, um seine Botschaft vor den Kameras kundzutun.

Henry schüttelte angewidert den Kopf. «Schau ihn dir an. Ganz in seinem Element. Mann Gottes? Dass ich nicht lache. Für ihn ist das nur die Gelegenheit, allen zu erzählen: ‹Habe ich es euch nicht immer gesagt?›»

«Ganz Unrecht hat er nicht.»

Henry schaute mich skeptisch an. «Erzähl mir nicht, du bist bekehrt worden.»

«Nicht von Scarsdale. Aber der Täter muss ein Einheimischer sein. Jemand, der die Gegend kennt. Und uns.»

«In dem Fall möge uns Gott schützen, denn wenn es nach Scarsdale geht, wird alles noch wesentlich schlimmer, bevor sich irgendetwas zum Guten wandelt.»

«Wie meinst du das?»

«Hast du nie *Hexenjagd* gesehen? Das Stück von Arthur Miller über die Hexenverfolgungen in Salem?»

«Nur im Fernsehen.»

«Und das ist nichts, verglichen mit dem, was in Manham passieren wird, wenn diese Sache noch länger dauert.» Ich dachte, er würde Spaß machen, aber er schaute mich völlig ernst an. «Zieh den Kopf ein, David. Auch ohne dass Scarsdale die Leute anstachelt, werden bald die Beschuldigungen und die Verleumdungen beginnen. Pass auf, dass du da nicht hineingerätst.»

«Das ist doch nicht dein Ernst, oder?»

«Doch. Ich lebe schon wesentlich länger hier als du. Ich kenne unsere lieben Freunde und Nachbarn. Die Messer werden bereits gewetzt.»

«Komm schon, ist das nicht ein bisschen übertrieben?»

«Findest du?»

Er beobachtete Scarsdale, der in die Kirche zurückging, nachdem er gesagt hatte, was immer er zu sagen gehabt hatte. Als ihm die hartnäckigeren Journalisten folgen wollten, trat Rupert Sutton vor, um sie mit ausgestreckten Armen zurückzuhalten, eine riesige Schranke aus Fleisch, an der sich niemand vorbeitraute.

Henry schaute mich bedeutungsvoll an. «Eine solche Sache holt das Schlimmste aus jedem heraus. Manham ist ein kleiner Ort. Und kleine Orte erzeugen kleine Geister. Vielleicht bin ich übermäßig pessimistisch. Aber wenn ich du wäre, ich wäre auf der Hut.»

Er fixierte mich einen Augenblick, um sicherzugehen, dass ich verstanden hatte, und schaute dann an mir vorbei. «Hallo. Freunde von dir?»

Ich drehte mich um und sah eine junge Frau, die mich anlächelte. Sie war dunkelhaarig und pummelig. Gelegentlich hatte ich sie auf der Straße gesehen, ihren Namen wusste ich jedoch nicht. Erst als sie ein kleines Stückchen beiseite trat, sah ich, dass sie in Begleitung von Jenny war, deren Miene wiederum ganz und gar nicht glücklich war.

Ohne auf den Blick zu achten, den Jenny ihr zuwarf, trat die andere junge Frau vor. «Hi, ich bin Tina.»

«Freut mich», sagte ich, während ich mich fragte, was hier vor sich ging. Jenny lächelte mich kurz an. Sie sah unruhig aus.

«Hallo, Tina», sagte Henry. «Wie geht's deiner Mutter?»

«Besser, danke. Die Schwellung ist fast weg.» Sie wandte sich an mich. In ihren Augen lag ein unverkennbares Funkeln. «Danke, dass Sie Jenny gestern Abend nach Hause gebracht haben. Ich bin ihre Mitbewohnerin. Schön zu sehen, dass es noch höfliche Menschen gibt.»

«Ach, das war doch kein Problem.»

«Ich wollte nur sagen, dass Sie mal bei uns vorbeikommen müssen. Auf einen Drink oder zum Essen oder so.»

Ich schaute kurz Jenny an. Sie war knallrot geworden. Ich spürte, dass ich gleich genauso aussehen würde.

«Tja ...»

«Wie wäre es mit Freitagabend?»

«Tina, er hat bestimmt ...», begann Jenny, aber ihre Freundin verstand den Wink nicht.

«Da haben Sie doch noch nichts vor, oder? Wir können aber auch einen anderen Abend ausmachen.»

«Äh, nein, aber ...»

«Großartig! Dann bis um acht Uhr am Freitag.»

Immer noch grinsend, nahm sie Jennys Arm und marschierte mit ihr davon. Ich starrte ihnen hinterher.

«Was war denn das?», fragte Henry.

«Keine Ahnung.»

Er schaute mich amüsiert an.

«Wirklich nicht!», sagte ich.

«Na ja, du kannst mir ja Sonntag beim Mittagessen alles erzählen.» Das Lächeln verschwand von seinem Gesicht, als er mich wieder ernst anschaute. «Aber denk daran, was ich gesagt habe. Sei vorsichtig, wem du vertraust. Und pass auf dich auf.»

Und mit diesen Worten rollte er davon.

KAPITEL 10

DIE MUSIK SCHWEBTE durch den abgedunkelten Raum, die schrägen Töne tanzten durch die Objekte, die von der niedrigen Decke hingen. Fast kontrapunktisch dazu zeichnete der dunkle Tropfen eine Schlangenlinie und gewann schließlich an Fahrt, als er der Schwerkraft ausgesetzt wurde. Als beinahe formvollendete Perle fiel er herab, bis seine kurzlebige Symmetrie beim Aufprall auf dem Boden ein Ende fand.

Lyn starrte stumm auf das Blut, das ihr den Arm hinablief und von den Fingern tropfte, um auf den Boden zu spritzen. Es hatte eine kleine, aber beständig größer werdende Lache gebildet, die an den Rändern bereits dicker wurde und zu gerinnen begann. Der Schmerz des Schnittes hatte sich mit dem der vielen anderen Schnitte vermischt, dieser einzelne Schmerz war von dem großen nicht mehr zu unterscheiden. Das Blut der Wunden hatte ihre Haut mit einem abstrakten Muster der Grausamkeit beschmiert.

Während sie sich wackelig aufrappelte, hörte die dissonante Musik auf. Dankbar, dass sie geendet hatte, stützte sie sich an dem rauen Stein der Mauer ab und spürte einmal mehr, wie das Seil ihr in den Knöchel schnitt. Ihre Fingerkuppen waren aufgerissen, weil sie in der Dunkelheit liegend viele Stunden vergeblich versucht hatte, das Seil zu lösen. Doch der Knoten blieb so unnachgiebig wie eh und je.

Nachdem sie anfänglich ihre Situation nicht hatte wahrhaben wollen und sich verraten gefühlt hatte, hatte sie nun fast ein Stadium der Resignation erreicht. In diesem dunklen Raum gab es kein Mitleid für sie, so viel wusste sie bereits. Sie konnte nicht mit Gnade rechnen. Aber sie durfte nicht aufgeben! Mit einer Hand vor Augen als Schutz gegen das harte Licht, das auf sie gerichtet war, versuchte sie in die Dunkelheit zu schauen, in der ihr Entführer saß und sie beobachtete.

«Bitte …» Ihre Stimme war ein trockenes Krächzen, das sie selbst kaum wiedererkannte. «Bitte, warum tun Sie das?»

Ihre Frage traf auf Schweigen, das nur von seinen Atemzügen durchbrochen wurde. Tabakrauch hing in der Luft. Ein Rascheln war zu hören, als würde er sich rühren.

Dann begann die Musik wieder zu spielen.

KAPITEL 11

DONNERSTAG WAR der Tag, an dem sich die Kälte in Manham breit machte. Keine äußerliche Kälte – das Wetter blieb so heiß und trocken wie zuvor. Aber ob es nun eine unvermeidliche Reaktion auf die jüngsten Ereignisse oder das Resultat von Scarsdales Predigt war, das psychologische Klima im Dorf schien sich über Nacht einer spürbaren Veränderung unterzogen zu haben. Jetzt, wo es nicht mehr möglich war, einen Fremden der Gräueltaten zu beschuldigen, hatte die Dorfbevölkerung kaum eine andere Wahl, als sich selbst in Augenschein zu nehmen. Misstrauen ging um wie ein schleichender Virus, der, anfänglich noch ohne äußerliche Anzeichen, bereits die ersten Opfer infiziert hatte.

Wie bei jeder Infektion traf er zuerst die Anfälligeren.

Ich war mir dessen nicht bewusst, als ich am frühen Abend aus dem Labor zurückkam. Henry hatte wieder eingewilligt, meine Sprechstunde zu übernehmen, und bei meinem Vorschlag, eine Vertretung einzustellen, nur abgewunken. «Nimm dir so viel Zeit, wie du willst. Es wird mir gut tun, mal wieder mehr um die Ohren zu haben.»

Während der Fahrt hatte ich beide Fenster heruntergekurbelt. Sobald ich die verkehrsreichsten Straßen hinter mir gelassen hatte, war die Luft mit Pollen erfüllt, ein in der Nase kitzelnder süßer Duft, der den leicht schwefeligen Geruch des austrocknenden Schlamms von den Schilfflächen überdeckte. Es war ein willkommenes Gegenmittel zum

Chemiegestank des Labors, der immer noch meine Nasenschleimhäute und meinen Rachen zu überziehen schien. Ich hatte einen langen Tag hinter mir, den ich größtenteils mit der Untersuchung der Überreste von Sally Palmer verbracht hatte. Wenn ich versuchte, meine Erinnerung an die extrovertierte, vitale Frau, die ich gekannt hatte, mit der Knochenansammlung, von der noch die letzte Fleischschicht gelöst worden war, in Einklang zu bringen, fühlte ich mich gelegentlich wie gespalten. Aber darüber wollte ich lieber nicht nachgrübeln.

Zum Glück hatte ich zu viel zu tun, um diesen Gedanken nachzuhängen.

Anders als an Haut und Fleisch bleibt in den Knochen der Abdruck jeder Schnittverletzung erhalten. In Sally Palmers Fall waren dies vor allem Kratzer, die nichts enthüllten. Es gab jedoch drei Stellen, wo die Klinge tief genug eingedrungen war, um deutliche Spuren zu hinterlassen. Dort, wo ihr Rücken für die Flügel des Schwans aufgeschlitzt worden war, wiesen die flachen Knochen der beiden Schulterblätter einander ähnliche Furchen auf. Diese waren jeweils achtzehn bis zwanzig Zentimeter lang und durch einen einzelnen, schwungvollen Hieb verursacht worden. Man konnte es daran erkennen, dass die Wunden an beiden Enden flacher waren als in der Mitte. In beiden Fällen war das Messer eher in einem Bogen durch das Schulterblatt gefahren, als dass es gestoßen worden war. Es handelte sich eher um Schlitze als um Stiche.

Mit einer winzigen elektrischen Säge hatte ich eine der Furchen in der Mitte durchtrennt, sodass ich einen Längsschnitt erhielt. Marina hatte neugierig neben mir gestanden, als ich die von dem Messer verursachten Schnittflächen untersuchte. Ich bedeutete ihr, näher zu kommen.

«Sehen Sie, wie glatt die Seiten sind?», fragte ich. «Das sagt uns, dass die Klinge nicht gezackt war.»

Stirnrunzelnd starrte sie den Schnitt an. «Woher wissen Sie das?»

«Ein Sägemesser erzeugt ein Muster. Etwa so, wie wenn man Holz mit einer Kreissäge schneidet.»

«Dann wurden diese Schnitte also nicht mit einem Brot- oder einem Steakmesser verursacht.»

«Nein. Aber es war ein scharfes Messer. Sehen Sie, wie sauber und gerade die Schnitte sind? Und sie sind ziemlich tief. Vier, fünf Millimeter in der Mitte.»

«Heißt das, es war ein großes Messer?»

«Würde ich sagen. Es könnte ein großes Küchen- oder ein Schlachtermesser gewesen sein, ich halte aber eine Art Jagdmesser für wahrscheinlicher. Die haben schwerere und unflexiblere Klingen. Die Tatwaffe hat sich weder verbogen noch gekrümmt. Und der Schnitt ist ziemlich breit. Fleischermesser sind wesentlich dünner.»

Ein Jagdmesser passte auch zum offensichtlich geschickten Umgang des Mörders mit Holz, aber das sagte ich nicht. Ich hatte von beiden Schulterblättern Fotos gemacht und Maße genommen, bevor ich mich dem dritten zervikalen Rückenwirbel widmete. Dieser Knochenabschnitt hatte, als Sally Palmers Kehle durchtrennt worden war, die radikalste Beschädigung erlitten. Es handelte sich um eine andere Art von Wunde, die eine fast dreieckige Form hatte. Ein Stich, kein Schlitz. Der Mörder hatte das Messer zuerst gerade in die Kehle gestoßen und dann mit einer Seitwärtsbewegung die Luftröhre und die Halsschlagader durchtrennt.

«Er ist Rechtshänder», sagte ich.

Marina schaute mich an.

«Die Einkerbung befindet sich im linken Bereich des Rückenwirbels und verjüngt sich dann zur rechten Seite. Das ist die Schnittrichtung.» Ich deutete auf eine Stelle an meinem Hals und fuhr mit meinem Finger darüber. «Von links nach rechts. Was die Vermutung nahe legt, dass er Rechtshänder ist.»

«Könnte es nicht mit der Rückhand getan worden sein?»

«Dann wäre es eher ein Schlitz gewesen, wie auf den Schulterblättern.»

«Dann vielleicht von hinten? Um kein Blut abzubekommen?»

Ich schüttelte den Kopf. «Das macht keinen Unterschied. Vielleicht stand er hinter ihr, als er es getan hat, aber in dem Fall hätte er trotzdem herumgreifen, das Messer hineinstoßen und es dann nach rechts ziehen müssen. Sonst hätte er das Messer eher drücken als ziehen müssen. Zu schwierig, außerdem hätte es eine anders geformte Kerbe im Knochen erzeugt.»

Sie verstummte und dachte darüber nach. Als sie meine Theorie akzeptiert hatte, nickte sie mir zu. «Das ist ziemlich cool.»

Nein, dachte ich. Das lernt man einfach, wenn man zu viele solche Fälle gesehen hat.

«Warum sagen Sie immer ‹er›?», fragte Marina plötzlich.

«Entschuldigung?»

«Sie sprechen immer von einem Mann, von dem Mörder. Aber es gibt keine Zeugen, und der Zustand der Leiche ließ es nicht zu, Beweise für eine Vergewaltigung zu finden. Deshalb frage ich mich einfach, woher Sie sich so sicher sind.» Sie zuckte verlegen mit den Achseln. «Ist es nur eine Redewendung, oder hat die Polizei schon etwas herausgefunden?»

Sie hatte Recht. Ich hatte automatisch angenommen, dass

der Täter ein Mann war. Bisher deutete alles darauf hin – die Körperkraft, die weiblichen Opfer. Aber ich war überrascht, dass ich es schon für selbstverständlich hielt.

Ich lächelte. «Reine Gewohnheit. Normalerweise ist es ein Mann. Aber sicher bin ich mir nicht.»

Sie hatte auf die Knochen geschaut, die wir so gründlich untersucht hatten. «Ich glaube auch, dass es ein Mann ist. Hoffen wir, dass der Scheißkerl geschnappt wird.»

Während ich über ihre Worte nachdachte, hätte ich beinahe das letzte Beweisstück übersehen. Ich hatte den Rückenwirbel unter einem Auflichtmikroskop untersucht, und erst, als ich gerade mein Auge vom Okular nehmen wollte, fiel es mir auf. Ein winziger, schwarzer Fleck, der wie ein Geweberest in der tiefsten Stelle der Kerbe lag, die vom Messer in den Knochen geritzt worden war. Aber es konnte kein verfaultes Gewebe sein. Vorsichtig kratzte ich die Substanz heraus.

«Was ist das?», fragte Marina.

«Keine Ahnung.» Doch ich spürte einen Kitzel. Was auch immer es war, es gab nur eine Möglichkeit, wie es dorthin gelangt sein konnte: Auf der Spitze des Messers, das der Mörder benutzt hatte. Vielleicht war es gar nichts.

Vielleicht.

Ich schickte die Substanz an das forensische Labor zur spektroskopischen Untersuchung, für die mir sowohl die Sachkenntnis als auch die Geräte fehlten, und begann, Gipsabdrücke von den Messerkerben in den Knochen anzufertigen. Sollte die Tatwaffe je gefunden werden, könnte man das Messer leicht identifizieren, indem man es mit den Abdrücken verglich. Ein Ausschlussverfahren wie bei Aschenputtels Schuh. Mittlerweile war ich fast fertig. Jetzt musste ich nur noch auf die Laborergebnisse warten, nicht nur auf die zu der Substanz, die ich gerade gefunden hatte, sondern auch auf die anderen Tests vom Vortag. Sie würden mir Aufschlüsse über den exakten Todeszeitpunkt geben, und sobald ich den ermittelt hatte, war meine Aufgabe beendet. Meine Rolle nach Sally Palmers Tod, eine wesentlich intimere, als ich in ihrem Leben gespielt hatte, würde vorbei sein. Ich konnte mich wieder in mein «neues Leben» zurückziehen und mich von der Außenwelt abschotten.

Diese Aussicht schenkte mir nicht die erwartete Erleichterung. Vielleicht weil ich schon damals wusste, dass es so einfach nicht werden sollte.

Ich hatte mir gerade die Hände gewaschen und abgetrocknet, als es an der Stahltür klopfte. Marina schaute nach, wer es war, und kam mit einem jungen Polizisten zurück. Niedergeschlagen blickte ich auf den Karton, den er trug.

«Das schickt Ihnen Chief Inspector Mackenzie.»

Er sah sich um, wo er ihn abstellen konnte. Da ich wusste, was sich in dem Karton befinden würde, deutete ich auf den Obduktionstisch.

«Er möchte, dass Sie die gleichen Tests daran durchführen. Er sagt, Sie wissen, was er meint», sagte der Polizist. Obwohl der Karton nicht besonders schwer aussah, war der Beamte vom Tragen rot angelaufen und außer Atem. Vielleicht hatte er aber auch nur versucht, die Luft anzuhalten. Der Gestank machte sich bereits bemerkbar.

Er eilte hinaus, als ich den Karton öffnete. Darin lag, in Plastik eingewickelt, Sally Palmers Hund. Wahrscheinlich wollte Mackenzie, dass ich wie bei seiner Besitzerin eine Analyse des Abbaus der Fettsäuren des Tieres durchführte. Wenn der Hund, wovon man ausgehen konnte, getötet worden war, als sie entführt wurde, würde uns die Ermittlung seiner Todeszeit verraten, wann seine Besitzerin verschleppt und wie lange sie vor ihrem Tod gefangen gehalten worden war. Es gab keinerlei Garantie, dass der Mörder mit Lyn Metcalf ganz genauso verfahren würde, aber die Klärung dieser Fragen gäbe uns eine Vorstellung davon, wie viel Zeit ihr noch blieb.

Mackenzies Idee war gut. Aber leider war es so einfach nicht. Der Organismus eines Hundes war anders als der eines Menschen, alle vergleichenden Tests wären also bedeutungslos. Ich könnte höchstens die in seinem Rückenwirbel verursachten Einkerbungen untersuchen. Mit etwas Glück würde man dadurch erfahren, ob die Kehle des Hundes mit demselben Messer durchtrennt worden war wie die seiner Besitzerin. Diese Erkenntnis würde kaum den Lauf der Ermittlungen verändern, sie war aber trotzdem notwendig.

Ich lächelte Marina zerknirscht an. «Sieht nach Überstunden aus.»

Doch am Ende dauerte es nicht so lange, wie ich erwartet hatte. Der Hund war wesentlich kleiner, was die Sache vereinfachte. Ich hatte die nötigen Röntgenbilder angefertigt und dann die Leiche zum Auskochen in ein Bad mit Lösungsmittel gelegt. Wenn ich morgen ins Labor kam, wäre nur noch das Skelett zur Untersuchung übrig. Mir kam in den Sinn, dass nun die Überreste von Sally Palmer und die ihres Hundes in einem Raum lagen, ich war mir jedoch nicht sicher, ob das ein tröstlicher oder ein trauriger Gedanke war.

Die niedrig stehende Sonne durchschnitt die Oberfläche des Sees und verfärbte das Wasser dunkelrot. Die Straße machte eine Kurve und führte dann hinab zum Dorf. Mit zusammengekniffenen Augen zog ich mir die Sonnenbrille von der Stirn auf die Nase. Für einen Augenblick war mein Sichtfeld vom Rahmen der Brille verdeckt, und dann sah ich eine Gestalt am Straßenrand auf mich zukommen. Ich war überrascht, plötzlich jemanden so nah vor mir zu sehen;

durch das blendende Gegenlicht war ich schon fast vorbeigefahren, ehe ich erkannte, wer es war. Ich hielt an und setzte zurück, bis mein geöffnetes Fenster auf ihrer Höhe war.

«Kann ich Sie nach Hause fahren?»

Linda Yates schaute sich auf der leeren Straße um, als müsste sie erst über die Frage nachdenken. «Ich muss nicht in Ihre Richtung.»

«Kein Problem. Ist ja kein großer Umweg. Steigen Sie ein.»

Ich beugte mich vor und stieß die Tür auf. Doch sie zögerte noch immer. «Außerdem wollte ich sowieso noch einmal nach Sam schauen», sagte ich.

Die Erwähnung ihres Sohnes schien den Ausschlag zu geben. Sie stieg ein. Ich erinnere mich, dass mir gleich auffiel, wie nah sie an der Tür saß, doch damals dachte ich mir nichts dabei.

«Wie geht es ihm?», fragte ich.

«Besser.»

«Geht er wieder zur Schule?»

Sie hob ihre Schultern. «Das lohnt nicht mehr. Morgen ist der letzte Schultag.»

Richtig. Ich hatte das Zeitgefühl verloren und vergessen, dass die Sommerferien begannen. «Wie geht's Neil?»

Zum ersten Mal blitzte so etwas wie ein Lächeln auf. Aber es war ein bitteres. «Oh, dem geht's gut. Der kommt nach seinem Vater.»

Das hörte sich nach familiären Unstimmigkeiten an, denen ich lieber nicht weiter nachgehen wollte. «Waren Sie bei der Arbeit?», fragte ich. Ich wusste, dass sie manchmal in ein paar der Dorfläden putzte.

«Wir brauchten ein paar Sachen vom Supermarkt.» Sie hob ihre Plastiktüte hoch, als wollte sie es beweisen.

«Ein bisschen spät zum Einkaufen, oder?»

Sie schaute mich kurz an. Jetzt konnte man ihre Nervosität nicht mehr übersehen. «Irgendjemand muss es ja tun.»

«Könnte …», ich suchte nach dem Namen ihres Mannes, «… Gary Sie nicht fahren?»

Sie zuckte mit den Achseln. Die Möglichkeit bestand offensichtlich nicht.

«Ich weiß nämlich nicht, ob es im Moment eine gute Idee ist, allein nach Hause zu gehen.»

Erneut dieser kurze nervöse Blick. Sie schien sich jetzt noch mehr an die Tür zu pressen.

«Alles in Ordnung?», fragte ich, aber ich merkte allmählich, dass es nicht der Fall war.

«Bestens.»

«Sie kommen mir etwas nervös vor.»

«Ich, äh … ich bin nur froh, nach Hause zu kommen, das ist alles.»

Sie klammerte sich an den Rand des geöffneten Fensters, scheinbar bereit, sich jederzeit hinauszustürzen. «Kommen Sie, Linda, was ist los?»

«Nichts.» Das kam zu schnell heraus. Und nun, reichlich spät, begann ich zu verstehen, was los war.

Sie hatte Angst. Vor mir.

«Wenn Sie lieber wollen, dass ich anhalte und Sie den Rest zu Fuß gehen lasse, dann müssen Sie es nur sagen», bot ich ihr vorsichtig an.

An ihrem Blick konnte ich sehen, dass ich Recht gehabt hatte. Im Nachhinein wurde mir klar, wie widerwillig sie in meinen Wagen gestiegen war. Dabei war ich doch kein Fremder! Um Himmels willen! Ich war seit meiner Ankunft der Hausarzt ihrer Familie gewesen und hatte Sam bei Mumps und Windpocken beigestanden und Neils Armbruch behandelt. Erst vor wenigen Tagen, als ihre Jungs die schreckliche Entdeckung gemacht hatten, die alles ins Rollen brachte, war ich in ihrer Küche gewesen. *Was war los, verdammt nochmal?*

Sie zögerte kurz und schüttelte den Kopf. Sie entspannte sich, aber nur ein wenig.

«Nein. Alles in Ordnung.»

«Ich nehme Ihnen nicht übel, dass Sie auf der Hut sind. Ich dachte nur, ich tue Ihnen einen Gefallen.»

«Das tun Sie auch, es ist nur …»

«Was denn?»

«Nichts. Es ist nur Gerede.»

Bis zu diesem Zeitpunkt hatte ich ihre Reaktion auf eine allgemeine Angst zurückgeführt, ein unwillkürliches Misstrauen angesichts dessen, was im Dorf geschehen war. Als ich jetzt zu verstehen begann, dass mehr dahinter steckte, wuchs mein Unbehagen.

«Was für ein Gerede?»

«Man sagt … dass Sie verhaftet wurden.»

Ich wusste nicht, was ich erwartet hatte, aber das bestimmt nicht.

«Tut mir Leid», sagte sie, als könnte ich ihr deswegen Vorwürfe machen. «Was die Leute halt so reden …»

«Wer kommt denn auf so etwas, verdammt nochmal?», fragte ich fassungslos.

Sie wrang die Hände, nun nicht mehr aus Angst vor mir, sondern weil sie es mir erzählen musste. «Sie waren nicht in der Praxis. Die Leute haben gesagt, dass die Polizei bei Ihnen war und dass Sie mit diesem Inspector weggefahren sind. Mit dem, der die Ermittlungen leitet.»

Jetzt wurde mir alles klar. Aus Mangel an echten Neuigkeiten hatten Gerüchte das Vakuum gefüllt. Und indem ich mich darauf eingelassen hatte, Mackenzie zu helfen, war ich versehentlich zur Zielscheibe geworden. Es war so absurd, dass ich hätte lachen können. Aber es war nicht lustig.

Fast wäre ich an ihrem Haus vorbeigefahren. Als ich anhielt, war ich immer noch zu geschockt, um sprechen zu können.

«Es tut mir Leid», sagte Linda Yates erneut. «Ich dachte nur …» Sie beendete ihren Satz nicht.

Ich überlegte, was ich sagen könnte, ohne dass meine gesamte Vergangenheit vom Dorf auseinander gepflückt werden würde. «Ich habe der Polizei geholfen. Mit den Beamten zusammengearbeitet, meine ich. Ich war früher einmal … eine Art Spezialist. Bevor ich hierher gekommen bin.»

Sie hörte mir zu, aber ich war mir nicht sicher, ob sie etwas mit meinen Worten anfangen konnte. Immerhin sah sie nicht mehr so aus, als wollte sie sofort aus dem Auto stürzen.

«Die Polizisten wollten meinen Rat», fuhr ich fort. «Deswegen bin ich nicht in der Praxis gewesen.»

Ich wusste nicht, was ich sonst noch sagen sollte. Nach einem Moment schaute sie weg. «Es ist dieser Ort. Dieses Dorf.» Sie klang müde. Dann öffnete sie die Tür.

«Ich würde trotzdem gerne nach Sam schauen», sagte ich.

Sie nickte. Immer noch erschüttert, folgte ich ihr ins Haus. Nach der herrlichen Abenddämmerung schien es drinnen muffig und düster zu sein. Im Wohnzimmer lief laut und grell der Fernseher. Auf einen Sessel davor hatte sich ihr Ehemann gelümmelt, der jüngste Sohn lag auf seinem Bauch. Beide schauten sich um, als wir hereinkamen. Gary Yates sah seine Frau an und verlangte wortlos nach einer Erklärung.

«Dr. Hunter hat mich nach Hause gefahren», sagte sie, stellte ihre Einkaufstüten ab und lief hektisch umher. «Er wollte nachsehen, wie es Sam geht.»

Yates schien nicht zu wissen, wie er reagieren sollte. Er war ein drahtiger Mann, Anfang dreißig, mit dem verhärmten, ungezähmten Äußeren eines Stromers. Er stand langsam auf und wusste nicht, wohin mit seinen Händen. Aber statt sie zur Begrüßung auszustrecken, stopfte er sie sich in die Taschen.

«Ich wusste gar nicht, dass Sie vorbeikommen wollten», sagte er.

«Ich wusste es selbst nicht. Aber nach allem, was passiert ist, konnte ich Linda nicht allein nach Hause gehen lassen.»

Er wurde rot und schaute weg. Ich befahl mir, vorsichtig zu sein. Jeder Punkt, den ich gegen ihn gewann, würde nur vom Konto seiner Frau abgezogen werden, wenn ich wieder weg war.

Ich lächelte Sam an, der auf den Boden gestarrt hatte. Die Tatsache, dass er an einem Sommerabend wie diesem drinnen hockte, deutete darauf hin, dass er noch nicht wieder ganz der Alte war. Im Gegensatz zu unserer letzten Begegnung schien es ihm jedoch schon besser zu gehen. Als ich ihn fragte, was er in den Ferien vorhatte, lächelte er sogar einmal und zeigte etwas von seiner alten Lebhaftigkeit.

«Ich glaube, ihm geht es wieder ganz gut», sagte ich Linda danach in der Küche. «Jetzt, wo der anfängliche Schock vorbei ist, wird er wahrscheinlich schon bald nicht mehr zu bändigen sein.»

Sie nickte, war aber abwesend. Sie war immer noch unruhig. «Wegen vorhin …», begann sie.

«Vergessen Sie's. Ich bin froh, dass Sie es mir erzählt haben.»

Ich wäre nie darauf verfallen, dass die Leute auf solche Ideen kommen könnten. Aber vielleicht hätte ich daran denken sollen. Erst gestern Abend hatte mich Henry gewarnt, vorsichtig zu sein. Ich hatte gedacht, er würde übertreiben, doch offensichtlich kannte er das Dorf besser als ich. Was mich wurmte, war nicht so sehr meine Fehleinschätzung, sondern dass eine Gemeinde, zu der ich mich zugehörig gefühlt hatte, sofort das Schlimmste annahm.

Schon damals hätte ich wissen müssen, dass das Schlimmste jederzeit alle Erwartungen übertreffen kann.

Als ich nun wieder in der Küche stand, musste ich an meinen letzten Besuch denken. Ich erinnerte mich, was ich Linda schon hatte fragen wollen, als ich den Wagen zurückgesetzt und ihr angeboten hatte, sie nach Hause zu fahren.

«Am Sonntag, als Neil und Sam die Leiche gefunden hatten», begann ich und vergewisserte mich kurz, dass die Wohnzimmertür zu war, «da sagten Sie, Sie wissen, dass es Sally Palmer ist, weil Sie von ihr geträumt haben.»

Sie hantierte an der Spüle herum und wusch Tassen ab. «Das war nur Zufall, nehme ich an.»

«Damals haben Sie aber etwas anderes gesagt.»

«Ich war durcheinander. Ich hätte den Mund halten sollen.»

«Ich versuche nicht, Sie aufs Glatteis zu führen. Ich will nur …» Nur was? Ich war mir nicht mehr sicher, auf was ich hinauswollte. Ich bohrte trotzdem weiter. «Ich habe mich nur gefragt, ob Sie wieder geträumt haben. Zum Beispiel von Lyn Metcalf.»

Sie hielt mit dem Spülen inne. «Ich hätte nicht gedacht, dass jemand wie Sie sich mit so etwas abgibt.»

«Reine Neugier.»

Sie schaute mich nachdenklich an. Durchdringend. Ich spürte, wie mir ihr Blick unangenehm wurde. Dann schüttelte sie schnell den Kopf. «Nein», sagte sie. Und dann fügte sie so leise etwas hinzu, dass ich es fast überhört hätte.

Ich hätte gerne weitere Fragen gestellt, doch in diesem Moment ging die Tür auf. Gary Yates betrachtete uns argwöhnisch.

«Ich dachte, Sie wären schon weg.»

«Ich wollte gerade gehen», sagte ich.

Er ging zum Kühlschrank und machte die angerostete Tür auf. Auf einem verbogenen Kühlschrankmagnet stand: ‹Beginne den Tag mit einem Lächeln›. Er stellte ein grinsendes Krokodil dar. Yates nahm eine Dose Bier heraus und öffnete sie. Als wäre ich nicht da, trank er einen großen Schluck und stieß einen unterdrückten Rülpser hervor, während er die Dose senkte.

«Dann bis bald», sagte ich zu Linda. Sie nickte nervös.

Ihr Mann beobachtete mich durch das Fenster, als ich zurück zum Landrover ging. Während ich ins Dorf fuhr, dachte ich daran, was Linda Yates gesagt hatte. Nachdem sie verneint hatte, von Lyn Metcalf geträumt zu haben, hatte sie noch etwas hinzugefügt. Nur zwei Worte, so leise, dass ich sie kaum verstehen konnte.

Noch nicht.

So lächerlich die Gerüchte über mich auch waren, ich konnte es mir nicht leisten, sie zu ignorieren. Es war zwar besser, mich ihnen zu stellen, als das Geraune außer Kontrolle geraten zu lassen, aber ungewöhnlich besorgt war ich doch, als ich zum Lamb fuhr. Die Girlanden auf dem Stein der Märtyrerin waren mittlerweile völlig verwelkt. Ich hoffte, dass es kein böses Omen war, während ich an dem vor dem

Dorfplatz abgestellten Polizeiwohnwagen vorbeikam. Davor saßen zwei gelangweilt aussehende Polizisten in der Abendsonne, die mich teilnahmslos anstarrten. Ich parkte vor dem Pub, holte tief Luft und schob die Tür auf.

Mein erster Gedanke beim Eintreten war, dass Linda Yates übertrieben hatte. Die Gäste schauten kurz zu mir, aber ich wurde wie üblich begrüßt. Ein bisschen gedrückt vielleicht, aber das war nicht anders zu erwarten. Hier würde eine Weile niemand lachen und Späße machen.

Ich ging an die Theke und bestellte ein Bier. Ben Anders saß in einer Ecke und telefonierte mit seinem Handy. Er hob grüßend die Hand, ehe er sein Gespräch fortsetzte. Jack zapfte mein Bier so beschaulich wie immer und beobachtete seelenruhig, wie die goldene Flüssigkeit den Schaum im Glas nach oben trieb. Henrys Warnung am vergangenen Abend war unangebracht gewesen, dachte ich erleichtert. Die Leute kannten mich besser.

Dann räusperte sich jemand am anderen Ende der Theke. «Weg gewesen?»

Es war Carl Brenner. Und als ich mich ihm zuwandte, merkte ich, dass es still im Raum geworden war.

Henry hatte doch Recht gehabt.

«Ich habe gehört, Sie sind in den letzten Tagen nicht oft hier gewesen», fuhr Brenner fort. Sein feindseliger, verhangener Blick sagte mir, dass er schon ein paar Gläser intus hatte.

«Stimmt.»

«Wie kommt's?»

«Ich musste ein paar Dinge erledigen.» Obwohl ich den Gerüchten über mich ein Ende machen wollte, würde ich mich nicht unter Druck setzen lassen. Oder der Dorfbevölkerung noch mehr Grund zum Gerede geben.

«Da hab ich was anderes gehört.» Seine Augen funkelten zornig, als würde er nur auf einen Anlass zum Losschlagen warten. «Ich hab gehört, Sie waren bei der Polizei.»

Im Pub schien es jetzt totenstill zu sein. «Stimmt.»

«Und was haben die gewollt?»

«Meinen Rat.»

«Ihren Rat?» Er verhehlte nicht, dass er mir nicht glaubte. «Was für 'n Rat?»

«Das müssen Sie die Polizisten fragen.»

«Ich frage Sie.»

Nun hatte sein Zorn ein Ziel gefunden. Ich wandte mich ab und ließ meinen Blick durch den Raum wandern. Manche Gäste starrten in ihr Glas. Andere starrten mich an. Noch nicht verurteilend, aber abwartend.

«Wenn jemand etwas zu sagen hat, dann soll er es jetzt tun», sagte ich so ruhig, wie ich konnte. Ich parierte ihre Blicke, bis sie einer nach dem anderen das Gesicht abwandten.

«Na gut, wenn sich niemand traut, dann werde ich es tun.» Carl Brenner war aufgestanden. Aggressiv kippte er den Rest seines Getränkes und knallte das Glas auf die Theke. «Sie sind –»

«Ich wäre vorsichtig, wenn ich du wäre.»

Ben Anders war neben mir aufgetaucht. Ich freute mich, ihn zu sehen, nicht nur wegen seiner beruhigenden körperlichen Präsenz, sondern weil seine demonstrative Unterstützung mir gut tat.

«Halt dich da raus», sagte Brenner.

«Ich soll mich raushalten? Ich versuche, dich davon abzuhalten, etwas zu sagen, was du schon morgen bereust.»

«Ich werde nichts bereuen.»

«Gut. Wie geht's Scott?»

Die Frage dämpfte Brenners Zorn ein wenig. «Was?»

«Deinem Bruder. Wie geht's seinem Bein? Das Dr. Hunter neulich versorgt hat.»

Mürrisch, aber zahm geworden, zappelte Brenner herum. «Das ist in Ordnung.»

«Gut, dass der Doktor sich die Überstunden nicht bezahlen lässt», sagte Ben freundlich. Er nahm die anderen ins Visier. «Haben nicht die meisten von uns deswegen schon das eine oder andere Mal Grund zur Dankbarkeit gehabt?»

Er ließ seine Worte wirken, klatschte dann in die Hände und drehte sich an die Theke. «So, wenn du eine Sekunde Zeit hast, Jack, dann nehme ich noch eins.»

Es war, als hätte plötzlich jemand ein Fenster geöffnet, um frische Luft hereinzulassen. Die Atmosphäre klarte auf, als die Leute aus ihrer Erstarrung fielen. Manche widmeten sich wieder leicht beschämt ihren Gesprächen. Ich spürte, dass mein Rücken schweißnass war. Es hatte nichts mit der Hitze in dem ungelüfteten Pub zu tun.

«Trinkst du einen Whisky? Du siehst aus, als könntest du einen vertragen», meinte Ben.

«Nein, danke. Aber ich geb dir einen aus.»

«Nicht nötig.»

«Das ist das wenigste, was ich tun kann.»

«Vergiss es. Die Arschlöcher mussten einfach mal wieder an ein paar Dinge erinnert werden.» Er schaute hinüber zu Brenner, der bestimmt in sein leeres Glas starrte. «Und dieses Arschloch da braucht jemanden, der ihn mal zur Räson bringt. Ich bin mir ziemlich sicher, dass er im Naturschutzgebiet Nester ausgenommen hat. Sobald die Eier ausgebrütet sind, haben wir normalerweise keine Probleme mehr, aber jetzt haben wir auch ausgewachsene Vögel verloren. Rohrweihen, sogar Rohrdommeln. Ich habe ihn noch nicht erwischt, aber eines Tages …»

Er lächelte, als ihm Jack sein Pint hinstellte. «Guter Mann.» Er nahm einen großen Schluck und seufzte dankbar auf. «Und was hast du nun gemacht?» Er sah mich von der Seite an. «Keine Sorge, ich bin nur neugierig. Aber offensichtlich hattest du woanders zu tun.»

Ich zögerte, aber er hatte gewissermaßen eine Erklärung verdient. Ohne zu sehr in die Einzelheiten zu gehen, erzählte ich es ihm.

«Mein Gott», sagte er.

«Jetzt weißt du, warum ich nicht darüber spreche. Oder nicht gesprochen habe», seufzte ich.

«Meinst du nicht, du solltest es den Leuten einfach sagen und nicht mehr länger damit hinterm Berg halten?»

«Glaube ich nicht.»

«Ich könnte die Sache verbreiten, wenn du willst, und in Umlauf bringen, was du wirklich gemacht hast.»

Ich verstand, dass er es gut meinte. Aber es ging mir trotzdem gegen den Strich. Ich habe nie über meine Arbeit gesprochen, und alte Gewohnheiten legt man so schnell nicht ab. Vielleicht war ich einfach nur stur, aber die Toten hatten genauso ein Anrecht auf eine Privatsphäre wie die Lebenden. Sobald im Umlauf war, was ich dort tat, würde die morbide Neugier kein Ende mehr finden. Und ich war mir beileibe nicht sicher, was Manham von diesen unorthodoxen Aktivitäten seines Dorfarztes halten würde. In den Augen einiger Leute würden meine beiden Berufe bestimmt nicht gut zusammenpassen.

«Nein, danke», sagte ich.

«Wie du willst. Aber es wird weiter Gerede geben.»

Obwohl mir das klar war, bekam ich wieder ein flaues Gefühl im Magen. Ben zuckte mit den Achseln.

«Sie haben Angst. Sie wissen, dass der Mörder hier aus

der Gegend kommen muss. Aber sie hätten es immer noch lieber, wenn es ein Fremder wäre.»

«Ich bin kein Fremder. Ich lebe seit drei Jahren hier.» Es klang bereits falsch, als ich es sagte. Auch wenn ich in Manham lebte und arbeitete, konnte ich nicht behaupten, dazuzugehören. Das war mir gerade eben bewiesen worden.

«Spielt keine Rolle. Selbst wenn du dreißig Jahre hier lebst, bist du immer noch einer aus der Stadt. Und wenn es hart auf hart kommt, bist du für die Leute einfach nur ein Fremder.»

«Da spielt es ja sowieso keine Rolle, was ich sage, oder? Aber ich glaube nicht, dass jeder so denkt.»

«Nein, nicht jeder. Aber es reicht schon, wenn es ein paar tun.» Er machte ein ernstes Gesicht. «Hoffen wir einfach, dass der Scheißkerl bald geschnappt wird.»

Danach blieb ich nicht mehr lange. Das Bier schmeckte schal und abgestanden, obwohl ich wusste, dass es so gut gezapft war wie immer. Wenn ich daran dachte, was geschehen war, fühlte ich mich immer noch so benommen wie in dem kurzen betäubten Moment, bevor der Schmerz einer Wunde in den ganzen Körper ausstrahlt. Ich wollte zu Hause sein, wenn es so weit wäre.

Als ich vom Pub wegfuhr, sah ich Scarsdale die Kirche verlassen. Vielleicht bildete ich es mir nur ein, aber er schien seinen Kopf höher zu tragen als sonst. Von allen Menschen war er der einzige, der durch die Ereignisse, die das Dorf überschattet hatten, aufblühte. *Erst Tragödien und Angst machen aus einem Mann im Talar den Mann des Augenblicks,* dachte ich und schämte mich sofort dafür. Er machte nur seine Arbeit, genau wie ich. Ich durfte meine Abneigung gegen ihn nicht mein Denken trüben lassen. Ich hatte heute Abend weiß Gott mit genug Vorurteilen zu tun gehabt.

Ausgelöst durch mein schlechtes Gewissen hob ich grüßend die Hand, als ich näher kam. Er schaute mich direkt an, und für einen Augenblick glaubte ich, er würde sich nicht dazu herablassen, den Gruß zu erwidern. Dann nickte er kurz mit dem Kopf.

Ich wurde das Gefühl nicht los, dass er meine Gedanken lesen konnte.

KAPITEL 12

BIS ZUM FREITAG waren die Journalisten allmählich abgezogen. Da sich nichts weiterentwickelte, war das launische Medieninteresse an Manham bereits wieder erloschen. Sollte etwas passieren, würden sie zurückkommen. Bis dahin widmete man Sally Palmer und Lyn Metcalf immer weniger Sendezeit oder Zeilen, bis ihre Namen völlig aus dem öffentlichen Bewusstsein verschwunden wären.

Als ich an diesem Morgen ins Labor fuhr, drehten sich meine Gedanken jedoch nicht um das verblassende Medieninteresse oder, wie ich leider zugeben muss, um Sally Palmer und Lyn Metcalf. Selbst das Entsetzen darüber, dass man mich im Dorf verdächtigte, war zeitweilig verdrängt. Nein, was mir Sorgen machte, war etwas wesentlich Trivialeres.

Das Essen bei Jenny Hammond an diesem Abend.

Ich sagte mir, dass es keine große Sache war. Dass sie – oder eher ihre Freundin Tina – einfach nur nett sein wollte. Als ich noch in London lebte, war eine Einladung zum Abendessen lediglich eine höfliche Gepflogenheit gewesen, die ohne große Hintergedanken ausgesprochen und angenommen wurde. Das war nun nicht anders, redete ich mir ein.

Aber es funktionierte nicht.

Ich war nicht mehr in London. Mein gesellschaftliches Leben hatte sich auf nichts sagende Gespräche mit Patienten oder ein Bier im Pub reduziert. Und worüber sollten wir sprechen? Im Moment gab es im Dorf nur ein Thema, und das war für eine lockere Plauderei bei Tisch zwischen Fremden kaum geeignet. Erst recht dann nicht, wenn auch den beiden die Gerüchte über mich zu Ohren gekommen waren. Ich wünschte, ich hätte die Geistesgegenwart besessen, die Einladung abzulehnen. Ich überlegte sogar, mich mit irgendeiner Begründung zu entschuldigen und telefonisch abzusagen.

Doch sosehr mich der Gedanke an das Essen auch beunruhigte, ich rief nicht an. Was beinahe genauso beunruhigend war. Denn im Grunde war mir unangenehm bewusst, was mich wirklich so nervös machte. Es war der Gedanke daran, Jenny wiederzusehen. Er rührte einen dichten Bodensatz von Gefühlen auf, den ich lieber unangetastet gelassen hätte. Und mittendrin lauerte das schlechte Gewissen.

Es kam mir vor, als bereitete ich mich darauf vor, untreu zu werden.

Natürlich wusste ich, wie lächerlich dieser Gedanke war. Ich würde nur zu einem Abendessen gehen, und seit an jenem Nachmittag vor beinahe vier Jahren ein betrunkener Geschäftsmann die Kontrolle über seinen BMW verloren hatte, war mir nur allzu bewusst, dass es niemanden gab, dem ich untreu werden konnte.

Aber das änderte nichts daran.

Deshalb war ich nicht besonders konzentriert, als ich den Wagen parkte und den Lift ins Labor nahm. Ich versuchte mich zu sammeln, während ich die Stahltür zum Obduktionssaal aufschob und hineinging. Marina war schon dort. Die Tür fiel noch hinter mir zu, als sie schon sagte: «Die Ergebnisse sind da.»

Mackenzie schaute stirnrunzelnd auf den Bericht, den ich ihm gegeben hatte. «Sind Sie sicher?»

«Ziemlich. Die Tests bestätigen, dass Sally Palmer seit ungefähr neun Tagen tot war, als ihre Leiche gefunden wurde.»

Wir befanden uns in dem kleinen Büro des Labors. Ich hatte angeboten, die Ergebnisse per E-Mail zu schicken, doch als ich ihn anrief, hatte er gesagt, er würde vorbeikommen. «Wie verlässlich ist das?», fragte er nun.

«Die Analyse der Aminosäuren ist mit einer Toleranz von zwölf Stunden genau. Ich kann Ihnen die ganz exakte Todeszeit nicht nennen, aber es war irgendwann zwischen Freitag- und Samstagmittag.»

«Genauer geht es nicht?»

Ich widerstand dem Impuls, laut zu werden. Ich hatte den ganzen Morgen damit zugebracht, die Todeszeit zu berechnen. Es war eine komplizierte Angelegenheit, bei der die Testergebnisse mit der durchschnittlichen Temperatur und anderen Wetterdaten der Tage, in denen Sally Palmers Leiche draußen gelegen hatte, in Bezug gesetzt werden mussten. Des Lebens größtes Mysterium reduziert auf eine banale mathematische Formel.

«Tut mir Leid. Aber unter Berücksichtigung aller anderen Faktoren, den Maden und so weiter, würde ich von einem Todeszeitpunkt ziemlich genau in der Mitte dieses Bereiches ausgehen.»

«Also Freitagnacht. Und drei Tage vorher beim Grillfest wurde sie das letzte Mal gesehen.» Mackenzie runzelte die Stirn angesichts der Bedeutung dieser Erkenntnis. «Es gibt keine Möglichkeit, dass Sie die Todeszeit des Hundes ähnlich genau bestimmen können?»

«Der Organismus eines Hundes ist anders als der eines Menschen. Ich könnte Analysen machen lassen, aber sie würden uns nicht weiterbringen.»

«Scheiße», brummte er. «Aber Sie sind immer noch der Meinung, dass er schon länger tot war?»

Ich zuckte mit den Achseln. Ich konnte mich lediglich auf den Zustand der Leiche des Hundes stützen sowie auf die Insektenaktivität am Fundort, aber damit allein erzielte man kaum exakte, wissenschaftliche Ergebnisse. «Ich bin mir ziemlich sicher, aber wie gesagt, bei Hunden kann man nicht unbedingt die gleichen Regeln anwenden. Aber ich würde sagen, er war mindestens zwei oder drei Tage länger tot.»

Mackenzie zog an seiner Lippe. Ich wusste, was er dachte. Lyn Metcalf war seit drei Tagen verschwunden. Wenn der Mörder wieder dem gleichen Muster folgte und sie irgendwo gefangen hielt, näherten wir uns nun dem Schlussakt. Welch abartigem Programm er auch folgte, wenn es noch nicht abgelaufen war, dann wäre es bald so weit.

Es sei denn, sie wurde vorher gefunden.

«Wir haben außerdem die Analyse für die Substanz erhalten, die wir in einer der Messerkerben in Sally Palmers Rückenwirbel gefunden haben», teilte ich Mackenzie mit. Ich las von meiner Kopie des Berichtes ab. «Es handelt sich um eine Kohlenwasserstoffverbindung. Ziemlich komplex, besteht aus ungefähr achtzig Prozent Kohlenstoff, zehn Prozent Wasserstoff, dazu kleinere Mengen Schwefel, Sauerstoff, Stickstoff und ein paar Spuren Metall.»

«Und das bedeutet?»

«Bitumen. Eine Abdichtungs- oder Isoliermasse. Das Zeug kann man in jedem Gartencenter oder Baumarkt kaufen.»

«Na, das schränkt die Auswahl ja enorm ein.»

Irgendetwas flackerte schwach in meinem Hinterkopf auf, eine synaptische Verbindung, ausgelöst durch etwas, was gerade gesagt worden war. Ich fischte danach, doch es ließ sich nicht fassen.

«Sonst noch was?», fragte Mackenzie, und was auch immer mir gerade durch den Kopf gegeistert war, verflüchtigte sich völlig.

«Eigentlich nicht. Ich muss noch die Messerspuren im Rückgrat des Hundes untersuchen. Mit etwas Glück wissen wir dann, ob beide mit der gleichen Waffe getötet worden sind. Dann bin ich fertig.»

Mackenzie machte ein Gesicht, als hätte er diese Ergebnisse erwartet, aber auf mehr gehofft.

«Wie sieht es bei Ihnen aus? Gibt es neue Entwicklungen?», fragte ich.

Ich konnte mir die Antwort vorstellen, als ich sah, wie sich Mackenzies Miene verfinsterte. «Wir verfolgen ein paar Spuren», sagte er steif.

Ich sagte nichts. Nach einem Moment seufzte er.

«Wir haben keinen Verdächtigen, keine Zeugen und kein Motiv. Kurz gesagt, nichts. Bei den Befragungen der Anwohner ist nichts herausgekommen, und die Suche haben wir zwar wieder aufgenommen, aber wegen möglicher Fallen müssen wir weiterhin langsam vorgehen. Außerdem wird es unmöglich sein, die gesamte Gegend zu durchkämmen. Die Hälfte davon ist ein verfluchter Sumpf, und dann gibt es Gott weiß wie viele Wälder und Gräben …»

Er schüttelte den Kopf und wirkte immer frustrierter. «Wenn er ihre Leiche gut versteckt hat, dann finden wir sie vielleicht nie.»

«Dann glauben Sie also, dass sie tot ist.»

Sein Blick war erschöpft. «Sie waren an genügend Mordermittlungen beteiligt. Wie oft finden wir die Opfer lebendig?»

«Es kommt vor.»

«Ja, es kommt vor», räumte er ein. «Aber es kommt auch

vor, dass jemand im Lotto gewinnt. Ganz ehrlich, die Wahrscheinlichkeit halte ich für größer, als dass Lyn Metcalf überlebt. Niemand hat etwas gesehen, niemand weiß etwas. Die Spurensicherung hat weder dort, wo sie geschnappt wurde, noch am Fundort von Sally Palmers Leiche irgendwelche nützlichen Beweise gefunden. Bei der Überprüfung der Vorstrafenregister oder der aktenkundigen Sexualstraftäter ist auch nichts herausgekommen. Wir können einzig und allein davon ausgehen, dass der Verdächtige einigermaßen kräftig und fit ist und sich ein bisschen mit der Arbeit im Wald und der Jagd auskennt.»

«Das hilft nicht besonders weiter, oder?»

Er lachte bitter auf. «Nicht besonders, nein. Wenn wir in Milton Keynes wären vielleicht, aber in einer ländlichen Gemeinde wie dieser gehört die Jagd zum Leben. Die Leute achten gar nicht darauf. Nein, bisher schafft es unser Mann, sich aus dem Radar zu halten.»

«Was ist mit dem psychologischen Profil?»

«Das gleiche Problem. Wir haben einfach nicht genug Informationen, von denen man ausgehen kann. Was die Psychologen uns bisher aufgetischt haben, ist so vage, dass es nutzlos ist. Wir haben es mit einem sportlichen Typ zu tun, der körperlich fit ist und einigermaßen intelligent, aber dennoch leichtsinnig oder achtlos genug, um Sally Palmers Leiche dort zu deponieren, wo sie gefunden werden konnte. Das könnte auf die Hälfte der männlichen Dorfbevölkerung zutreffen. Bezieht man noch die Nachbardörfer mit ein, dann haben wir es mit zwei- oder dreihundert möglichen Verdächtigen zu tun.»

Er klang deprimiert. Ich konnte es ihm nicht verdenken. Ich war kein Fachmann, aber aus Erfahrung wusste ich, dass die meisten Serienmörder entweder durch Zufall gefunden wurden oder weil sie einen eklatanten Fehler gemacht hatten. Es sind Chamäleons, scheinbar normale Mitglieder der Gesellschaft, die sich hinter einer bürgerlichen Fassade verstecken. Wenn sie schließlich entlarvt werden, wollen es Freunde und Nachbarn anfänglich nicht wahrhaben. Erst im Nachhinein meint man schließlich all die Merkwürdigkeiten zu erkennen, die die ganze Zeit schon da gewesen waren. Abgesehen von den Gräueltaten, die sie begangen haben, ist das Erschreckendste an unseren Ungeheuern des wirklichen Lebens, wie normal sie erscheinen.

Wie du und ich.

Mackenzie kratzte sich an dem Leberfleck auf seinem Hals. Er hörte auf, als er merkte, dass ich ihn beobachtete. «Eine Sache ist herausgekommen, die wichtig sein könnte», sagte er mit einer Beiläufigkeit, die nicht ganz überzeugend war. «Ein Zeuge, der mit Sally Palmer bei dem Grillfest gesprochen hat, sagt, dass sie verärgert war, weil ihr jemand ein totes Wiesel auf die Türschwelle gelegt hatte. Sie hielt das für einen reichlich kranken Witz.»

Ich dachte an die Schwanenflügel, die in Sally Palmers Leiche gesteckt hatten, und an die Wildente, die an dem Morgen an den Stein gebunden worden war, als Lyn Metcalf verschwand. «Glauben Sie, dass der Mörder es dort hingelegt hat?»

Er zuckte mit den Achseln. «Könnten auch Kinder gewesen sein. Oder es war eine Art Zeichen oder Warnung. Als wollte er sein Gebiet abstecken oder so. Wir wissen bereits, dass er Vögel als Markenzeichen benutzt. Es spricht nichts dagegen, dass er auch andere Tiere nimmt.»

«Was ist mit Lyn Metcalf? Hat sie auch so eine Entdeckung gemacht?»

«Sie hat einen Tag vor ihrem Verschwinden ihrem Mann

gegenüber erwähnt, dass sie im Wald einen toten Hasen gefunden hat. Aber der könnte genauso gut von einem Hund oder einem Fuchs getötet worden sein. Das kann man jetzt unmöglich mehr wissen.»

Er hatte Recht, ich machte mir aber trotzdem meine Gedanken. Natürlich gab es Zufälle, bei Morden ebenso wie bei allen anderen Facetten des Lebens. Aber wenn man bedachte, wie sich der Mörder bisher verhalten hatte, erschien es keineswegs unmöglich, dass er so selbstsicher war, seine Opfer im Voraus zu markieren.

«Sie glauben also nicht, dass etwas dahinter steckt?», fragte ich.

«Das habe ich nicht gesagt», blaffte er. «Aber in diesem Stadium können wir nicht viel machen. Wir suchen bereits nach jemandem mit einer Vorstrafe wegen Tierquälerei. Ein paar Leute erinnern sich, dass vor zehn, fünfzehn Jahren ein paar Katzen verstümmelt und getötet wurden, es wurde aber nie jemand erwischt, und ... Was ist?»

Ich schüttelte den Kopf. «Sie sagten doch selbst, wir sind hier nicht in der Stadt. Die Leute hier haben eine andere Einstellung zu Tieren. Ich will nicht behaupten, dass sie absichtlich grausam sind, aber viel Mitgefühl wird man auch nicht erleben.»

«Sie meinen, ein paar tote Tiere würden niemandem auffallen», sagte er knapp.

«Wenn man auf der Dorfwiese einen Hund in Brand setzen würde, gäbe es wahrscheinlich eine Reaktion. Aber wir sind hier auf dem Land. Hier werden ständig Tiere getötet.»

Widerwillig akzeptierte er, was ich gesagt hatte. «Lassen Sie mich wissen, was Sie über den Hund herausgefunden haben», sagte er und stand auf. «Wenn es etwas Wichtiges ist, können Sie mich auf meinem Handy erreichen.»

«Bevor Sie gehen», sagte ich, «es gibt noch etwas, das Sie wissen sollten.»

Ich erzählte ihm von dem im Dorf kursierenden Gerücht, dass ich verhaftet worden war. «Um Himmels willen», seufzte er, als ich fertig war. «Wird das zu einem Problem?»

«Keine Ahnung. Ich hoffe nicht. Aber die Leute werden nervös. Wenn sie sehen, dass Sie in die Praxis kommen, dann ziehen sie sofort voreilige Schlüsse. Ich möchte nicht in die Lage kommen, mich immerzu erklären zu müssen.»

«Verstanden.»

Er schien allerdings nicht besonders besorgt zu sein. Auch nicht überrascht. Nachdem er gegangen war, kam mir der Gedanke, dass er vielleicht mit so etwas gerechnet hatte, ja dass es ihm sogar passen könnte, wenn ich die Aufmerksamkeit auf mich zog. Ich sagte mir, dass das lächerlich war. Doch der Gedanke verflüchtigte sich nicht, als ich mich wieder an die Untersuchung des Hundeskeletts machte.

Ich arbeitete automatisch, während ich die Einkerbung des Messers im zervikalen Rückenwirbel präparierte und fotografierte. Es waren Routinehandgriffe, die eher dazu dienten, bereits vorhandene Erkenntnisse zu untermauern, und selten die Aussicht boten, etwas Neues und Nützliches zu entdecken. Als ich den Rückenwirbel unter ein Aufsichtmikroskop legte, um es detaillierter zu untersuchen, wusste ich bereits, was mich erwarten würde. Ich betrachtete ihn noch immer, als Marina mit einer Tasse Kaffee zu mir kam.

«Irgendwas Interessantes?», fragte sie.

Ich trat zur Seite. «Schauen Sie selbst.»

Sie beugte sich über das Mikroskop. Nach einem Moment justierte sie die Schärfe. Als sie sich aufrichtete, sah sie verwirrt aus.

«Verstehe ich nicht.»

«Warum nicht?»

«Der Schnitt ist uneben und nicht glatt wie der andere. Man kann Wellen im Knochen erkennen. Sie haben gesagt, nur ein Sägemesser erzeugt solche Muster.»

«Stimmt.»

«Aber das ergibt doch keinen Sinn. Der Schnitt im Rückenwirbel der Frau war glatt. Warum ist das hier anders?»

«Das ist ziemlich einfach», sagte ich. «Es war ein anderes Messer.»

KAPITEL 13

DAS FLEISCH WAR noch blass. Fettperlen hingen wie Schweiß an ihm, tropften durch den Rost und spritzten zischend in die heißen Kohlen. Dünne Rauchkringel stiegen träge auf und erfüllten die Luft mit einem stechenden blauen Dunst. Stirnrunzelnd prüfte Tina einen der halb rohen Burger auf dem Grill. «Ich habe doch gesagt, dass die Glut nicht heiß genug ist.»

«Lass sie noch eine Weile drauf», sagte Jenny.

«Bis dahin ist der Grill aus. Wir brauchen mehr Glut.»

«Du schüttest keinen Grillanzünder mehr drauf!»

«Warum nicht? Wenn es so weitergeht, sitzen wir morgen noch hier.»

«Mir egal. Aber das Zeug ist giftig.»

Wir waren im Garten des winzigen Cottages, in dem die beiden zusammen wohnten. Der Garten war im Grunde nicht mehr als ein Hinterhof, ein ungepflegtes Rasenstück, das auf zwei Seiten von einer riesigen Koppel umgeben war. Aber man hatte seine Ruhe hier und lag nur im Blickfeld der Schlafzimmerfenster des Nachbarhauses. Außerdem konnte man von hier einen ungestörten Blick auf den See genießen, der kaum hundert Meter weit entfernt war.

Tina gab den Burgern einen letzten Schubs und wandte sich an mich. «Was meinen Sie als Arzt? Sollen wir riskieren, uns mit Grillanzünder zu vergiften, oder sollen wir lieber verhungern?»

«Wie wäre es mit einem Kompromiss?», schlug ich vor. «Nehmen Sie die Burger kurz runter, bevor Sie den Grillanzünder draufkippen. So nehmen sie den Geschmack nicht an.»

«Gott, ich liebe praktische Männer», sagte Tina und nahm einen Topflappen, um den Grillrost von den Kohlen zu heben.

Ich trank noch einen Schluck Bier, nicht weil ich Durst hatte, sondern um irgendetwas zu tun. Mein Angebot zu helfen war abgelehnt worden, was angesichts meiner Kochkünste wahrscheinlich auch besser war. Aber dadurch hatte ich nichts zu tun und keine Möglichkeit, meine Nervosität zu überspielen. Jenny machte einen ähnlich unruhigen Eindruck und hantierte mehr mit dem Brot und den Salaten auf dem weißen Campingtisch herum, als nötig gewesen wäre. Sie trug ein weißes Top und Jeansshorts und sah gebräunt und schlank aus. Außer einem Hallo zur Begrüßung hatten wir kaum ein Wort miteinander gewechselt. Und wenn Tina nicht dabei gewesen wäre, wäre wohl überhaupt nicht gesprochen worden.

Zum Glück war Tina ein Mensch, der keine unangenehmen Gesprächspausen aufkommen ließ. Wie in einem heiteren Monolog redete sie fast unentwegt und forderte mich zwischendurch immer wieder auf, mich doch nützlich zu machen, indem ich das Salatdressing zubereitete, die Küchenrolle holte, die Servietten hergeben sollte, und Bierflaschen für uns drei öffnete.

Dass kein weiterer Gast erwartet wurde, war sofort klar gewesen. Ich schwankte zwischen Erleichterung, weil ich mich mit keiner weiteren Person auseinander setzen musste, und Bedauern, weil ich nicht in der Gruppe untertauchen konnte.

Tina spritzte großzügig Grillanzünder auf die Kohlen.

«Scheiße!», schrie sie und sprang zurück, als Flammen hochschossen.

«Ich habe doch gesagt, du sollst nichts mehr draufmachen», lachte Jenny.

«Ich kann nichts dafür, da kam plötzlich ein ganzer Schwall raus.»

Der Grill war in Rauch gehüllt. «Jedenfalls ist er jetzt heiß genug», bemerkte ich, als wir wegen der Hitze alle vom Grill abrückten. Tina knuffte mich in den Arm.

«Zur Strafe können Sie gleich neues Bier holen.»

«Sollten wir nicht erst etwas essen?», entgegnete ich.

Der Qualm hatte den Campingtisch erreicht, auf dem die offenen Salatschüsseln standen.

«Oh, Mist!» Tina hechtete in die Rauchwolke, um das Geschirr wegzunehmen.

«Es wäre einfacher, wenn wir den ganzen Tisch wegtragen», sagte ich und begann daran zu ziehen.

«Hilf ihm, Jen, ich habe beide Hände voll», sagte Tina und hielt eine Schüssel Nudeln hoch.

Jenny schaute sie kopfschüttelnd an, sagte aber nichts, als sie die andere Seite des Tisches nahm. Halb ziehend, halb tragend schafften wir ihn gemeinsam aus der Reichweite der giftigen Wolke. Als wir stehen blieben, gaben die Tischbeine auf ihrer Seite nach. Der Tisch knickte ein, Geschirr und Gläser rutschten an die Kante.

«Vorsicht!», schrie Tina. Ich machte einen Satz nach vorn und konnte ihn aufrichten, bevor irgendetwas hinunterfiel. Meine Hand berührte Jennys, als ich den Tisch in der Waage hielt.

«Ich habe ihn, falls Sie loslassen wollen», sagte ich.

Sie begann ihre Seite zu senken, aber der Tisch wackelte immer noch. Schnell hielt sie ihn wieder fest.

«Ich dachte, du hättest das repariert», sagte sie, als Tina herangeeilt kam.

«Habe ich auch! Ich habe Papier in die Gelenke gestopft.»

«Papier? Er muss mal anständig geschraubt werden!»

«Und andere müssen mal anständig genagelt werden.»

«Tina!», rief Jenny, aber sie musste ein Lachen unterdrücken.

«Pass auf, pass auf den Tisch auf!», warnte Tina, als er wieder zu wackeln begann.

«Steh nicht so blöd herum, geh rein und hol einen Schraubenzieher!»

Tina eilte durch den Vorhang aus Glasperlen, der vor der Küchentür hing. Allein gelassen, um den Tisch zu halten, lächelten wir uns unsicher an. Aber das Eis war gebrochen.

«Sie sind bestimmt froh, dass Sie gekommen sind», sagte Jenny.

«So etwas hatte ich jedenfalls noch nicht.»

«Ja, nicht überall geht es so kultiviert zu.»

«Nein, mit Sicherheit nicht.»

Ich sah, wie ihr Blick nach unten wanderte. «Äh, wie soll ich das sagen? Aber Sie werden nass.»

Ich schaute hinab und sah, dass auf dem Tisch eine Flasche umgefallen war und das herauslaufende Bier nun den Schritt meiner Jeans durchnässte. Ich versuchte auszuweichen, aber damit erreichte ich nur, dass es mir stattdessen auf die Beine tropfte.

«O Gott, ist das zu fassen», sagte Jenny, und dann lachten wir beide hilflos. Wir hatten uns noch nicht gefangen, als Tina mit dem Schraubenzieher zurückkam.

«Was ist denn mit euch los?», fragte sie. Dann sah sie den

feuchten Fleck auf meiner Hose. «Soll ich später zurückkommen?»

Nachdem der Tisch repariert war, wurden ein Paar weite Shorts für mich gefunden. Sie hätten einem Ex-Freund von ihr gehört, sagte Tina. «Aber Sie können sie behalten. Er will sie bestimmt nicht mehr zurückhaben», meinte sie bissig.

Bei dem grellen Muster überraschte mich das nicht. Aber da sie besser waren als meine mit Bier getränkte Jeans, zog ich mich um. Als ich zurück in den Garten kam, begannen Tina und Jenny zu kichern.

«Hübsche Beine», bemerkte Tina.

Die Burger brutzelten nun über der heißen Glut. Wir aßen sie mit Salat und Brot und tranken dazu eine Flasche Wein, die ich mitgebracht hatte. Als ich Jenny nachschenken wollte, zögerte sie.

«Nur ein bisschen.»

Tina hob ihre Augenbrauen. «Sicher?»

Jenny nickte. «Alles okay, wirklich.» Sie bemerkte meinen fragenden Blick und verzog das Gesicht. «Ich bin Diabetikerin, deshalb muss ich aufpassen, was ich esse und trinke.»

«Typ I oder Typ II?», fragte ich.

«Ich vergesse immer, dass Sie Arzt sind. Typ I.» Das hatte ich mir gedacht. Für jemanden in ihrem Alter war es die verbreitetste Form von Diabetes. «Aber es ist nicht so schlimm, ich brauche nur eine niedrige Insulindosis. Als ich hierher gezogen bin, bin ich zu Dr. Maitland gegangen, um es auf Rezept zu kriegen», sagte sie entschuldigend.

Ich vermutete, es war ihr nun peinlich, dass sie beim ‹richtigen› Arzt gewesen war anstatt bei mir. Da hätte sie sich keine Gedanken machen müssen. Ich war es gewöhnt.

Tina schüttelte sich übertrieben. «Ich würde ohnmächtig

werden, wenn ich mir jeden Tag eine Spritze geben müsste wie sie.»

«Ach, so schlimm ist es nicht», entgegnete Jenny. «Es ist auch keine richtige Nadel, sondern einer von diesen Stiften. Und hör auf, dich darüber auszulassen. Nachher ist es David noch peinlich, weiter Wein zu trinken.»

«Um Gottes willen!», rief Tina aus. «Ich brauche jemanden, der mit mir mithält.»

Ich hielt nicht mit ihr mit, aber weil Jenny darauf bestand, ließ ich mir häufiger nachschenken, als ich geplant hatte. Der nächste Tag war Samstag, und es war eine lange Woche gewesen. Außerdem fühlte ich mich wohl. So sehr hatte ich mich nicht mehr amüsiert seit …

Seit einer langen Zeit.

Der einzige Stimmungsdämpfer kam nach dem Essen. Die Abenddämmerung war hereingebrochen, und in der einsetzenden Dunkelheit starrte Jenny durch den Garten zum See. Ich sah, wie sich ihre Miene trübte, und ahnte schon, was sie gleich sagen würde.

«Ich habe ganz vergessen, was geschehen ist. Da kriegt man irgendwie … ein schlechtes Gewissen, oder?»

Tina seufzte. «Sie wollte den Abend schon absagen, weil sie dachte, wir könnten die Leute vor den Kopf stoßen, wenn wir grillen.»

«Ich dachte, es könnte respektlos erscheinen», sagte Jenny zu mir.

«Warum?», wollte Tina wissen. «Meinst du, die anderen Leute schauen nicht Fernsehen oder trinken ein Bier im Pub? Das ist alles sehr traurig und beängstigend und so weiter, aber ich finde nicht, dass wir uns geißeln müssen, um Mitgefühl zu zeigen.»

«Du weißt, was ich meine.»

«Ja, aber ich kenne auch die Leute hier. Wenn sie es auf jemanden abgesehen haben, dann gehen sie auf ihn los, egal, was er getan oder gelassen hat.» Tina hielt inne. «Na gut, das war jetzt ein bisschen ungeschickt gesagt, aber es stimmt.» Sie schaute mich unverblümt an. «Sie haben das gerade am eigenen Leib erfahren, oder?»

Da wurde mir klar, dass sie die Gerüchte gehört haben mussten. «Tina», ermahnte Jenny sie.

«Es bringt doch nichts, wenn wir so tun, als hätten wir nichts mitgekriegt. Ich meine, natürlich wird die Polizei mit dem zuständigen Arzt sprechen wollen, aber es muss nur einer misstrauisch werden, und schon wird man von jedem vorverurteilt. Das ist nur wieder ein Beweis, wie engstirnig die Leute hier sind.»

«Und großmäulig», fuhr Jenny ihre Freundin an. Es war das erste Mal, dass ich sie aufgebracht erlebte.

Tina zuckte mit den Achseln. «Besser, man sagt es freiheraus. In diesem Ort wird sowieso viel zu viel getuschelt. Ich bin hier aufgewachsen, ihr nicht.»

«Klingt so, als ob Sie Manham nicht besonders mögen», sagte ich in der Hoffnung, damit das Thema zu wechseln.

Sie lächelte dünn. «Wenn ich die Möglichkeit hätte, wäre ich in null Komma nichts weg. Ich kann Leute wie euch beide nicht verstehen, die freiwillig hierher ziehen.»

Plötzlich war es still. Jenny stand mit bleichem Gesicht auf. «Ich mache Kaffee.»

Sie ging ins Haus, wobei der Perlenvorhang ungestüm hin- und herpendelte. «Verdammt», sagte Tina. Sie lächelte entschuldigend. «Großmäulig, wie sie gesagt hat. Und ein bisschen betrunken», fügte sie hinzu und setzte ihren Wein ab.

Zuerst hatte ich gedacht, ich sei schuld an der komischen

Situation. Aber mir wurde allmählich klar, was auch immer der Grund für Jennys Reaktion war, sie hatte nichts mit mir zu tun.

«Ist alles in Ordnung mit ihr?»

«Sie ist wohl nur genervt von ihrer taktlosen Mitbewohnerin.» Tina schaute ins Haus, als würde sie überlegen, ihr nachzugehen. «Es steht mir eigentlich nicht zu, darüber zu sprechen, aber nur damit Sie es wissen: Sie hat letztes Jahr eine schlechte Erfahrung gemacht. Deshalb ist sie hierher gezogen, quasi um darüber hinwegzukommen.»

«Was für eine schlechte Erfahrung?»

Aber sie schüttelte bereits den Kopf. «Wenn sie es Ihnen erzählen will, dann wird sie es tun. Ich hätte wahrscheinlich lieber den Mund halten sollen. Ich dachte nur ... also, ich dachte, Sie sollten es wissen. Jenny mag Sie, deshalb ... Oh, Gott, ich mache alles nur noch schlimmer, nicht wahr? Können wir vergessen, was ich gerade gesagt habe? Reden wir über etwas anderes.»

«Okay.» Noch abgelenkt von dem, was sie mir gerade erzählt hatte, sagte ich, was mir als Erstes in den Sinn kam. «Was für Gerüchte haben Sie über mich gehört?»

Tina verzog das Gesicht. «Das musste jetzt ja kommen. Eigentlich nichts, nur Klatsch. Dass Sie von der Polizei verhört worden sind und dass Sie ... also dass Sie ein Verdächtiger sind.» Sie grinste schief. «Das sind Sie nicht, oder?»

«Soweit ich weiß, nein.»

Es reichte ihr. «Genau das habe ich gemeint. Die Leute in diesem verdammten Dorf denken sofort das Schlechteste. Wenn so etwas wie jetzt passiert ...» Sie winkte ab. «Ich fange schon wieder an. Wissen Sie was? Ich gehe lieber rein und helfe beim Kaffeekochen.»

«Kann ich etwas tun?»

Sie war bereits auf dem Weg nach drinnen. «Schon in Ordnung. Ich schicke Jen raus, damit Sie Gesellschaft haben.»

Nachdem sie verschwunden war, saß ich in der Stille der Nacht und dachte darüber nach, was Tina gesagt hatte. *Jenny mag Sie*. Was sollte das bedeuten? Und viel wichtiger: Was empfand ich dabei? Ich sagte mir, dass sie nur so dahergeredet hatte und dass ich nicht zu viel hineininterpretieren sollte.

Warum war ich aber plötzlich so nervös?

Ich stand auf und ging zu der niedrigen Steinmauer, die den Garten eingrenzte. Die Sonne war jetzt vollständig untergegangen, die Felder verloren sich in der Dunkelheit. Vom See wehte eine leichte Brise heran und trug den traurigen Schrei einer Eule mit sich.

Hinter mir hörte ich ein Geräusch. Jenny war wieder nach draußen gekommen und hatte zwei Becher mitgebracht. Ich entfernte mich ein Stückchen von der Mauer und trat zurück in das Licht, das durch die offene Tür fiel. Sie fuhr zusammen, als ich aus der Finsternis auftauchte, und goss sich dabei Kaffee über die Hände.

«Tut mir Leid, ich wollte Sie nicht erschrecken.»

«Schon in Ordnung. Ich habe Sie nur nicht gesehen.» Sie stellte die Becher ab und pustete auf eine Hand.

Ich gab ihr ein Blatt von der Küchenrolle. «Alles okay?»

«Ich werd's überleben.» Sie wischte sich die Hände ab.

«Wo ist Tina?»

«Die nüchtert gerade wieder aus.» Sie nahm die Becher wieder hoch. «Ich habe gar nicht gefragt, ob Sie Milch oder Zucker nehmen.»

«Zweimal nein.»

Sie lächelte. «Dann habe ich ja gut geraten.» Mit den beiden Kaffee kam sie zu mir an die Mauer. «Bewundern Sie den Ausblick?»

«Was ich davon noch erkennen kann.»

«Er ist großartig, wenn man Felder und Wasser mag.»

«Und mögen Sie es?»

Sie stand neben mir und schaute Richtung See. «Ja, sehr. Als kleines Mädchen bin ich mit meinem Vater oft segeln gegangen.»

«Segeln Sie immer noch?»

«Schon seit Jahren nicht mehr. Aber ich bin immer noch gerne am Wasser. Ich denke häufig daran, mir mal ein Boot zu mieten. Nur ein kleines, ich weiß ja, dass der See zu seicht ist für ein richtig großes. Aber es ist eine Schande, so nah am Wasser zu leben und nicht hinauszufahren.»

«Ich habe ein Dingi, wenn Ihnen das reicht.»

Ich hatte das gesagt, ohne nachzudenken. Doch sie sah mich gespannt an. Ich konnte ihr Lächeln im Mondschein sehen. Mir wurde bewusst, wie nah wir nebeneinander standen. Nah genug, um die Wärme ihrer nackten Haut zu spüren.

«Wirklich?»

«Na ja, eigentlich ist es nicht meins. Es gehört Henry. Aber ich darf es nehmen.»

«Sind Sie sicher? Das sollte eben kein Wink mit dem Zaunpfahl sein.»

«Ich weiß. Aber ich könnte auch mal wieder etwas Bewegung gebrauchen.»

Ich spürte ein gewisses Erstaunen, als ich das sagte. *Was machst du denn da?* Ich schaute hinaus auf den See, froh, dass mein Gesicht in der Dunkelheit verborgen war. «Wie wäre es diesen Sonntag?», hörte ich mich fragen.

«Das wäre großartig! Um wie viel Uhr?»

Mir fiel ein, dass ich mit Henry Mittag essen wollte. «Am Nachmittag? Ich könnte Sie gegen drei abholen.»

«Drei Uhr ist wunderbar.»

Ich konnte das Lächeln in ihrer Stimme hören, obwohl ich sie nicht ansah. Ich lenkte mich damit ab, einen Schluck von meinem Kaffee zu trinken, und bemerkte kaum, wie ich mir den Gaumen verbrannte. Ich konnte nicht glauben, was ich da gerade getan hatte. *Tina war nicht die Einzige, die ausnüchtern musste*, dachte ich.

Wenig später verabschiedete ich mich. Tina tauchte noch einmal auf, als ich gerade aufbrechen wollte, und sagte grinsend, ich könnte ihr die Shorts später zurückgeben. Ich dankte ihr, zog aber trotzdem wieder meine feuchte Jeans an. Mein Ruf war auch schon, ohne dass ich in grellen Surfershorts durchs Dorf ging, angeschlagen genug.

Ich war noch nicht weit vom Haus entfernt, als mein Handy kurz piepte, um mir mitzuteilen, dass ich eine Nachricht erhalten hatte. Ich hatte das Telefon immer bei mir, damit ich im Notfall zu erreichen war, aber als ich meine nasse Hose ausgezogen hatte, hatte ich es in der Tasche gelassen. Ich hatte es ganz vergessen, und die Erkenntnis, dass ich für über zwei Stunden nicht erreichbar gewesen war, riss mich schließlich aus meinen Gedanken an Jenny. Schuldbewusst rief ich meine Mailbox an und hoffte, dass ich nichts Ernstes versäumt hatte.

Aber die Nachricht war nicht von einem meiner Patienten. Sie war von Mackenzie.

Die Polizei hatte eine Leiche gefunden.

KAPITEL 14

DIE FLUTLICHTER warfen eine gespenstische Helligkeit auf das Gebiet. Das Gras und die Bäume waren in eine surreale Landschaft aus Licht und Schatten verwandelt worden. In ihrem Zentrum gingen die Beamten der Spurensicherung ihrer Arbeit nach. Ein rechteckiger Bodenabschnitt war mit einem Netz aus Nylonfäden markiert worden, und zum Hintergrundbrummen eines Generators trugen die Beamten sorgfältig die Erde ab und enthüllten allmählich, was darunter verborgen lag.

Mackenzie stand in der Nähe und zermahlte beim Zuschauen einen Pfefferminzbonbon. Der Polizist sah müde und abgespannt aus, die Flutlichter schienen alle Farbe aus seinem Gesicht zu saugen und hoben die Augenringe hervor.

«Wir haben das Grab heute Nachmittag gefunden. Es ist kaum einen Meter tief. Zuerst dachten wir, es wäre falscher Alarm und nur ein Tier oder ein Dachsbau. Bis wir eine Hand freigelegt haben.»

Die Stelle lag im Wald. Als ich ankam, hatten die Beamten der Spurensicherung bereits den größten Teil der oberen Erdschicht abgetragen. Ich sah, wie eine Beamtin den Boden durch ein Sieb schüttelte. Sie hielt inne, um etwas zu untersuchen, warf es dann weg und fuhr fort.

«Wie haben Sie es gefunden?», fragte ich Mackenzie.

«Spürhund.»

Ich nickte. Die Polizei benutzte nicht nur, um Drogen und Sprengstoffe aufzuspüren, speziell ausgebildete Hunde. Ein Grab zu finden war selten leicht, und je größer das Gebiet war, desto schwerer wurde die Suche. Wenn die Leiche seit einiger Zeit vergraben war, entstand vielleicht eine verräterische Bodensenke, wo die aufgewühlte Erde abgesackt war. Oder man konnte mit langstieligen Sonden nach Stellen suchen, die mehr nachgaben als die Umgebung. Ich wusste sogar von einem Forensiker in den Staaten, der interessante Ergebnisse dabei erzielt hatte, Gräber mit einer Wünschelrute aufzuspüren.

Doch Hunde blieben das beste Mittel, um herauszufinden, wo eine Leiche vergraben worden war. Ihre empfindlichen Nasen konnten den Geruch der bei der Verwesung freigesetzten Gase durch mehrere Erdschichten aufspüren, und gute Leichenspürhunde hatten sogar schon Leichen geortet, die vor über einem Jahrhundert vergraben worden waren.

Als ich kurz nach Mitternacht angekommen war, hatte das Team der Spurensicherung auch schon einen Teil der Überreste freigelegt. Nun kratzten sie mit beinahe archäologischer Präzision vermittels kleiner Kellen und Bürsten die Erde von ihnen ab. Mit dieser Technik musste vorgegangen werden, egal ob das Grab ein paar Wochen oder ein paar Jahrhunderte alt war. Das Ziel war immer, die Leiche so wenig wie möglich zu beschädigen, damit auch noch die kleinste Spur gefunden werden konnte, die vielleicht unwissentlich mit ihr beerdigt worden war.

In diesem Fall war die aufschlussreichste Information bereits offensichtlich. Ich nahm zwar nicht an der Freilegung der Leiche teil, aber ich stand nah genug, um zu sehen, was wichtig war.

Mackenzie warf mir einen Blick zu. «Haben Sie etwas zu sagen?»

«Nur, was Sie bestimmt schon wissen.»

«Sagen Sie es trotzdem.»

«Es ist nicht Lyn Metcalf», sagte ich.

Er brummte undurchsichtig. «Und weiter?»

«Dies ist kein neues Grab. Diese Leiche liegt hier schon wesentlich länger, als Lyn Metcalf verschwunden ist. Es gibt überhaupt kein weiches Gewebe mehr, keinen Geruch. Der Hund hat gute Arbeit geleistet.»

«Ich werde Ihre Gratulation weitergeben», sagte er trocken. «Und wie lange liegt sie schon hier?»

Ich schaute auf die flache Ausgrabung. Das Skelett war nun fast vollständig freigelegt, die Knochen hatten die gleiche Farbe wie die Erde. Es war das Skelett eines erwachsenen Menschen und lag auf der Seite. Um die Knochen hing etwas, das aussah wie ein T-Shirt und eine Jeans.

«Ohne weitere Tests zu machen, kann ich im Moment nur Vermutungen anstellen. Bei einer so tief vergrabenen Leiche hat die Verwesung wesentlich länger gedauert, als wenn sie im Freien gelegen hätte. Um dieses Stadium zu erreichen, hat es mindestens ein Jahr gedauert, fünfzehn Monate vielleicht. Aber ich vermute, die Leiche hat eine ganze Weile länger in dem Loch gelegen. Wahrscheinlich gut fünf Jahre.»

«Woher wissen Sie das?»

«Die Jeans und das T-Shirt. Das ist Baumwolle, und die braucht fünf Jahre, bis sie verrottet. Die Kleidung ist noch nicht vollständig verrottet, aber viel ist nicht mehr übrig geblieben.»

«Sonst noch was?»

«Kann ich es mir genauer ansehen?»

«Tun Sie sich keinen Zwang an.»

Es war ein anderes Spurensicherungsteam als damals am Fundort von Sally Palmers Leiche. Die Beamten schauten mich kurz an, als ich mich an den Rand der Grube hockte, machten dann aber kommentarlos mit ihrer Arbeit weiter. Es war schon spät, und sie hatten eine lange Nacht vor sich.

«Gibt es irgendwelche Zeichen für Traumata?», fragte ich einen von ihnen.

«Ein paar ziemlich ernsthafte Schädelverletzungen, aber wir haben erst begonnen, ihn freizulegen.» Er zeigte auf die untere rechte Seite des Schädels, die teilweise noch mit Erde bedeckt war. Aber es waren bereits Risse sichtbar, die strahlenförmig von dort ausgingen, wo der Knochen eingebrochen war.

«Sieht eher nach einem stumpfen Gegenstand aus als nach einem scharfen oder einem Geschoss», sagte ich, während ich den Schädel untersuchte. «Was meinen Sie?»

Er nickte. Anders als sein Kollege, den ich am Fundort der Leiche von Sally Palmer kennen gelernt hatte, schien er nichts gegen meine Einmischung zu haben. «Sieht so aus. Aber ehe wir nicht sichergestellt haben, dass keine Kugel im Schädel herumklappert, werde ich mich nicht festlegen.»

Eine Schädelverletzung, die entweder von einem Schuss oder etwas Scharfem wie einem Messer verursacht worden war, erzeugt eine andere Form von Trauma als eine, die durch ein stumpfes Objekt entstanden war. Normalerweise waren sie unschwer zu unterscheiden, und bisher sprachen die Anzeichen dafür, dass es sich in diesem Fall, mit dem wie bei einem Ei nach innen gedrückten Knochen, um ein Trauma der letzteren Form handelte. Aber seine Vorsicht hielt ich trotzdem für richtig.

«Glauben Sie, die Kopfverletzung war die Todesursache?», fragte Mackenzie.

«Könnte sein», sagte ich. «So, wie es aussieht, müsste sie tödlich gewesen sein, vorausgesetzt, sie wurde nicht nachträglich zugefügt. Aber noch ist es zu früh, um etwas Definitives zu wissen.»

«Was können Sie mir sonst sagen?», meinte er schlecht gelaunt.

«Nun, es handelt sich um eine männliche Leiche. Wahrscheinlich weiß, um die zwanzig.»

Er schielte in das Grab. «Im Ernst?»

«Schauen Sie sich den Schädel an. Die Kieferform ist bei Männern anders als bei Frauen. Der Kiefer eines Mannes steht mehr hervor. Und sehen Sie, dass da, wo die Ohren waren, dieses Knochenstück absteht? Das ist der Jochbogen, und der ist bei Männern immer größer als bei Frauen. Was die Rasse angeht, lassen die Nasenknochen eher auf eine europäische Herkunft schließen als auf eine afrikanische. Es könnte vermutlich auch ein Asiate sein, aber der Schädel ist zu rautenförmig, deshalb würde ich das ausschließen. Das Alter …» Ich zuckte mit den Achseln. «Auch hier kann ich in diesem Stadium nur spekulieren. Aber soweit ich es erkennen kann, sehen die Rückenwirbel nicht besonders abgenutzt aus. Und sehen Sie die Rippen dort?» Ich zeigte auf die Stelle, wo die Knochenenden unter dem T-Shirt hervorstachen. «Die Enden werden unebener und knubbeliger, je älter man wird. Hier sind die Kanten noch ziemlich scharf, es handelt sich also offensichtlich um einen jungen Erwachsenen.»

Mackenzie schloss die Augen und knetete seinen Nasenrücken. «Perfekt. Das hat uns gerade noch gefehlt. Ein Mordfall, der mit dem anderen nichts zu tun hat.» Er schaute plötzlich auf. «Es gibt keine Anzeichen dafür, dass die Kehle durchtrennt worden ist, oder?»

«Kann ich nicht erkennen.» Ich hatte den zervikalen Rückenwirbel bereits nach Messerspuren überprüft. «Wenn eine Leiche so lange vergraben war, kann man Verletzungen ohne anständige Untersuchung nur schwer feststellen. Aber auf den ersten Blick ist nichts zu entdecken.»

«Gott sei Dank», brummte Mackenzie. Ich konnte mit ihm fühlen. Es war schwer zu sagen, was die Sache komplizierter machen würde; eine zweite Mordermittlung in Gang setzen zu müssen oder der Hinweis darauf, dass der gleiche Mörder schon seit Jahren aktiv war.

Aber das betraf mich nicht, und dafür war ich dankbar. Ich stand auf und rieb den Dreck von meinen Händen. «Wenn Sie mich dann nicht mehr brauchen, kann ich ja nach Hause fahren.»

«Können Sie morgen ins Labor kommen? Ich meine heute, später», fragte Mackenzie.

«Weshalb?»

Die Frage schien ihn wirklich zu überraschen. «Um sich die Leiche genauer anzuschauen. Vormittags müssten wir hier fertig sein, dann könnten Sie sich mittags an die Arbeit machen.»

«Es scheint für Sie selbstverständlich zu sein, dass ich an der Sache beteiligt bin.»

«Sind Sie das nicht?»

Jetzt war ich an der Reihe, überrascht zu sein. Nicht so sehr von seiner Frage, sondern von der Tatsache, dass er mich besser zu kennen schien als ich mich selbst. «Wahrscheinlich», sagte ich und akzeptierte das Unvermeidliche. «Ich werde gegen zwölf Uhr da sein.»

Ich erwachte in der Küche, frierend und verwirrt. Durch die offene Gartentür vor mir konnte ich die ersten Lichter am Himmel sehen. Die Erinnerung an den Traum war noch frisch, die Stimmen und die Gegenwart von Kara und Alice waren so lebendig, als hätte ich gerade mit ihnen gesprochen. Der Traum war noch beunruhigender gewesen als sonst. Ich hatte das Gefühl, dass Kara mich vor etwas warnen wollte, ich es aber nicht wissen wollte. Ich hatte zu viel Angst davor gehabt, was ich erfahren könnte.

Ich zitterte. Ich hatte keinerlei Erinnerung daran, wie ich nach unten gekommen war oder welcher unterbewusste Impuls mich dazu veranlasst hatte, die Tür aufzusperren. Aufgewühlt wollte ich sie wieder schließen, hielt dann aber inne. Aus dem blassen Nebelmeer, das über dem Feld lag, ragte wie eine Klippe die undurchdringliche Finsternis des Waldes auf. Als ich darauf starrte, flammte in mir eine dunkle Befürchtung auf.

Ich sehe den Wald vor lauter Bäumen nicht. Diese Redewendung kam aus dem Nichts in meinen Kopf. Für einen Augenblick schien sie eine tiefere Bedeutung zu haben, doch ich kam beim besten Willen nicht darauf, welche. Ich dachte noch darüber nach, als etwas meinen Nacken berührte.

Erschrocken drehte ich mich um. Vor mir nur die leere Küche. Eine Brise, sagte ich mir, obwohl der Morgen still und ruhig war und ohne jeden Windhauch. Ich schloss die Tür und versuchte das anhaltende Unbehagen abzuschütteln. Doch das Gefühl von Fingerspitzen, die mir sanft über die Haut fuhren, konnte ich noch spüren, als ich zurück ins Bett ging und auf die Dämmerung wartete.

Bevor ich im Labor sein musste, hatte ich fast den ganzen Vormittag vor mir. Da ich nichts Besseres zu tun hatte, machte ich mich wie häufig am Samstag zum Frühstück auf den Weg zu Henry. Er war bereits auf und schien in guter Verfassung zu sein. Während er forsch Eier und Speck briet, fragte er mich vergnügt, wie der vergangene Abend verlaufen war. Es dauerte einen Moment, bis mir klar wurde, dass er den Grillabend bei Jenny meinte und nicht die Entdeckung im Wald. Von der neuen Leiche wusste noch niemand, und welche Reaktion die Nachricht auslösen würde, wagte ich mir nicht vorzustellen. Manham tat sich schon schwer genug, mit den bisherigen Ereignissen fertig zu werden. Und ich war durch den Traum immer noch zu aufgewühlt, um mich über solche Dinge auslassen zu wollen.

Deshalb erwähnte ich nicht, dass eine zweite Leiche gefunden worden war. Aber Henrys gute Laune war ansteckend, und als ich mich verabschiedete, war ich in wesentlich besserer Stimmung. Sie wurde sogar noch besser, als ich nach Hause ging, um meinen Wagen zu holen. Es war erneut ein herrlicher Morgen, noch ohne die drückende Hitze, die später kommen sollte. Die Intensität der gelben, violetten und roten Blüten der Blumen am Rande der Dorfwiese schmerzte mich in den Augen. Sie erfüllten die Luft mit der schweren Süße ihres Pollendufts. Nur der Wohnwagen der Polizei, der daneben stand, störte den Eindruck der ländlichen Idylle.

Seine Anwesenheit hätte meinen plötzlichen Optimismus dämpfen sollen, es war jedoch schon so lange her, dass ich mich so gut gefühlt hatte, dass ich ihn einfach ignorierte. Natürlich hinterfragte ich die Gründe für mein neues Lebensgefühl nicht allzu genau. Und ich bemühte mich, es nicht mit Jenny in Verbindung zu bringen. Es genügte, den Moment zu genießen.

Wie sich herausstellte, sollte er nicht mehr lange andauern.

Ich ging gerade an der Kirche vorbei, als mich eine Stimme rief. «Dr. Hunter. Auf ein Wort, bitte.»

Im Friedhof stand Scarsdale mit Tom Mason, dem jüngeren der beiden Gärtner, die Manhams Blumenbeete und Rasenflächen pflegten. Ich blieb vor der niedrigen Mauer stehen.

«Morgen, Herr Pfarrer. Tom.»

Tom nickte mit einem schüchternen Lächeln, ohne von dem Rosenstrauch aufzuschauen, um den er sich gerade kümmerte. Wie sein Großvater war auch er dann am glücklichsten, wenn man ihn mit seinen Pflanzen in Ruhe ließ, die er mit beinahe stoischer Sanftmut pflegte. Scarsdale hingegen war weder stoisch noch sanft. Er erwiderte meinen Gruß nicht.

«Ich frage mich, wie Sie über die gegenwärtige Situation denken», sagte er ohne Vorrede. Sein schwarzer Anzug schien das Sonnenlicht zwischen den alten und schiefen Grabsteinen zu absorbieren.

Mir kamen seine Worte äußerst merkwürdig vor. «Ich bin mir nicht sicher, was Sie meinen.»

«Das Dorf macht eine schwere Zeit durch. Die Menschen im ganzen Land werden zuschauen, wie wir uns verhalten. Meinen Sie nicht?»

Ich hoffte, dies würde keine Wiederholung seiner Predigt werden. «Worauf wollen Sie hinaus, Herr Pfarrer?»

«Ich will zeigen, dass Manham nicht tolerieren wird, was geschehen ist. Dies könnte eine Gelegenheit sein, eine stärkere Gemeinschaft zu schmieden. Wir könnten angesichts dieser Prüfung enger zusammenrücken.»

«Ich verstehe nicht, wie man einen Wahnsinnigen, der Frauen verschleppt und tötet, als eine ‹Prüfung› betrachten kann.»

«Nein, vielleicht verstehen Sie das nicht. Aber die Leute machen sich erkennbar Sorgen, welchen Schaden der Ruf unserer Gemeinde nimmt. Und zu Recht.»

«Ich hätte gedacht, sie sorgen sich eher darum, ob Lyn Metcalf gefunden und Sally Palmers Mörder gefasst wird. Wäre das nicht wichtiger, als Angst um Manhams Ruf zu haben?»

«Lassen Sie die Spielchen, Dr. Hunter», blaffte er. «Wenn mehr Menschen darauf geachtet hätten, was in dieser Gemeinde vor sich geht, dann wäre es vielleicht nie so weit gekommen.»

Ich hätte mich gar nicht erst auf eine Diskussion mit ihm einlassen sollen. «Ich verstehe immer noch nicht, worauf Sie hinauswollen.»

Ich war mir der Anwesenheit des Gärtners im Hintergrund bewusst, aber Scarsdale war nicht verlegen, sich vor Publikum zu produzieren. Er wippte zurück auf seine Absätze und betrachtete mich von oben herab.

«Eine Reihe von Gemeindemitgliedern ist an mich herangetreten. Man hat das Bedürfnis, dass wir uns als geschlossene Einheit präsentieren. Besonders in unserem Umgang mit den Medien.»

«Und was soll das genau heißen?», fragte ich, obwohl ich mir schon vorstellen konnte, wohin das führte.

«Man ist der Meinung, dass das Dorf einen Sprecher braucht. Denjenigen, der am geeignetsten ist, Manham vor der Außenwelt zu repräsentieren.»

«Und das sind Sie, nehme ich an.»

«Wenn jemand anderes willens ist, diese Verantwortung zu übernehmen, dann werde ich sofort Platz machen.»

«Wie kommen Sie darauf, dass es jemanden braucht, der diese Aufgabe übernimmt?»

«Weil Gott mit diesem Dorf noch nicht fertig ist.»

Er sagte das mit einer Überzeugung, die mich aufregte. «Und was wollen Sie von mir?»

«Sie sind eine Person von einer gewissen Bedeutung. Ihre Unterstützung wäre willkommen.»

Die Vorstellung, dass Scarsdale diese Situation als öffentliche Bühne für sich selbst nutzte, war abscheulich. Dennoch war mir klar, dass die Angst und das Misstrauen im Dorf ihm ein empfängliches Publikum schaffen würden. Ein deprimierender Gedanke.

«Ich habe nicht die Absicht, mit den Medien zu sprechen, wenn Sie das meinen.»

«Es geht auch um die Einstellung. Mir würde der Gedanke nicht behagen, dass jemand die Bemühungen derjenigen untergräbt, die zum Wohle des Dorfes handeln.»

«Ich sage Ihnen etwas, Herr Pfarrer. Sie tun, was Sie für richtig halten, und ich tue, was ich für richtig halte.»

«Soll das eine Kritik sein?»

«Sagen wir einfach, wir haben verschiedene Ansichten, was das Wohl des Dorfes betrifft.»

Er musterte mich kalt. «Vielleicht sollte ich Sie daran erinnern, dass die Leute hier ein gutes Gedächtnis haben. In Zeiten wie diesen werden Sünden nicht so schnell vergessen. Oder vergeben, so unchristlich das auch sein mag.»

«Wenn das so ist, dann werde ich wohl versuchen müssen, nicht zu sündigen.»

«Sie können so schlagfertig sein, wie Sie wollen. Aber ich bin nicht der Einzige, der sich Gedanken über Ihre Haltung macht. Die Leute reden, Dr. Hunter. Und was ich gehört habe, ist ziemlich beunruhigend.»

«Dann sollten Sie vielleicht nicht auf Tratsch hören. Sollten Sie als Mann der Kirche nicht im Zweifel zugunsten des Angeklagten entscheiden?»

«Sagen Sie mir nicht, wie ich meiner Arbeit nachzugehen habe!»

«Dann versuchen Sie nicht, mir meine zu erklären.»

Er starrte mich finster an. Vielleicht hätte er noch mehr gesagt, doch hinter ihm klapperte es, weil Tom Mason seine Werkzeuge in die Schubkarre warf. Scarsdale richtete sich auf, sein Blick war so hart wie die Grabsteine, zwischen denen er stand.

«Ich will Sie nicht länger aufhalten, Dr. Hunter. Guten Tag», sagte er steif und stolzierte davon.

Na, das hast du ja großartig hingekriegt, dachte ich verärgert, während ich weiterging. Ich hatte es nicht zu einer Konfrontation kommen lassen wollen, aber bei Scarsdale konnte ich einfach nicht an mich halten. Ich grübelte noch über seine Worte nach, sodass ich den Wagen erst bemerkte, als er neben mir zum Stehen kam.

«Du siehst aus, als wäre dir etwas über die Leber gelaufen.»

Es war Ben. Er trug eine Sonnenbrille und hatte seinen muskulösen Arm auf das offene Fenster seines neuen schwarzen Landrovers gelegt. Der Wagen war staubig, aber daneben sah meiner trotzdem wie ein Oldtimer aus.

«Entschuldige, ich war mit den Gedanken ganz woanders.»

«Das habe ich gemerkt. Es hat doch nichts mit dem großen Hexenjäger da drüben zu tun, oder?», meinte er und deutete mit dem Kopf Richtung Kirche. «Ich habe gesehen, wie du mit ihm gesprochen hast.»

Ich musste lachen. «Doch, genau damit hat es etwas zu tun.» Ich gab ihm eine kurze Zusammenfassung der Begegnung. Er schüttelte den Kopf.

«Ich habe keine Ahnung, zu welchem Gott er eigentlich betet, aber wenn er irgendeine Ähnlichkeit mit unserem guten Pfarrer hat, dann möchte ich ihm nicht im Dunkeln begegnen. Du hättest ihm sagen sollen, er kann dir den Buckel runterrutschen.»

«Das wäre bestimmt gut angekommen.»

«So, wie es sich anhört, hat er dich sowieso auf dem Kieker. Du bist eine Bedrohung für ihn.»

«Eine Bedrohung?», meinte ich überrascht.

«Überleg mal. Bis jetzt war er ein vertrockneter Pfarrer mit einer schrumpfenden Gemeinde. Dies ist seine große Chance, und in seinen Augen könntest du seine Autorität untergraben. Du bist Arzt, gebildet und kommst aus der Stadt. Und du bist nicht religiös, vergessen wir das nicht.»

«Ich habe kein Interesse, ihm Konkurrenz zu machen», sagte ich verärgert.

«Egal. Der erbärmliche, alte Scheißkerl hat sich zur Stimme von Manham gemacht. Wer nicht für ihn ist, der ist gegen ihn.»

«Als wäre nicht schon alles schlimm genug!»

«Oh, ein selbstgerechter Mann findet immer einen Weg, den Karren noch tiefer in den Dreck zu fahren. Selbstverständlich immer für einen heiligen Zweck.»

Ich schaute ihn an. Seine übliche gute Laune schien ihn verlassen zu haben. «Alles in Ordnung mit dir?»

«Ich bin heute einfach mies drauf. Wie dir wohl nicht entgangen sein wird.»

«Was hast du mit deinem Kopf gemacht?»

Er hatte eine aufgeschürfte Beule neben einem Auge, die teilweise von der Sonnenbrille verdeckt wurde. Er berührte sie mit der Hand. «Ich bin gestern Nacht im Naturschutzgebiet wieder hinter einem Scheißwilderer hergejagt. Er hatte es auf das Nest einer Rohrweihe abgesehen, auf das ich aufgepasst habe. Ich bin hinter ihm her und dann der Länge nach in einer der Fallen gelandet.»

«Hast du ihn erwischt?»

Er schüttelte wütend mit dem Kopf. «Aber ich kriege ihn noch. Ich bin mir sicher, dass es dieser verfluchte Brenner ist. In der Nähe habe ich seinen Wagen entdeckt. Ich habe auf ihn gewartet, aber er tauchte nicht auf. Hat sich wahrscheinlich versteckt und gewartet, bis ich weg war.» Er lachte schroff auf. «Ich habe ihm die Luft aus den Reifen gelassen. Hoffentlich war es das Arschloch auch.»

«Ziemlich riskant, oder?»

«Was will er machen? Mich anzeigen?» Er schnaubte verächtlich. «Bist du später im Lamb?»

«Mal sehen.»

«Dann treffen wir uns vielleicht dort.»

Als er davonfuhr, stieß der kraftvolle Motor des Landrovers eine Abgaswolke aus. Ich ging nach Hause und dachte darüber nach, was er gesagt hatte. Es hatte immer einen blühenden Schwarzmarkt für bedrohte Tierarten gegeben, besonders für Vögel. Aber angesichts der Rolle, die sie bei Sally Palmers Ermordung und bei Lyn Metcalfs Verschleppung spielten, musste die Polizei davon erfahren. Das Problem war, dass dieser Aspekt der Verbrechen nicht öffentlich gemacht worden war und ich deshalb Ben nicht bitten konnte, sich an die Polizei zu wenden. Und das hieß, dass es an mir lag, Mackenzie zu informieren. Ich mochte die Vorstellung nicht, hinter Bens Rücken aktiv zu werden, besonders da wahrscheinlich nichts weiter dahinter steckte. Aber darauf konnte ich mich nicht verlassen. Die Erfahrung hatte mir gezeigt, dass manchmal selbst die kleinsten Details wichtig sein konnten.

Damals wusste ich es noch nicht, aber das sollte sich bald auf eine Weise bewahrheiten, die ich am wenigsten erwartet hätte.

KAPITEL 15

IN DIESER NACHT gab es ein weiteres Opfer. Nicht durch die Hand des Mannes, der für Sally Palmers Tod und Lyn Metcalfs Verschwinden verantwortlich war. Auf jeden Fall nicht direkt. Nein, dies war ein Opfer der Atmosphäre aus Misstrauen und Feindseligkeit, die vom Dorf Besitz ergriffen hatte.

James Nolan wohnte in einem winzigen Cottage in einer Sackgasse hinter der Autowerkstatt. Er war einer meiner Patienten und arbeitete in einem Laden eines Nachbardorfes. Ein ruhiger Mann, dessen Zurückhaltung sowohl ein sanftes Wesen als auch eine tiefe Traurigkeit verbarg. Er war Mitte fünfzig, Single und hatte fünfundzwanzig Kilo Übergewicht. Außerdem war er homosexuell. Das Letztere beschämte ihn zutiefst. In einem rückständigen Nest wie Manham, wo eine solche Veranlagung für unnatürlich gehalten wurde, gab es wenig Raum für sexuelle Abenteuer. Konsequenterweise hatte er als junger Mann seine Befriedigung in öffentlichen Parks und Bedürfnisanstalten naher Städte gesucht. Bei einer solchen Gelegenheit war er an einen verdeckten Ermittler geraten. Die Scham über diese Begegnung dauerte länger als die Bewährungsstrafe, die er erhielt. Unweigerlich sickerte die Geschichte auch im Dorf durch. War er bislang Zielscheibe des Spotts gewesen, wurde er danach als etwas Böses angesehen. Obwohl über den genauen Hintergrund seines Vergehens nie gesprochen wurde und er wahrscheinlich nicht einmal bekannt war, genügte das Gerücht, um Nolan zu brandmarken. So wie in jeder kleinen Gemeinde alle Bewohner eine zugeschriebene Rolle haben, wurde er der Aussätzige des Dorfes, der Perverse, vor dem man die Kinder warnte. Und Nolan wurde seinem Image gerecht, indem er sich noch weiter in seine Isolation zurückzog. Er bewegte sich wie ein Geist durch das Dorf, redete nur mit einigen wenigen Leuten und wollte vor allem nicht auffallen. Zum größten Teil entsprach Manham diesem Wunsch nur allzu gern. Im Grunde tolerierte man ihn nicht, man ignorierte ihn.

Bis jetzt.

In gewisser Weise war es fast eine Erleichterung für ihn, als es passierte. Seit Sally Palmers Leiche gefunden worden war, hatte er in Angst gelebt, denn er wusste, dass die Vernunft bei der Auswahl von Sündenböcken keine Rolle spielte. Wenn er abends von der Arbeit heimkehrte, war er in sein Haus geeilt und hatte sich in der Hoffnung eingeschlossen, dass seine Unsichtbarkeit ihn auch weiterhin schützen würde. An diesem Samstagabend hatte diese Methode allerdings versagt.

Nach elf Uhr begann das Hämmern an seiner Tür. Er hatte den Fernseher ausgeschaltet und wollte gerade ins Bett gehen. Seine Vorhänge waren zugezogen, und für eine Weile blieb er in seinem Sessel sitzen und betete, dass die unerwünschten Besucher wieder abzogen. Aber das taten sie nicht. Sie waren betrunken und lachten anfänglich noch, als sie spöttisch seinen Namen riefen. Dann wurden die Rufe wütender und die Schläge gegen die Tür heftiger. Sie wackelte und erzitterte unter dem Ansturm, und Nolan schaute zum Telefon und hätte beinahe die Polizei gerufen. Aber da er sich ein Leben lang bemüht hatte, keine Aufmerksamkeit auf sich zu ziehen, ließ er es bleiben. Als die Rufer ihre Taktik änderten und drohten, die Tür aufzubrechen, wenn er nicht öffnete, tat er stattdessen das, was er immer getan hatte.

Er gehorchte.

Er ließ die Kette eingehängt und vertraute darauf, dass die Stahlglieder ihn schützen würden. Doch wie alles andere versagten auch sie. Die Tür splitterte unter einem neuerlichen Angriff aus den Angeln und schleuderte Nolan zurück, während die Männer in sein Haus drangen.

Später behauptete er, er hätte keinen von ihnen erkannt, ja nicht einmal ihre Gesichter gesehen. Ob das nun stimmte oder nicht, ich konnte kaum glauben, dass er nicht wusste, wer seine Angreifer waren. Zumindest müssen es Leute gewesen sein, die er schon einmal gesehen hatte, vielleicht sogar junge Männer, mit deren Eltern oder Großeltern er aufgewachsen war. Sie schlugen und traten ihn und machten sich dann daran, sein Haus zu verwüsten. Nachdem sie alles kurz und klein geschlagen hatten, fielen sie erneut über ihn her und hörten dieses Mal nicht auf, ehe er bewusstlos war. Es ist möglich, dass ein Anflug von Vernunft sie davon abhielt, ihn umzubringen. Andererseits könnten sie ihn angesichts seiner Verletzungen auch für tot gehalten haben.

Einige Zeit nachdem sie verschwunden waren, klingelte mein Telefon. Im Halbschlaf tastete ich danach und konnte die Flüsterstimme nicht erkennen, die mir sagte, dass jemand verletzt worden war. Während ich noch versuchte aufzuwachen, sagte mir der Anrufer, in welches Haus ich kommen sollte, und legte dann auf. Ich starrte einen Augenblick stumm auf den Hörer, ehe ich mich genügend gesammelt hatte, um einen Krankenwagen zu rufen. Es bestand immer die Möglichkeit, dass es falscher Alarm war, aber dieser Anruf hatte nicht wie ein schlechter Scherz geklungen.

Und ein Krankenwagen würde lange genug für die Fahrt ins Dorf brauchen.

Auf dem Weg zu Nolan hielt ich am Wohnwagen der Polizei auf dem Dorfplatz an. Er war rund um die Uhr besetzt, und ich hielt es für unklug, allein zu der Adresse zu gehen. Das war ein Fehler. Mein Notruf war nicht an die Beamten weitergeleitet worden, und ich verschwendete wertvolle Zeit mit Erklärungen. Als sich endlich einer von ihnen bereit erklärte mitzukommen, wünschte ich längst, ich wäre einfach allein gegangen.

Kein Licht brannte in der Sackgasse, in der Nolan wohnte. Man konnte leicht erkennen, welches Haus es war, denn die Tür stand offen. Ich schaute zum Nachbarhaus, als wir näher kamen. Obwohl kein Lebenszeichen zu sehen war, hatte ich das Gefühl, dass wir beobachtet wurden.

Wir fanden Nolan in den Trümmern seiner Wohnung, so wie seine Angreifer ihn sich selbst überlassen hatten. Ich konnte kaum mehr tun, als ihn in die stabile Seitenlage zu drehen und dann auf den Krankenwagen zu warten. Da er immer wieder das Bewusstsein verlor, sprach ich zu ihm, bis der Notarzt kam. Als er einmal recht klar erschien, fragte ich ihn, was passiert war. Doch er machte nur die Augen wieder zu und blockte die Frage ab.

Als er auf einer Trage hinaus zum Krankenwagen getragen wurde, fragte einer der Polizisten, die mit den Sanitätern eingetroffen waren, warum ich angerufen worden war und nicht der Notruf. Ich sagte, dass ich es nicht wüsste, aber das stimmte nicht ganz. Ich schaute auf die rotierenden Blaulichter, die sich in den Fenstern der Nachbarhäuser spiegelten. Trotz der Störung war niemand zu sehen, auch war niemand herausgekommen, um zu schauen, was los war. Doch ich wusste, dass die Leute zusahen. Genauso, wie sie zu- oder weggesehen hatten, als erst Nolans Haus und dann der Mann selbst angegriffen worden war. Vielleicht hatte jemand Gewissensbisse gehabt, aber nicht genug, um den Überfall zu stoppen oder rechtzeitig Hilfe zu holen. Dies war eine Angelegenheit des Dorfes gewesen. Mich anzurufen, einen Fast-Fremden, war ein Kompromiss gewesen. Es würde keine Zeugen geben, da war ich mir sicher, und niemand würde jemals zugeben, den anonymen Anruf gemacht zu haben. Der war, so stellte sich heraus, aus der einzigen öffentlichen Telefonzelle des Dorfes gekommen, was es unmöglich machte, den Anrufer aufzuspüren. Als der Krankenwagen davongefahren war, schaute ich auf die leeren Fenster und die geschlossenen Türen und hätte sie am liebsten angeschrien. Aber was ich hätte schreien sollen oder wozu das gut gewesen wäre, wusste ich selbst nicht.

Also ging ich nach Hause und versuchte, für den Rest der Nacht zu schlafen.

Als ich am nächsten Morgen erwachte, fühlte ich mich wie gerädert. Ich holte mir eine Zeitung und nahm sie mit einem schwarzen Kaffee hinaus. Die große Wochenendstory war ein Zugunglück. Im Vergleich dazu schaffte es die Entdeckung der zweiten Leiche in Manham nur auf ein paar Absätze auf den Innenseiten. Die Tatsache, dass sie in keiner Verbindung zum jüngsten Mord stand, bedeutete, dass diese Nachricht nur als Zufallsbegebenheit, als Kuriosität erwähnt wurde.

Den vergangenen Nachmittag und einen Teil des Abends hatte ich mit der Untersuchung der Überreste des jungen Mannes verbracht, und obwohl wir noch auf die Überprüfung der Bodenproben nach Adipocire warten mussten, um den Todeszeitpunkt genauer bestimmen zu können, erwartete ich keine Überraschungen. Die gute Nachricht, wenn man es so nennen konnte, war, dass es nicht besonders schwer sein dürfte, das Opfer zu identifizieren. Seine Zähne waren intakt und mit Füllungen versehen, sodass man mit etwas Glück bei einem Vergleich mit Zahnarztakten einen Namen herausfinden müsste. Außerdem hatte ich eine alte Fraktur des linken Schienbeines entdeckt. Der Knochen war längst verheilt, aber es war eine weitere Besonderheit, die dabei helfen könnte, seine Identität zu ermitteln.

Ansonsten hatte ich nur bestätigen können, was ich Mackenzie bereits gesagt hatte. Der Tote war ein junger, weißer Mann um die zwanzig, dessen Schädel mit einem stumpfen und schweren Gegenstand eingeschlagen worden war. Angesichts der runden, vom Einschlag ausstrahlenden Löcher im Knochen hatte es sich wahrscheinlich um einen großen Hammer oder Schläger gehandelt. Die Position und die Menge der Schädigungen ließ darauf schließen, dass wiederholt von hinten auf ihn eingeschlagen worden war. Weil es so lange her war, konnte man unmöglich sagen, ob ihn diese Schläge letztendlich getötet hatten, ich vermutete es jedoch. Eine solche Verletzung musste beinahe sofort tödlich gewesen sein, und auch wenn man nicht wissen konnte, was ihm davor angetan worden war, wiesen seine Knochen keine weiteren Zeichen einer Gewaltanwendung auf.

Es gab keinen Grund zu der Annahme, dass sein Tod etwas mit den jüngsten Ereignissen in Manham zu tun hatte. Unser Mörder hatte es auf Frauen abgesehen, nicht auf Männer, und obwohl wir keine Sicherheit hatten, ehe die Überreste identifiziert worden waren, war es unwahrscheinlich, dass dieses Opfer ein Einheimischer war. Das Dorf war nicht groß genug, um ein Verschwinden so lange geheim zu halten. Noch wichtiger war, dass dieser Mord keine Ähnlichkeiten zu dem an Sally Palmer aufwies. Sie war im Freien abgelegt und nicht vergraben worden. Und während ihr Gesicht entweder aus Wut oder um ihre Identität zu verschleiern eingeschlagen worden war, war das des jungen Mannes unberührt. Das wahrscheinlichste Szenario war, dass sowohl er als auch sein Mörder aus einer anderen Gegend kamen und dass die Leiche nur in die Wildnis geschafft worden war, um sie loszuwerden.

Dennoch nahm ich mir mehr Zeit, als vernünftig gewesen wäre, um sicherzugehen, dass sein zervikaler Rückenwirbel keine Spuren aufwies. Vielleicht lag es einfach daran, dass noch vor einer Woche das einzige hervorstechende Merkmal an Manham die Abgelegenheit des Dorfes war. Nun gab es zwei Morde, einer jüngst verübt, der andere vor langer Zeit, und eine vermisste junge Frau. Alles schien in Auflösung begriffen. Wenn das erst der Anfang war, dann konnte man nicht wissen, was für düstere Dorfgeheimnisse noch ans Tageslicht kamen, ehe alles vorüber war.

Das war keine angenehme Vorstellung.

Ich blätterte ohne großes Interesse den Rest der Zeitung durch. Schließlich warf ich sie auf den Tisch und trank meinen Kaffee aus. Es war Zeit für eine Dusche, und dann musste ich mich auf den Weg zum Sonntagsessen zu Henry machen.

Der Gedanke, danach Jenny zu sehen, machte mich gleichzeitig nervös und gespannt. Und er erzeugte ein schlechtes Gewissen, weil ich noch keine Möglichkeit gehabt hatte, Henry davon zu erzählen. Er würde nichts dagegen haben, wenn wir uns das Dingi ausliehen, aber er hatte bestimmt damit gerechnet, dass ich den Nachmittag über bei ihm bleiben würde, und ich fühlte mich schlecht, meinen Besuch vorzeitig abbrechen zu müssen. Vielleicht hätte ich eine der beiden Verabredungen verschieben sollen. Aber einerseits wollte ich ihn nicht enttäuschen, und andererseits hatte ich keine Ahnung, wann ich wieder die Gelegenheit haben würde, mit dem Boot hinauszufahren. Ich wollte nicht warten.

Warum nicht?, meldete sich eine zynische Stimme in meinem Kopf. *Bist du wirklich so scharf darauf, Jenny wiederzusehen?* Aber darüber wollte ich lieber nicht nachdenken. Also stand ich auf, um unter die Dusche zu gehen, und ließ die Frage unbeantwortet.

Als ich bei Henry ankam, hatte ich bohrende Kopfschmerzen. Aber es war nicht so schlimm, dass ich nicht den Duft des Roastbeefs zu schätzen gewusst hätte, als ich ins Haus ging. Wie gewöhnlich klopfte ich nicht an, sondern rief ihn nur, als ich eintrat.

«Hier hinten.» Henrys Stimme kam aus der Küche.

Ich ging durch den Flur. In der Küche war es heiß, obwohl die Tür offen stand und man hinaus auf den Rasen hinter dem Haus schauen konnte. Henry rührte gerade den Teig für Yorkshirepudding in einer Schüssel, ein leeres Weinglas in Reichweite. Nicht gerade die ideale Kost für einen heißen Nachmittag, aber wenn es um das Sonntagsessen ging, war Henry Traditionalist.

«Fast fertig», sagte er und löffelte den Teig auf ein Backblech. Das heiße Fett zischte und brutzelte. «Sobald die hier fertig sind, können wir essen.»

«Kann ich etwas tun?»

«Schenk uns beiden Wein ein. Ich habe schon mit Fusel begonnen, aber ich habe bereits eine Flasche guten Wein aufgemacht, damit er atmen kann. Müsste jetzt in Ordnung sein. Oder willst du lieber ein Bier?»

«Wein ist in Ordnung.»

Er rollte sich hinüber zum Ofen. Er öffnete die Tür, wich

vor dem Hitzeschwall ein wenig zurück und schob dann das Backblech hinein. Er kochte nicht oft und war es meist zufrieden, dass Janice sich um seine Mahlzeiten kümmerte, aber wenn er es tat, war ich immer beeindruckt, wie geschickt er sich anstellte. Ich fragte mich, wie ich in seiner Situation zurechtkommen würde. Aber was blieb ihm auch anderes übrig. Henry war nicht der Typ, der einfach aufgab.

«So», sagte er und klappte die Ofentür zu. «Noch zwanzig Minuten, dann haben wir es geschafft. Mein Gott, hast du den Wein noch nicht eingegossen?»

«Bin gleich so weit.» Ich schaute in eine Schublade. «Hast du Aspirin oder so hier? Ich kriege gerade Kopfschmerzen.»

«Wenn du da nichts findest, dann musst du im Medikamentenschrank nachschauen.»

In der Schublade war nur eine leere Packung Paracetamol. Ich ging durch den Flur in Henrys Arbeitszimmer, das ihm auch als Sprechzimmer diente, seit ich seine alte Praxis übernommen hatte. Dort lagerten wir die Medikamente neben reichlich Krimskrams von Henry. Er konnte nichts wegwerfen und hatte allerlei alte Pulver, Flaschen und medizinische Instrumente aufbewahrt, die er noch von seinem Vorgänger übernommen hatte. Diese Dinge zu sammeln, brach wahrscheinlich eine ganze Reihe von Gesundheitsbestimmungen, doch Henry hatte wenig Respekt vor Gesetzen und Bürokratie.

Seine Sammlung verstaubte in einem eleganten viktorianischen Bücherregal mit Glastüren, ein deutlicher Kontrast zu dem unschönen Medikamentenschrank aus Stahl und dem kleinen Kühlschrank, in dem wir die Impfstoffe aufbewahrten. Die beiden wirkten zwischen den großartigen Holz- und Ledermöbeln völlig fehl am Platz, obwohl Henry versucht hatte, sie mit gerahmten Fotos zu kaschieren. Eines zeigte uns zwei im Dingi und war im Jahr zuvor aufgenommen worden, die meisten aber waren von ihm und seiner Frau Diana. Den Ehrenplatz auf dem Schrank nahm ein Hochzeitsfoto der beiden ein. So, wie sie da in die Kamera lächelten, waren sie ein attraktives Paar, jung und sich glücklicherweise des Schicksals, das sie erwartete, noch nicht bewusst.

Ich schaute auf das Paar Krücken, das in der Ecke neben dem Schreibtisch verstaubte. Während meiner Anfangszeit hatte er noch versucht, sie zu benutzen. Ich hatte ihn stöhnen gehört, wenn er sich abmühte, ein paar Schritte zu gehen. «Ich werde diesen Scheißkerlen das Gegenteil beweisen», hatte er mehr als einmal gesagt. Aber es war ihm nie gelungen, und nach und nach hatte er es aufgegeben.

Ich wandte mich von diesem Mahnmal der Gebrechlichkeit des Menschen ab und schloss den Medikamentenschrank auf. Da Henry alles aufhob, musste ich mich erst durch alle möglichen Schachteln wühlen, bis ich eine Packung Paracetamol fand. Dann schloss ich den Schrank wieder ab und kehrte in die Küche zurück.

«Wird aber auch Zeit», brummte er, als ich wiederkam. «Beeil dich mit dem verfluchten Wein. Diese Arbeit macht durstig.» Er fächelte sich Luft zu und rollte zur geöffneten Tür. «Komm, kühlen wir uns ein bisschen ab.»

«Essen wir draußen?»

«Sei kein Barbar! Ich bin doch kein Australier! Und bring die Flasche mit. Den Bordeaux, nicht das billige Zeug.»

Ich spülte das Paracetamol mit Wasser hinunter und folgte ihm. Der Garten war gut gepflegt, ohne zu kleinkariert zu wirken. Henry war ein begeisterter Gärtner gewesen, und es war eine weitere Quelle der Frustration für ihn, dass er sich nicht mehr selbst darum kümmern konnte. Wir setzten uns an den alten schmiedeeisernen Tisch, der unter dem

Schatten spendenden Geäst eines Goldregens stand. Der glänzende See hinter dem Weidenzaun erzeugte die Illusion, eine Abkühlung von der Hitze zu bieten. Ich schenkte uns beiden Wein ein.

«Prost», sagte ich und hob mein Glas.

«Auf die Gesundheit.» Er schwenkte die rubinrote Flüssigkeit, ehe er kritisch daran roch. Schließlich trank er einen Schluck. «Hmmm. Nicht schlecht.»

«Dorfladen?»

«Banause», sagte er verächtlich. Er nahm noch einen Schluck und behielt ihn eine Weile genießerisch im Mund, ehe er das Glas absetzte. «Also los. Raus damit. Wie ist das Abendessen neulich verlaufen?»

«Wir haben gegrillt. Draußen. Das wär was für dich gewesen.»

«An einem Freitagabend ist so ein lockeres Mahl akzeptabel. Sonntagsessen hingegen erfordern eine angemessene Würdigung. Aber du hast meine Frage nicht beantwortet.»

«Es war nett, danke.»

Er hob eine Augenbraue. «Nett? Mehr nicht?»

«Was soll ich sagen? Es hat mir gefallen.»

«Spüre ich da eine gewisse Schüchternheit?» Er grinste mich an. «Ich merke schon, dass ich dir jedes Wort aus der Nase ziehen muss. Lass uns doch heute Nachmittag mit dem Dingi rausfahren, dann kannst du mir alles erzählen. Es weht zwar kaum eine Brise, aber wir können uns beim Rudern das Mittagessen abtrainieren.»

Ich spürte, wie ich vor Verlegenheit rot wurde.

«Wenn du keine Lust hast, ist es natürlich auch in Ordnung», sagte Henry und sein Lächeln verblasste.

«Das ist es nicht. Es ist nur … Also, ich habe Jenny versprochen, mit ihr rauszufahren.»

«Ach.» Er konnte seine Überraschung nicht verbergen.

«Tut mir Leid, ich hätte früher etwas sagen sollen.»

Doch Henry hatte sich wieder gefasst und überspielte seine Enttäuschung mit einem Grinsen. «Du musst dich nicht entschuldigen! Schön für dich.»

«Ich kann jederzeit …»

Er wehrte das Angebot ab, ehe ich es zu Ende bringen konnte. «Ich kann gut verstehen, dass du an so einem sonnigen Nachmittag wie diesem lieber mit einem hübschen Mädchen rausfahren willst als mit einem alten Kauz wie mir.»

«Hast du wirklich nichts dagegen?»

«Wir können es ein anderes Mal machen. Ich freue mich, dass du jemanden kennen gelernt hast, den du anscheinend magst.»

«Im Grunde ist es keine große Sache.»

«Ach, hör auf, David, es wird Zeit, dass du dich mal wieder amüsierst. Du musst dich nicht rechtfertigen.»

«Nein, ich bin nur …» Ich verlor den Faden und wusste nicht mehr, was ich sagen wollte.

Henry war jetzt vollkommen ernst. «Lass mich raten: Du fühlst dich schuldig.»

Ich nickte und wagte nicht, etwas zu sagen.

«Wie lange ist es jetzt her? Drei Jahre?»

«Fast vier.»

«Bei mir sind es fast fünf. Und weißt du was? Das ist lange genug. Du kannst die Toten nicht mehr lebendig machen, also kannst du auch so gut es geht wieder am Leben teilhaben. Als Diana starb … Tja. Dir muss ich es nicht sagen.» Er lachte halbherzig auf. «Ich konnte nicht verstehen, warum ich überlebt habe und sie nicht. Im Grunde habe ich lange Zeit nach dem Unfall …»

Er verstummte und starrte hinaus auf den See. Aber was auch immer er hatte sagen wollen, er überlegte es sich anders.

«Egal, das ist eine andere Geschichte.» Er griff nach seinem Wein. «Um das Thema zu wechseln, ich habe gehört, dass es gestern Abend eine gewisse Aufregung gab.»

Im Dorf passierte nicht viel, ohne dass es Henry zu Ohren kam. «Das kann man wohl sagen. James Nolan hat Besuch von einigen seiner Nachbarn bekommen.»

«Wie geht es ihm?»

«Nicht gut.» Ich hatte vorher mit dem Krankenhaus telefoniert. «Sie haben ihn ziemlich übel zusammengeschlagen. Er wird noch ein oder zwei Wochen im Krankenhaus bleiben müssen.»

«Und ich nehme mal an, dass niemand etwas gesehen hat?»

«Offensichtlich nicht.»

Er zog die buschigen Augenbrauen vor Abscheu zusammen. «Tiere, mehr sind sie nicht. Verfluchte Tiere. Aber ich kann nicht behaupten, dass es mich überrascht. Und soweit ich gehört habe, bist du auch selbst in Manhams Gerüchteküche geraten, oder?»

Ich hätte wissen müssen, dass er mittlerweile das Gerede über mich gehört hatte. «Immerhin bin ich noch nicht verprügelt worden.»

«Ich würde es nicht beschreien. Ich habe dich gewarnt, wie es kommen kann. Nur weil du Manhams Arzt bist, wirst du noch lange nicht bevorzugt behandelt.»

Ich merkte, dass er in eine seiner düsteren Stimmungen abrutschte. «Komm schon, Henry …»

«Glaube mir, ich kenne diesen Ort besser als du. Wenn es hart auf hart kommt, werden die Leute genauso auf dich losgehen wie auf Nolan. Ganz egal, was du in der Vergangenheit für sie getan hast. Dankbarkeit? Nicht in diesem verfluchten Kaff!» Er nahm einen Schluck Wein und kippte ihn in seiner Wut sofort hinunter. «Manchmal frage ich mich, warum wir uns überhaupt noch um die Leute kümmern.»

«Das ist doch nicht dein Ernst.»

«Nein?» Er starrte nachdenklich in seinen Wein. Ich fragte mich, wie viel er schon getrunken hatte, bevor ich angekommen war. «Nein, vielleicht nicht. Aber manchmal frage ich mich wirklich, was wir beide hier eigentlich machen. Denkst du nie darüber nach, welchen Sinn das alles hat?»

«Wir sind Ärzte. Welchen Sinn soll es sonst geben?»

«Ja, ja, das weiß ich doch», sagte er gereizt. «Aber welchen *Zweck* erfüllen wir eigentlich? Willst du mir ernsthaft sagen, dass du nie das Gefühl hast, deine Zeit zu verschwenden? Dass du nur aus Prinzip irgend so ein altes Wrack am Leben erhältst? Wir schieben doch nur das Unvermeidliche auf, mehr nicht.»

Ich schaute ihn besorgt an und bemerkte, wie erschöpft er war. Zum ersten Mal sah ich, dass er sichtlich zu altern begann.

«Alles in Ordnung mit dir?», fragte ich.

Er lachte trocken auf. «Kümmer dich nicht um mich, ich bin heute nur zynisch. Oder zynischer als sonst.» Er griff nach der Flasche. «Diese Geschichte muss auch mich mitgenommen haben. Trinken wir noch ein Glas, und dann kannst du mir erzählen, hinter welcher geheimnisvollen Sache du die ganze Woche her warst.»

Darauf hatte ich mich nicht gefreut, doch jetzt war ich froh, das Thema wechseln zu können. Anfänglich verwirrt, hörte Henry zu, als ich ihm erzählte, welcher Arbeit ich vor meiner Ankunft in Manham wirklich nachgegangen war, und dann ungläubig, als ich ihm kurz zusammenfasste, wie ich Mackenzie geholfen hatte.

Nachdem ich fertig war, schüttelte er langsam den Kopf. «Nun, ich glaube, dazu fällt einem das Sprichwort ‹Stille Wasser sind tief› ein.»

«Es tut mir Leid. Ich weiß, dass ich es dir schon früher hätte sagen sollen, aber bis zu dieser Woche hatte ich wirklich geglaubt, es wäre alles Vergangenheit.»

«Du musst dich nicht entschuldigen», sagte er. Aber ich merkte, dass ich ihn gekränkt hatte. Er hatte mich zu einer Zeit aufgenommen, als ich am Tiefpunkt war, nur um nun zu entdecken, dass ich nicht ehrlich zu ihm gewesen war. Die ganze Zeit lang hatte ich ihn im Glauben gelassen, dass ich über Anthropologie nur theoretisches Wissen hatte. Auch wenn ich nicht direkt gelogen hatte, war das eine schlechte Entschädigung für sein Vertrauen.

«Wenn du möchtest, dass ich kündige, dann werde ich es tun», bot ich an.

«Kündigen? Mach dich nicht lächerlich!» Er schaute mich an. «Oder willst du nicht mehr hier arbeiten?»

«Doch, natürlich will ich noch hier arbeiten. Ich wollte auch gar nicht in diese Ermittlung hineingezogen werden. Ich habe es nicht bewusst vor dir geheim gehalten. Ich wollte nur selbst nicht daran denken.»

«Das verstehe ich. Es kommt nur ziemlich überraschend. Ich hatte keine Ahnung, dass du eine so … so exklusive Karriere hinter dir hast.» Er schaute nachdenklich über den See. «Ich beneide dich. Ich habe immer bereut, dass ich nicht in die Psychologie gegangen bin. Du weißt ja, dass ich einmal Ambitionen in dieser Richtung hatte. Wie du siehst, ist nichts daraus geworden. Ich hätte eine Zusatzausbildung machen müssen. Aber ich wollte Diana heiraten, und als praktischer

Arzt hat man schneller Geld verdient. Und damals schien auch das noch ein Traumberuf zu sein.»

«Was ich getan habe, war bestimmt kein Traumberuf.»

«Aber es ist aufregend.» Er schaute mich wissend an. «Leugne nicht, dass du dich während der letzten Woche eindeutig verändert hast. Und das schon vor dem Grillabend!» Er lachte kurz auf und holte seine Pfeife aus der Tasche. «Es ist so oder so eine unglaubliche Woche gewesen. Gibt es schon Neuigkeiten, wer diese zweite Leiche sein könnte?»

«Noch nicht. Aber sie kann hoffentlich über das Zahnschema identifiziert werden.»

Henry schüttelte den Kopf, während er sich die Pfeife stopfte und dann anzündete. «Da lebt man hier all diese Jahre und dann ...» Er versuchte sichtlich, seine düstere Stimmung abzuschütteln. «Tja, ich schaue besser mal, was das Essen macht. Es ist schon ohne verbrannte Yorkshires alles trostlos genug.»

Danach waren unsere Gesprächsthemen nicht mehr so ernst. Aber als wir mit dem Essen fertig waren, sah Henry müde aus. Ich sagte mir, dass er während der letzten Tage den größten Teil meiner Arbeit übernommen hatte, und versuchte darauf zu bestehen, das Geschirr abzuwaschen, doch er wollte nichts davon hören.

«Ich komme klar, wirklich. Das meiste kommt sowieso in die Spülmaschine. Wenn ich du wäre, würde ich lossausen und meine Freundin treffen.»

«Ich habe noch viel Zeit.»

«So stur wie du bin ich schon lange. Und ehrlich gesagt würde ich jetzt am liebsten den letzten Schluck Wein trinken und dann ein Nickerchen machen.»

Er betrachtete mich mit gespielter Strenge. «Was ist, willst du mir tatsächlich meinen Sonntagnachmittag verderben?»

Ich wollte mich mit Jenny im Lamb treffen. Das war neutraler Boden, wohingegen es wie ein Rendezvous gewirkt hätte, wenn ich sie bei ihr abgeholt hätte. Ich versuchte mir immer noch zu sagen, dass wir nur segeln gingen. Es war ja nicht so, dass ich sie zum Essen ausführte, was sofort zu einem unterschwelligen Spiel der Geschlechter geführt hätte. Bei einem Bootsausflug musste man sich nicht darum sorgen, die falschen Signale aufzunehmen oder auszusenden. Es war wirklich nichts dabei.

Außer, dass mein Vorgefühl mir etwas anderes sagte.

Ich hatte darauf geachtet, beim Essen nicht zu viel Wein zu trinken, und obwohl ich etwas Stärkeres hätte vertragen können, hielt ich mich nun an Orangensaft. Als ich an die Theke ging, wurde mir wie gewöhnlich zugenickt. Ich konnte nichts in den Gesichtern lesen, war aber dennoch froh, dass Carl Brenner nicht da war.

Ich nahm mein Getränk nach draußen und lehnte mich vor dem Pub an die Steinmauer. Aus Nervosität trank ich den Saft fast in einem Zug aus. Mir wurde bewusst, dass ich alle paar Minuten auf die Uhr sah. Ich hatte gerade beschlossen, es nicht wieder zu tun, und schaute auf, als ein Wagen die Straße entlangkam. Es war ein alter Mini, einen Augenblick später erkannte ich Jenny hinter dem Steuer. Sie parkte und stieg aus. Bei ihrem Anblick heiterte sich meine Stimmung plötzlich auf. *Was geht hier vor sich?*, fragte ich mich, doch dann kam sie zu mir, und alle Fragen wurden verscheucht.

«Ich war zu faul zu laufen», sagte sie lächelnd, während sie ihre Sonnenbrille auf den Kopf schob. Aber ich wusste, dass sie in Wahrheit deshalb mit dem Auto gefahren war, weil kaum noch eine Frau allein zu Fuß gehen wollte, ganz gleich, wie lang der Weg war. Sie trug Shorts und ein ärmelloses, blaues Top. Ein leichter, kaum wahrnehmbarer Parfümduft ging von ihr aus. «Sie haben doch noch nicht lange gewartet, oder?»

«Ich bin gerade angekommen.» Ich bemerkte ihren Blick auf mein leeres Glas und zuckte verlegen mit den Schultern. «Ich hatte Durst. Möchten Sie etwas?»

«Wie Sie wollen.»

Ich spürte, wie wir uns dem Bereich der Unsicherheiten näherten, in dem jeder Satz falsch klang. *Entscheide dich! Jetzt,* sagte ich mir, denn ich wusste, dass davon die Atmosphäre des gesamten Nachmittags abhängig sein konnte.

«Was halten Sie davon, wenn wir uns etwas zu trinken mitnehmen?», fragte ich und überraschte mich damit selbst. Doch sobald ich es gesagt hatte, wusste ich, dass es die richtige Entscheidung gewesen war.

Jennys Lächeln wurde breiter. «Hört sich gut an.»

Sie wartete draußen, während ich zurück in den Pub ging, um eine Flasche Wein zu kaufen. Ich versuchte, die neugierigen Blicke zu ignorieren, als ich fragte, ob ich mir Gläser und einen Korkenzieher leihen könnte. Warum war mir das nicht früher eingefallen? Aber ich wusste es genau. Ich hatte alles vermieden, was den Eindruck hätte erwecken können, dass dies mehr als ein zwangloser Ausflug war. Und anscheinend hatte Jenny das Gleiche getan.

«Einen Moment», sagte sie, als ich zurückkam, und ging nun ihrerseits nach drinnen. Wenige Minuten später kehrte sie zurück und schwenkte ein paar Chips- und Nusstüten. «Falls wir Hunger kriegen», sagte sie grinsend.

Danach war die Spannung verschwunden. Wir ließen ihren Wagen auf dem Platz stehen und gingen zum See. Man konnte durch Henrys Garten zum Anleger gehen, aber es gab auch einen wenig benutzten Zugangsweg, der von der

Straße abzweigte und hinter dem Haus entlangführte. Den nahmen wir, um Henry nicht zu stören. Das Dingi lag regungslos im ruhigen Wasser. Als wir an Bord kletterten, wehte kein Windhauch.

«Mit dem Segeln wird es heute wohl nichts werden», sagte ich.

«Egal. Es wäre einfach schön, draußen auf dem Wasser zu sein.»

Ohne das Segel zu setzen, nahm ich die Ruder und fuhr hinaus auf den See. Im Sonnenlicht glänzte seine Oberfläche wie Glas, so hell, dass es in den Augen schmerzte. Das einzige Geräusch war das melodische Plätschern der Ruder, die in das Wasser eintauchten und wieder hinausstießen. Jenny saß mir gegenüber. Unsere Knie berührten sich, während ich ruderte, aber keiner von uns wich aus. Jenny hatte ihre Hand über den Rand ins Wasser gehängt, während ich das gegenüberliegende Ufer ansteuerte, und ihre Finger hinterließen eine Spur im Wasser, die hinter uns immer breiter wurde.

Je weiter ich mich der anderen Seite näherte, umso seichter wurde das Wasser. Teilweise war es durch das dichte Schilfrohr unpassierbar. Eine niedrige Landzunge ragte in den See, über dessen Ufer die zotteligen Zweige alter Trauerweiden hingen. Ich ließ uns unter einen Baum treiben und band das Boot locker an seinen Stamm. Das Sonnenlicht fiel durch die Blätter und verwandelte sie in ein durchsichtiges Grün.

«Es ist herrlich hier!», rief Jenny aus.

«Wollen Sie sich umsehen?»

Sie zögerte. «Ich will nicht feige klingen, aber meinen Sie nicht, dass es gefährlich ist? Ich denke nur an die Fallen und so.»

«Ich glaube nicht, dass hier welche sind. Hier kommt nie jemand her; es würde sich also gar nicht lohnen.»

Wir stellten den Wein zum Abkühlen ins Wasser und machten uns auf, um die Gegend zu erkunden. Die Halbinsel bestand nur aus einem Haufen Felsen und Bäumen, die mit dem Ufersaum durch einen mit Schilf bewachsenen Landstreifen verbunden waren. In der Mitte standen die Ruinen eines winzigen Gebäudes, das kein Dach mehr hatte und ganz überwuchert war.

«Glauben Sie, das ist einmal ein Haus gewesen?», fragte Jenny und bückte sich, um durch den niedrigen Steineingang zu gehen. Unter den Füßen raschelte verwelktes Laub. Selbst bei der Hitze war es drinnen muffig und feucht.

«Wahrscheinlich. Das Ganze hier hat zum Herrenhaus von Manham gehört. Es könnte das Haus eines Wildhüters oder so gewesen sein.»

«Ich wusste gar nicht, dass es in der Gegend ein Herrenhaus gibt.»

«Es existiert auch nicht mehr. Es wurde nach dem Zweiten Weltkrieg abgerissen.»

Sie fuhr mit einer Hand über den bemoosten Sturz eines alten Kamins. «Fragen Sie sich auch immer, wer einmal in solchen Häusern gelebt hat? Was für Leute es waren, was für ein Leben sie geführt haben?»

«Ein hartes, stelle ich mir vor.»

«Aber fanden diese Menschen das auch, oder war es ganz normal für sie? Ich meine, werden sich die Leute in zwei-, dreihundert Jahren anschauen, was von unseren Häusern übrig geblieben ist, und denken: ‹Die armen Teufel, wie konnten die das aushalten!?›»

«Höchstwahrscheinlich. Es ist immer wieder das Gleiche.»

«Ich wollte früher Archäologin werden. Bevor ich Lehrerin wurde, meine ich. Diese ganzen vergangenen Leben, von denen wir nichts wissen. Und jeder glaubt, sein eigenes ist das allerwichtigste, so wie wir.» Sie erschauerte ein wenig und grinste unsicher. «Da kriege ich gleich eine Gänsehaut. Aber trotzdem fasziniert es mich irgendwie.»

Ich fragte mich, ob sie vielleicht von meiner Beschäftigung mit vergangenen Leben gehört hatte. Aber was sie sagte, klang arglos. «Und was hat Sie davon abgehalten? Davon, Archäologin zu werden, meine ich?»

«Wahrscheinlich habe ich es nicht genug gewollt. Also bin ich stattdessen in einem Klassenzimmer gelandet. Verstehen Sie mich nicht falsch, meine Arbeit gefällt mir. Aber manchmal denkt man: ‹Was wäre, wenn …?›»

«Es ist ja noch nicht zu spät für eine neue Ausbildung.»

«Doch», sagte sie, immer noch über den Stein streichend. «Dieses Ich gibt es nicht mehr.»

Das kam mir merkwürdig vor. «Wie meinen Sie das?»

«Ach, wissen Sie, bestimmte Möglichkeiten bieten sich zu bestimmten Zeiten. Man gelangt an Scheidewege oder so. Man trifft eine Entscheidung und nimmt einen Weg, und wenn man eine andere trifft, landet man ganz woanders.» Sie zuckte mit den Achseln. «Archäologie war einer dieser Wege, die ich nicht genommen habe.»

«Glauben Sie nicht, dass man eine zweite Chance bekommt?»

«Es gibt keine zweiten Chancen, nur neue Chancen. Das Leben wäre ja ganz anders verlaufen und nicht mehr dasselbe, wenn man damals eine andere Entscheidung getroffen hätte.» Ihr Gesicht hatte sich verfinstert. Plötzlich verlegen, nahm sie ihre Hand von dem Stein. «Mein Gott, was rede ich da. Tut mir Leid», sagte sie lachend.

«Das muss es nicht», sagte ich, aber sie duckte sich bereits wieder unter den Eingang hindurch.

Ich folgte ihr hinaus und ließ ihr Zeit, über ihre düsteren Gedanken hinwegzukommen, die an die Oberfläche getreten waren. Der Nacken unter dem blonden Haar war gebräunt und weich. Ein Wirbel feiner, weißer Härchen verlief den Halswirbel hinab und verschwand unter ihrem Top. Ich spürte den Impuls, ihn zu berühren, und zwang mich, wegzuschauen.

Als Jenny sich umdrehte, war sie wieder heiter. «Glauben Sie, der Wein ist schon kühl genug?»

«Finden wir es heraus!»

Wir gingen zurück zum Boot und nahmen die Flasche aus dem Wasser. «Ist Wein okay für Sie?», fragte ich. «Ich habe auch Wasser gekauft.»

«Nein, Wein ist perfekt, danke. Ich habe heute Morgen meine Insulindosis genommen. Ein Glas ist in Ordnung.» Sie grinste. «Außerdem habe ich ja einen Arzt dabei.»

Wir tranken den Wein auf dem Ufer unter der Weide. Seit wir von der Ruine zurückgekommen waren, hatten wir kaum gesprochen, aber die Stille war nicht unangenehm.

«Vermissen Sie manchmal die Stadt?», fragte sie schließlich.

Ich musste an meine Fahrten ins Labor denken. «Bis vor kurzem nicht. Und Sie?»

«Ich weiß es nicht genau. Manche Dinge vermisse ich. Gar nicht so sehr die Bars oder Restaurants. Mir fehlt eher die Lebhaftigkeit der Stadt. Aber langsam gewöhne ich mich ans Landleben. Im Grunde muss man sich nur an eine andere Geschwindigkeit anpassen.»

«Glauben Sie, dass Sie zurückgehen werden?»

Sie sah mich an und schaute dann hinaus aufs Wasser. «Keine Ahnung.» Sie riss einen Grashalm heraus. «Was hat Tina Ihnen denn erzählt?»

«Nicht viel. Nur dass Sie eine schlechte Erfahrung gemacht haben, aber sie hat nicht gesagt, was für eine.»

Jenny zupfte lächelnd an dem Halm. «Die gute alte Tina», sagte sie trocken. Ich wartete und überließ es ihr, ob sie mehr sagen wollte oder nicht.

«Ich wurde überfallen», sagte sie nach einer Weile mit gesenktem Blick. «Vor ungefähr achtzehn Monaten. Ich war mit ein paar Freunden aus gewesen und hatte ein Taxi nach Hause genommen. So wie man es machen soll, weil die Straßen nachts nicht sicher sind und so weiter. Jemand hatte Geburtstag gehabt, und ich hatte ein bisschen zu viel getrunken. Ich schlief ein, und als ich aufwachte, hatte der Fahrer angehalten und wollte gerade zu mir auf den Rücksitz kommen. Als ich mich wehrte, begann er mich zu schlagen. Er hat gedroht, mich umzubringen, und dann ...»

Ihre Stimme war brüchig geworden. Sie hielt einen Moment inne, bis sie sich wieder gefasst hatte und fortfuhr.

«Er kam nicht dazu, mich richtig zu vergewaltigen. In der Nähe hörte ich Leute. Er war auf einen leeren Parkplatz gefahren, und diese Gruppe kam gerade vorbei. Das war einfach Dusel. Ich begann zu schreien und gegen das Fenster zu treten, und er geriet in Panik, stieß mich aus dem Wagen und fuhr davon. Die Polizei sagte, ich hätte Glück gehabt. Und sie hatten Recht. Ich bin mit ein paar Schnitten und blauen Flecken davongekommen, es hätte viel schlimmer ausgehen können. Aber ich war ganz und gar nicht glücklich. Ich hatte nur noch Angst.»

«Wurde er gefasst?»

Sie schüttelte den Kopf. «Ich konnte der Polizei keine gute Beschreibung geben, und er war weg, bevor jemand seine Nummer erkennen konnte. Ich wusste nicht einmal den Namen der Taxigesellschaft, weil ich ihn auf der Straße angehalten hatte. Er läuft also noch frei herum.»

Sie schnippte den Grashalm in den See. Er trieb auf dem Wasser und erzeugte kaum eine Regung. «Danach hatte ich Angst, vor die Tür zu gehen. Nicht weil ich ihn wiedersehen könnte, ich hatte einfach Angst … vor allem. Wenn so etwas ohne jeden Grund passieren konnte, dann könnte es auch noch einmal passieren, dachte ich. Und deshalb beschloss ich, die Stadt zu verlassen und irgendwohin zu ziehen, wo es schön und sicher ist. Dann sah ich die Anzeige für diese Stelle und bin hier gelandet.» Sie lächelte schief. «Tolle Entscheidung, was?»

«Ich bin froh, dass Sie es getan haben.»

Die Worte waren von ganz allein gekommen. Ich schaute schnell über den See, nur um sie nicht ansehen zu müssen. *Idiot!*, fluchte ich innerlich. *Warum hast du das gesagt, verdammt nochmal?*

Wir schwiegen beide. Als ich mich umdrehte, sah ich, dass sie mich beobachtete. Zögernd lächelte sie mich an.

«Lust auf Chips?», fragte sie.

Die Verlegenheit ging vorüber. Erleichtert griff ich nach dem Wein.

In den kommenden Tagen sollte ich an diesen Nachmittag als einen letzten Silberstreif am Horizont zurückdenken, bevor der Sturm losbrach.

KAPITEL 16

DIE NÄCHSTE WOCHE ging wie im Schwebezustand vorüber. Eine unterschwellige Spannung lag wie Ozon in der Luft, eine dumpfe Vorahnung, als wartete jeder darauf, dass etwas passierte.

Aber es passierte nichts.

Die allgemeine Stimmung glich der flachen und trostlosen Landschaft. Das Wetter blieb heiß und beispiellos, nicht eine Wolke zeigte sich am Horizont. Die Polizei ermittelte weiter, ohne die Spur eines Verdächtigen oder des Opfers zu finden, und auf den Straßen wurde es laut, da jedes Kind im Schulalter den Beginn der großen Sommerferien feierte. Ich kehrte zu meinen normalen Sprechstunden zurück. Wenn nun vielleicht mehr Patienten lieber zu Henry wollten oder diejenigen, die zu mir kamen, reservierter waren, tat ich so, als bemerkte ich es nicht. Das war jetzt mein Leben und Manham wohl oder übel mein Zuhause. Früher oder später würde auch diese Situation vorübergehen und eine gewisse Normalität zurückkehren.

Auf jeden Fall redete ich mir das ein.

In den folgenden Tagen traf ich Jenny regelmäßig. Eines Abends fuhren wir zum Essen in ein Restaurant nach Horning, wo die Tische weiß gedeckt waren und Kerzen brannten und die Weinkarte mehr bot als die Wahl zwischen rot und weiß. Es schien bereits so, als kennten wir uns seit Jahren und hätten uns nicht gerade erst angefreundet. Zum Teil lag das vielleicht an dem, was jeder von uns durchgemacht hatte. Wir hatten beide eine Seite des Lebens kennen gelernt, die für die meisten anderen Menschen eine fremde Welt war, und dabei erfahren, wie schmal die Linie war, die unseren Alltag von einer Tragödie trennte. Diese Erkenntnis verband uns wie eine Geheimsprache, die wir zwar selten verwendeten, die aber immer da war. Es war mir leicht gefallen, ihr meine Geschichte zu erzählen, von Kara und Alice und von der forensischen Arbeit, die ich für Mackenzie erledigt hatte. Sie hatte kommentarlos zugehört und nur kurz meine Hand berührt, als ich fertig war.

«Ich glaube, du hast das Richtige getan», sagte sie und ließ ihre Hand einen Moment auf meiner liegen, ehe sie sie schnell zurückzog. Und dann hatten wir ohne Verschämtheit oder Verlegenheit begonnen, über etwas anderes zu sprechen.

Erst auf dem Rückweg war die Stimmung angespannter geworden. Jenny zog sich, je näher wir Manham kamen, immer weiter in sich zurück. Die Unterhaltung, die erst mühelos dahingeflossen war, wurde zäher und versiegte dann ganz.

«Ist alles okay?», fragte ich, als ich vor ihrem Haus anhielt.

Sie nickte, doch zu schnell. «Ja. Gute Nacht», sagte sie hastig und öffnete die Wagentür. Aber sie zögerte, ehe sie ausstieg.

«Entschuldige, aber ich … ich will einfach nichts überstürzen.»

Ich nickte benommen.

«Das soll nicht heißen, dass … dass ich nicht will …» Sie holte tief Luft. «Nur jetzt noch nicht, in Ordnung?» Sie schenkte mir ein unsicheres Lächeln. «Noch nicht.»

Bevor ich antworten konnte, hatte sie sich in den Wagen gebeugt und mir einen Kuss gegeben, eine flüchtige Berührung ihrer Lippen, ehe sie ins Haus eilte. Ich bekam keine Luft mehr und fühlte mich gleichzeitig beschwingt und schuldig.

Aber ihre Worte ließen mich auch aus einem anderen Grund nicht los. *Noch nicht*. Das war Linda Yates' Antwort gewesen, als ich gefragt hatte, ob sie von Lyn geträumt hatte. Ich sah sie eines Nachmittags wieder, während der trügerischen Ruhe, als das gesamte Dorf darauf wartete, dass etwas passierte. Sie lief gerade mit gedankenverlorener Miene die Hauptstraße entlang und bemerkte mich erst, als wir uns fast gegenüberstanden. Dann blieb sie abrupt stehen.

«Hallo, Linda. Wie geht es den Jungs?», fragte ich.

«Gut.» Ich wollte schon weitergehen, doch sie rief mich zurück. «Dr. Hunter …»

Ich wartete. Sie schaute sich schnell um und vergewisserte sich, dass niemand in Hörweite war. «Die Polizei … helfen Sie denen noch? Wie Sie gesagt haben?»

«Manchmal.»

«Haben Sie etwas herausgefunden?», platzte sie heraus.

«Linda, Sie wissen doch, dass ich Ihnen das nicht sagen darf.»

«Aber sie wurde noch nicht gefunden, oder? Lyn, meine ich.»

Sie fragte nicht aus purer Neugier. Sie war unverkennbar besorgt. «Soweit ich weiß, nicht.»

Sie nickte, schien aber nicht beruhigt zu sein.

«Warum?», fragte ich, obwohl ich es bereits zu ahnen begann.

«Nur so. Fiel mir gerade ein», murmelte sie und hastete schon wieder weiter.

Ich sah ihr, verwirrt durch diese Begegnung, nach. Ich hatte das ungute Gefühl, dass sie keine Neuigkeiten erwartet hatte, sondern eine Bestätigung. Und man musste mir nicht sagen, warum. Wie Sally Palmer war Lyn Metcalf schließlich in ihren Träumen aufgetaucht.

Aber ich tat das Gefühl schnell ab. So lange lebte ich noch nicht in Manham, dass ich schon begann, an Vorahnungen zu glauben oder Träumen eine echte Bedeutung beizumessen. Egal, ob ihren Träumen oder meinen. Eine Arroganz, die mir leicht fiel, denn mein Schlaf war in jüngster Zeit ungestört gewesen, meine Gedanken beim Aufwachen drehten sich um Jenny und die Zukunft. Mir war, als käme ich nach einer langen Zeit im Untergrund wieder an die frische Luft. Und so war ich trotz der Umstände völlig auf mich fixiert und konnte kaum anders, als optimistisch zu sein.

Zum Ende der Woche löste sich die träge Stimmung dann auf. Aufgrund des Zahnschemas wurde die Leiche des jungen Mannes identifiziert. Der zweiundzwanzigjährige Alan Radcliff war ein Doktorand der Ökologie aus Kent gewesen, der vor fünf Jahren verschwunden war. Er hatte sich zu Studienzwecken in der Gegend um Manham aufgehalten. Nun war er ein Teil dieser Gegend geworden. Nachdem ein Foto von ihm veröffentlicht wurde, konnten sich ein paar Dorfbewohner sogar an ihn erinnern; ein gut aussehender junger Mann mit einem gewinnenden Lächeln. Während er ein paar Wochen lang in den Sümpfen kampierte, war er zu einem vertrauten Gesicht im Dorf geworden und hatte das Leben der Dorfmädchen versüßt, ehe er weitergezogen war.

Nur dass er nirgendwohin gegangen war.

Manham reagierte auf diese neue Entwicklung beinahe kommentarlos. Nachdem die Identität des Opfers und seine Verbindung zu der Gegend bekannt war, musste niemand das Offensichtliche aussprechen: Der Fundort des Toten konnte nicht als Zufall abgetan werden. Die Dorfbewohner konnten sich nicht länger von diesem Skelett distanzieren, das die sprichwörtliche Leiche im eigenen Keller war.

Nach allem, was bereits passiert war, war das ein weiterer, unerwarteter Schlag. Und während er noch verdaut wurde, kam ein wesentlich schlimmerer.

Ich wollte gerade die Nachmittagssprechstunde beginnen, als mich der Anruf erreichte. Ich hatte erst am Tag zuvor mit Mackenzie gesprochen, nachdem die Leiche des Studenten identifiziert worden war, und es war ein Zeichen dafür, dass ich nicht mehr auf der Hut war und deshalb annahm, der Anruf müsste etwas damit zu tun haben. Selbst als er sagte, er müsste mich sofort treffen, kapierte ich nicht, worum es ging.

«Die Sprechstunde fängt gerade an», sagte ich, den Hörer zwischen Schulter und Ohr geklemmt, während ich ein Rezept unterschrieb. «Hat das nicht Zeit bis später?»

«Nein», sagte er, und bei dieser Unverblümtheit hörte ich auf zu schreiben. «Ich brauche Sie jetzt hier draußen, Dr. Hunter. So schnell wie möglich», fügte er abmildernd hinzu. Doch es war eindeutig, dass Höflichkeit im Moment nicht sein dringendstes Anliegen war.

«Was ist passiert?»

Es entstand eine Pause. Ich vermutete, dass er abwägte, wie viel er mir am Telefon sagen durfte.

«Wir haben sie gefunden», sagte er.

Es gibt ungefähr hunderttausend verschiedene Fliegenarten. Sie haben verschiedene Formen, verschiedene Größen und verschiedene Lebenszyklen. Zweiflügler oder Blaue und Grüne Schmeißfliegen, wie die bekanntesten Arten weithin genannt werden, gehören zur Familie der Calliphoridae. Sie brüten in verwesenden organischen Substanzen wie verdorbenen Nahrungsmitteln, Kot oder Aas. Im Grunde in fast allem. Die meisten Menschen verstehen nicht, wozu Fliegen gut sind. Sie nerven und übertragen Krankheiten und ernähren sich dabei unterschiedslos sowohl von frischem Dung wie von feinster Küche, wobei sie in beiden Fällen das Aufgenommene wieder hochwürgen und auf die Nahrung erbrechen.

Aber wie alles in der Natur haben auch die Fliegen ihre Aufgabe. So abstoßend es sein mag, sie spielen eine wichtige Rolle bei der Zersetzung von organischer Materie. Sie helfen, den Prozess der Auflösung zu beschleunigen und die toten Lebewesen wieder in die Rohstoffe zurückzuführen, aus denen sie zusammengesetzt sind. Sie sind das Recyclingsystem der Natur. Und als solches besitzen sie eine gewisse Eleganz in der unbeirrbaren Hingabe an ihre Aufgabe. Weit davon entfernt, im Kreislauf der Natur sinnlos zu sein, sind sie wichtiger als der Kolibri oder das Reh, von dem sie sich eines Tages ernähren werden. Und aus der forensischen Perspektive sind Fliegen nicht nur ein unvermeidliches Übel, sondern von unschätzbarem Wert.

Ich hasse sie.

Ich hasse sie nicht, weil ich sie lästig oder eklig finde, obwohl ich gegen diese Aspekte nicht immuner bin als jeder andere. Ich hasse sie auch nicht, weil sie uns ständig an unsere endgültige Bestimmung erinnern. Nein, ich hasse sie wegen des Lärms, den sie verursachen.

Die Musik der Fliegen war schon zu hören, als ich mich auf den Weg durch den Sumpf machte. Zuerst war sie eher spürbar als hörbar, ein dumpfes Brummen, das Teil der Hitze zu sein schien. Es wurde immer durchdringender, je näher ich dem Zentrum der Aktivität kam, ein unsinniges, idiotisches Summen, das in der Tonhöhe ständig zu schwanken schien, ohne sich tatsächlich zu verändern. Dann war die Luft mit umherjagenden Insekten erfüllt. Ich scheuchte sie fort, denn sie wurden sofort vom Schweiß auf meinem Gesicht angezogen. Mittlerweile war jedoch noch etwas anderes wahrzunehmen.

Der Gestank war ebenso vertraut wie abstoßend. Obwohl ich mir Menthol auf die Oberlippe gerieben hatte, drang er mir direkt in die Nase. Ich hatte einmal gehört, er gleiche dem Gestank eines überreifen Käses, der schwitzend in der Sonne liegt. Das stimmt nicht ganz. Aber besser kann man ihn nicht beschreiben.

Mackenzie begrüßte mich mit einem Nicken. Die Beamten der Spurensicherung gingen ihrer Aufgabe in grimmigem Schweigen nach, durch die Hitze in den luftundurchlässigen Overalls waren ihre Gesichter gerötet und feucht. Ich schaute hinab auf den Boden, wo der Grund für die ganze Aufregung, sowohl der schwitzenden Beamten als auch der umherschwirrenden Fliegen, lag.

«Wir haben sie noch nicht bewegt», sagte Mackenzie. «Ich wollte warten, bis Sie hier sind.»

«Was ist mit dem Pathologen?»

«Der ist gleich wieder verschwunden. Er meinte, sie wäre so verwest, dass er uns im Moment nicht mehr sagen könnte, als dass sie tot ist.»

Das war eindeutig richtig. Es war lange her, dass ich an einem Tatort gewesen war und etwas gesehen hatte, was noch vor kurzem ein lebendiger, atmender Mensch gewesen war. Sally Palmers Leiche war bereits abtransportiert worden, als ich am Fundort angekommen war, und die spätere Untersuchung in der sterilen Umgebung eines Labors war eine wesentlich klinischere Angelegenheit. Und die Überreste von Alan Radcliff hatten so lange unter der Erde gelegen, dass sie zu einem rein strukturellen Relikt geworden waren und kaum noch etwas Menschliches hatten. Dies war jedoch ein völlig anderer Fall. Dies war der Tod in seiner ausgeprägtesten und schrecklichsten Form.

«Wie haben Sie die Leiche gefunden?», fragte ich, während ich mir die Latexhandschuhe überstreifte. Den Overall hatte ich bereits im Wohnwagen angezogen, der in der Nähe abgestellt worden war. Wir befanden uns einige Meilen vom Dorf entfernt in einem öden Gebiet aus trockengelegtem Sumpf, das fast diametral entgegengesetzt zu dem Fundort der ersten Leiche lag. Gleichgültig glitzerte wenige hundert Meter weiter der See. Dieses Mal war ich vorbereitet gewesen und trug unter dem Overall nur Shorts. Trotzdem war ich nach dem kurzen Weg bereits schweißgebadet.

«Der Hubschrauber hat sie gesichtet. Totaler Zufall. Die Elektronik hatte irgendeinen Systemfehler, deswegen war er auf dem Rückflug. Sonst wäre er hier nicht rübergeflogen. Dieses Gebiet ist bereits durchsucht worden.»

«Wann?»

«Vor acht Tagen.»

Damit wussten wir, wie lange die Leiche höchstens hier liegen konnte. Vielleicht sagte es uns auch etwas über die Todeszeit, obwohl das weniger sicher war. Man wusste von Tätern, die Leichen an andere Orte schafften, manchmal öfter als einmal.

Ich zog den anderen Handschuh zurecht. Ich war fertig, freute mich aber nicht gerade auf die Aufgabe, die vor mir lag. «Glauben Sie, sie ist es?», fragte ich Mackenzie.

«Offiziell müssen wir auf eine Identifikation warten. Aber ich glaube nicht, dass großer Zweifel besteht.»

Das glaubte ich auch nicht. Es hatte schon eine Galgenfrist gegeben, als in dem Grab ein lange vermisster Student gelegen hatte. Irgendwie glaubte ich nicht, dass es eine zweite geben würde.

Lyn Metcalf war nicht zu erkennen. Ihre Leiche lag mit dem Gesicht nach unten, halb verborgen durch Sumpfgrasbüschel. Sie war nackt, nur an einem Fuß steckte ein einzelner Laufschuh, was unpassend und irgendwie mitleiderregend wirkte. Sie war schon seit mehreren Tagen tot, so viel war klar. Der Tod hatte seine üblichen grauenhaften Veränderungen herbeigeführt, eine umgekehrte Alchemie, die das Gold des Lebens in eine unedle und stinkende Materie verwandelte. Aber wenigstens hatte der Mörder diese Leiche nicht auf seine obzöne Weise geschmückt.

Es gab keine Schwanenflügel.

Ich schaltete den Teil von mir aus, der ständig versuchte, die Erinnerung an die lächelnde junge Frau, mit der ich erst vor knapp zehn Tagen zusammengestoßen war, über das reale Bild zu legen, und begann, die Leiche zu untersuchen. In der dunkel verfärbten Haut gab es mehrere Wunden, die aussahen wie Schnitte. Die auffälligste Wunde befand sich jedoch an der Kehle. Obwohl die Leiche mit dem Gesicht nach unten lag, war ihr Ausmaß nicht zu übersehen.

«Wissen Sie, wie lange sie schon tot ist?», fragte Mackenzie. «Nur ungefähr», fügte er hinzu, bevor ich etwas sagen konnte.

«Es ist noch weiches Gewebe vorhanden, außerdem hat die Hautablösung erst begonnen.» Ich deutete auf die Wunden, die nun brodelnde Madenkolonien waren. «Und bei dieser Larvenmenge können wir wahrscheinlich von sechs bis acht Tagen ausgehen.»

«Können Sie das genauer eingrenzen?»

Ich wollte ihn darauf hinweisen, dass er mich erst vor einer Sekunde um eine grobe Schätzung gebeten hatte, doch ich hielt mich zurück. Diese Sache war für keinen von uns angenehm. «Das Wetter war konstant, und wenn wir davon ausgehen, dass die Leiche nicht bewegt worden ist, würde ich bei dieser Hitze annehmen, dass es sechs oder sieben Tage gedauert hat, um dieses Stadium zu erreichen.»

«Und sonst?»

«Die gleiche Art von Wunden wie bei Sally Palmer, allerdings nicht ganz so viele. Durchtrennte Kehle, außerdem ist auch diese Leiche ziemlich ausgetrocknet. Offensichtlich etwas weniger, weil sie noch nicht so lange tot ist. Aber ich würde vorläufig vermuten, dass sie ausgeblutet worden ist.» Ich untersuchte die schwarz gewordene Vegetation im Umfeld der Leiche, die durch die alkalihaltigen, von der Leiche freigesetzten Chemikalien abgetötet worden war. «Wir müssen den Eisengehalt überprüfen, um sicherzugehen, aber ich nehme an, sie ist irgendwo anders getötet und dann hier deponiert worden, genau wie beim letzten Mal.»

«Würden Sie sagen, es war derselbe Täter?»

«Also, das kann ich Ihnen wirklich nicht sagen», entgegnete ich.

Mackenzie brummte etwas. Ich konnte seine Unruhe verstehen. In mancher Hinsicht ähnelte dieser Fall dem Mord an Sally Palmer, doch es gab genügend Abweichungen, die einen zweifeln ließen, ob derselbe Täter verantwortlich war. Soweit wir bisher sehen konnten, gab es keine Gesichtsverletzungen. Noch wichtiger und auffällig war, dass der beim ersten Mord offensichtliche Vogel- oder Tierfetisch hier fehlte. Für die Ermittlung warf das beunruhigende Probleme auf. Entweder war etwas geschehen, was den Mörder gezwungen hatte, seine Methode zu ändern, oder er war so unberechenbar, dass seine Handlungen keinem Muster folgten. Die dritte Möglichkeit war, dass die Morde das Werk verschiedener Menschen waren.

Keine dieser Varianten gab viel Grund zu Optimismus.

Mit dem monotonen Gebrumm der Fliegen im Hintergrund nahm ich meine Proben. Als ich mich wieder aufrichtete, waren meine Gelenke und Muskeln steif vom Niederkauern.

«Fertig?», fragte Mackenzie.

«So ziemlich.»

Ich trat zurück. Der nächste Schritt war immer unangenehm. Alles, was getan werden konnte, ohne die Leiche zu bewegen, war erledigt; Fotos und Messungen waren gemacht worden. Jetzt kam der Moment, wo wir sehen sollten, was darunter lag. Die Beamten der Spurensicherung begannen vorsichtig, die Leiche umzudrehen. Einmal aufgescheucht, wurde das Summen der Fliegen hektischer.

«O Gott!»

Ich wusste nicht, wer das gesagt hatte. Jeder der hier Anwesenden hatte reichlich Berufserfahrung, und doch glaube ich nicht, dass irgendjemand von uns schon einmal so etwas gesehen hatte. Die Vorderseite des Opfers war für die Versehrung reserviert worden. Der Unterbauch war aufgeschnitten worden, und als die Leiche umgedreht wurde, quollen mehrere Objekte aus der klaffenden Wunde. Einer der Beamten wandte sich schnell würgend ab. Für einen Augenblick rührte sich niemand. Dann gewann die Professionalität wieder die Oberhand.

«Was zum Teufel ist das?», fragte Mackenzie mit einer gedämpften, geschockten Stimme. Sein sonnenverbranntes Gesicht war weiß geworden. Ich schaute auf die Wunde, konnte aber immer noch nichts sagen. Das lag außerhalb meiner Erfahrung.

Es war einer der Beamten der Spurensicherung, der es als Erster erkannte. «Das sind Karnickel», sagte er. «Karnickeljunge.»

Mackenzie kam zu mir, als ich mit einer gekühlten Wasserflasche in der offenen Hecktür des Landrovers saß. Ich hatte getan, was ich im Moment tun konnte. Es war eine Erleichterung gewesen, endlich den Overall auszuziehen. Doch obwohl ich mich im Wohnwagen der Polizei gewaschen hatte, fühlte ich mich immer noch unsauber. Und nicht nur wegen der Hitze. Er setzte sich neben mich, ohne etwas zu sagen. Ich trank einen weiteren Schluck Wasser, während er eine Packung Minzbonbons öffnete.

«Tja», sagte er schließlich. «Wenigstens ist jetzt klar, dass es derselbe Täter war.»

«Es gibt doch immer einen Silberstreif am Horizont, was?» Es klang barscher, als ich es gemeint hatte. Er schaute mich an.

«Alles okay?»

«Ich bin nur etwas aus der Übung.»

Ich dachte, er würde sich entschuldigen, weil er mich in die Sache hineingezogen hatte, aber das tat er nicht. Das Schweigen zog sich eine Weile in die Länge, ehe er wieder sprach. «Lyn Metcalf wurde seit neun Tagen vermisst. Wenn sie seit sechs oder sieben Tagen tot ist, wie Sie sagen, dann hat er sie mindestens zwei Tage gefangen gehalten. Vielleicht drei. Genauso lange wie Sally Palmer.»

«Ich weiß.»

Er starrte in die Ferne, wo die Oberfläche des Sees wie Quecksilber in der Hitze schimmerte. «Warum?»

«Ich kann Ihnen nicht folgen.»

«Warum lässt er sie so lange am Leben? Warum geht er dieses Risiko ein?»

«Ich erzähle Ihnen bestimmt nichts Neues, aber wir haben es hier nicht gerade mit einem Menschen zu tun, der bei klarem Verstand ist.»

«Nein, aber er ist nicht dumm. Warum verhält er sich so?» Er kaute auf seiner Lippe und sah verärgert aus. «Ich kapiere nicht, was hier los ist.»

«Inwiefern?»

«Wenn Frauen verschleppt und getötet werden, gibt es normalerweise ein sexuelles Motiv. Diese Fälle passen aber nicht in das übliche Muster.»

«Sie glauben also nicht, dass die Frauen vergewaltigt worden sind?» Bei dem Zustand der zweiten Leiche würde man das genauso wenig herausfinden können wie bei Sally Palmer. Doch es wäre ein kleiner Trost, wenn den Opfern wenigstens das erspart geblieben wäre.

«Das habe ich nicht gesagt. Findet man eine unbekleidete Frauenleiche, kann man mit ziemlicher Sicherheit davon ausgehen, dass es zu irgendeiner Form von sexuellem Übergriff gekommen ist. Aber der durchschnittliche Sexualtäter tötet seine Opfer, sobald er sich befriedigt hat. Sehr selten gibt es welche, die ihre Opfer gefangen halten, bis sie ihnen langweilig werden. Was dieser Täter jedoch tut, ergibt keinen Sinn.»

«Vielleicht muss er erst den Mut fassen.»

Mackenzie schaute mich einen Moment stumm an. Er zuckte mit den Achseln. «Vielleicht. Aber einerseits haben wir jemanden, der intelligent genug ist, zwei Frauen zu schnappen und die Suchaktion durch Fallen zu stören, andererseits bemüht er sich nicht, die Leichen anständig loszuwerden. Und was ist mit den Versehrungen? Was steckt dahinter?»

«Das müssen Sie die Psychologen fragen, nicht mich.»

«Das werde ich, keine Sorge. Aber ich befürchte, die wissen auch nicht mehr. Will er angeben? Oder ist er einfach achtlos? Mir kommt es vor, als hätten wir es mit zwei widersprüchlichen Mentalitäten zu tun.»

«Ein Schizophrener, meinen Sie?»

Er runzelte die Stirn. «Glaube ich nicht. Jemand, der wirklich geistig krank ist, wäre längst aufgefallen. Und ich bin mir nicht sicher, ob so jemand zu diesen Taten fähig wäre.»

«Da ist noch etwas», sagte ich. «Er hat zwei Frauen innerhalb – was waren es? – von weniger als drei Wochen getötet. Und die zweite nur zehn, elf Tage nach der ersten. Das ist nicht …» Ich wollte schon ‹normal› sagen, aber dieses Wort konnte man unmöglich in diesem Zusammenhang benutzen. «Das ist ungewöhnlich, oder? Sogar für einen Serienmörder.»

Mackenzie sah müde aus. «Nein. Nein, das ist nicht ungewöhnlich.»

«Aber wie kommt es, dass er plötzlich in so einen Rausch gerät? Was ist der Auslöser gewesen?»

«Wenn ich das wüsste, dann hätten wir das Arschloch schon halb geschnappt.» Er stand auf und zuckte zusammen, als er sich das Kreuz massierte. «Ich lasse die Leiche ins Labor bringen. Wahrscheinlich bis morgen, okay?»

Ich nickte. Doch als er wegging, rief ich ihn zurück. «Was ist mit den toten Vögeln und Tieren? Werden Sie jetzt damit an die Öffentlichkeit gehen?»

«Solche Details können wir nicht veröffentlichen.»

«Auch dann nicht, wenn er sie dafür benutzt, um seine Opfer im Voraus zu markieren?»

«Das wissen wir nicht mit Sicherheit.»

«Sie haben mir erzählt, dass auf Sally Palmers Schwelle ein Wiesel gelegen hat. Und Lyn Metcalf hat ihrem Mann einen Tag vor ihrem Verschwinden erzählt, dass sie einen toten Hasen gefunden hat.»

«Sie haben selbst gesagt, wir sind auf dem Land. Hier sterben ständig Tiere.»

«Aber sie binden sich nicht selbst an Steine oder krabbeln in den Bauch einer ermordeten Frau.»

«Wir wissen trotzdem nicht, ob er die Tiere benutzt, um seine Opfer im Voraus zu markieren.»

«Aber wenn diese Möglichkeit besteht, sollte man dann nicht die Leute warnen?»

«Und dann? Sollen wir alle Spinner und Trittbrettfahrer einladen, unsere Zeit zu verschwenden? Jedes Mal, wenn ein blöder Igel überfahren wird, würden bei uns die Telefone heißlaufen.»

«Und wenn Sie es nicht tun, könnte er unbemerkt ein weiteres Opfer markieren. Wenn er es nicht bereits getan hat.»

«Das ist mir klar, aber die Leute sind schon verängstigt genug. Ich werde keine Panik auslösen.»

Aber in seiner Stimme schwang auch Zweifel mit. «Er wird es wieder tun, nicht wahr?», sagte ich.

Für einen Augenblick glaubte ich, er würde tatsächlich antworten. Doch dann wandte er sich ohne ein Wort ab und ging davon.

KAPITEL 17

DIE NACHRICHT, dass Lyn Metcalfs Leiche gefunden worden war, schlug in Manham ein wie eine lautlose Bombe. Angesichts dessen, was mit Sally Palmer geschehen war, konnte eigentlich niemand sehr überrascht sein, aber das minderte den Schock nicht. Und während Sally trotz ihrer Bekanntheit eine Fremde gewesen war, eine Zugezogene, war Lyn hier geboren worden. Sie war hier zur Schule gegangen und hatte in der Dorfkirche geheiratet. Sie war ein Teil Manhams, wie es Sally nie hätte werden können. Ihr Tod – ihre Ermordung – ging den Leuten wesentlich näher. Man konnte nicht mehr so tun, als hätte das Opfer die Saat ihres Schicksals irgendwie von außerhalb importiert. Nun trauerte das Dorf um eine der ihren.

Und fürchtete ein weiteres Opfer.

Niemand konnte noch daran zweifeln, dass in Manham etwas Unerhörtes und Schreckliches geschah. Wenn so etwas einer Frau passierte, war es schlimm genug. Dass es zwei Frauen passierte, so kurz nacheinander, war beispiellos. Plötzlich waren wir wieder eine Nachricht wert. Das Dorf fand sich erneut im Rampenlicht wieder, ein kollektiver Verkehrsunfall, den sich die Öffentlichkeit anglotzen konnte. Wie alle Opfer reagierte das Dorf erst perplex, dann abwehrend.

Und schließlich wütend.

Da es kein anderes Ventil gab, ging die Bevölkerung auf

die Fremden los, die von ihrem Unglück angezogen wurden. Nicht auf die Polizei, obwohl bereits Unmut über ihre Machtlosigkeit aufkam. Doch die Medien besaßen keine Immunität. Deren fiebrige Gier nach Neuigkeiten schien für viele nicht nur einen Mangel an Respekt, sondern auch Verachtung zu zeigen. Man begegnete ihnen mit einer Feindseligkeit, die sich zuerst in versteinerten Mienen und versiegelten Mündern manifestierte, aber schon bald unverhohlener wurde. Während der nächsten Tage gingen unbewachte Ausrüstungsgegenstände entweder verloren oder erlitten mysteriöse Schäden. Kabel wurden zerschnitten, Reifen durchstochen, Benzintanks mit Zucker versetzt. Eine hartnäckige Reporterin, deren stark geschminkte Lippen ständig und unangemessen zu lächeln schienen, musste nach einem Steinwurf am Kopf genäht werden.

Niemand hatte etwas gesehen.

Aber das alles war nur ein Symptom, ein oberflächlicher Ausdruck des eigentlichen Unbehagens. Nach Jahrhunderten der Abgeschiedenheit und der Gewissheit, sich jederzeit auf sich selbst verlassen zu können, konnten sich die Bürger Manhams nun gegenseitig nicht mehr trauen. War das Misstrauen vorher ansteckend gewesen, so drohte es nun, zur Seuche zu werden. Alte Fehden und Rivalitäten gewannen an Gehässigkeit. Eines Abends, als der Rauch eines Grills in den falschen Garten zog, brach zwischen drei Generationen zweier Familien eine Prügelei aus. Eine Frau rief hysterisch die Polizei an, die schließlich herausfand, dass ihr ‹Verfolger› ein Nachbar gewesen war, der seinen Hund ausgeführt hatte. In zwei Häusern wurden Fenster mit Ziegelsteinen eingeworfen; in einem Fall aufgrund einer Beleidigung, während im anderen Fall kein Grund festzustellen war oder nie zugegeben wurde.

Und vor diesem Hintergrund schien ein Mann mit jedem Tag zu wachsen. Scarsdale war zur Stimme Manhams geworden. Während alle anderen die Medien mieden, legte er keinerlei Zurückhaltung an den Tag und stellte sich vor jede Kamera und jedes Mikrophon. Er spielte alle Seiten gegeneinander aus. Er prangerte sowohl das Scheitern der Polizei an, die den Mörder nicht fassen konnte, als auch die moralische Selbstgefälligkeit, die seiner Meinung nach zu dieser Situation geführt hatte. Und zu guter Letzt – sich der Ironie dieser Vorwürfe anscheinend nicht bewusst – beschuldigte er die Medien, die diese Tragödie ausbeuteten. Jedem anderen hätte man vorgeworfen, öffentlichkeitshungrig zu sein. Doch obwohl einige wenige hinter vorgehaltener Hand über die Bereitwilligkeit murrten, mit der er seine zweifelhaften Ansichten aller Welt mitteilte, erhielt unser guter Herr Pfarrer immer mehr Zulauf. Seine Stimme donnerte mit der Entrüstung, die ein jeder empfand, und was seine Reden an Sinn und Verstand vermissen ließen, machte er durch Leidenschaft und Lautstärke mehr als wett.

Trotzdem erwartete ich – etwas naiv vielleicht –, dass er sich seine radikaleren Ansichten für die Kanzel aufsparte. Doch ich hatte nicht nur Scarsdales Fähigkeit zur Überraschung unterschätzt, sondern auch seine Entschlossenheit, seine neu erworbene Bedeutung auszubauen. Und so war ich so unvorbereitet wie alle anderen, als er eine öffentliche Versammlung in der Gemeindehalle ankündigte.

Sie fand am Montag nach der Entdeckung von Lyn Metcalfs Leiche statt. Am Tag zuvor hatte es in der Kirche einen Gedenkgottesdienst für sie gegeben. Ich war überrascht, dass sich Scarsdale dieses Mal, anders als bei Sally Palmer, geweigert hatte, die Medien zuzulassen. Zynischerweise hatte ich gedacht, dass er mit dieser Maßnahme nicht so sehr Rücksicht auf die Hinterbliebenen genommen hatte, sondern eher die Medien auf die Folter spannen wollte. Als ich mich der Gemeindehalle näherte, sah ich, dass ich Recht gehabt hatte.

Die Halle war ein niedriger Zweckbau, der etwas zurückgesetzt hinter dem Dorfplatz lag. Am Morgen auf dem Weg ins Labor hatte ich Scarsdale draußen gesehen, wie er Tom Mason herrisch durch den Garten dirigiert hatte. Jetzt lag der Geruch von frisch gemähtem Gras in der Luft, und die Eibenhecken waren ordentlich beschnitten. Der gute George und sein Enkel waren offenbar auf Trab gehalten worden. Selbst der bereits makellose Rasen des Dorfplatzes war noch einmal gemäht worden, sodass die Fläche unter dem weit ausholenden Geäst der alten Kastanie und um den Stein der Märtyrerin beinahe wie eine Parkanlage aussah.

Aber ich bezweifelte, dass es unseretwegen getan worden war. Da sie zum Gedenkgottesdienst nicht zugelassen gewesen waren, stürzten sich die Medien nun auf die öffentliche Versammlung. Und die war im Grunde eher eine Pressekonferenz, merkte ich, als ich in die Halle ging. Rupert Sutton stand schwitzend und rachitisch atmend am Eingang und bewachte die Tür. Er nickte mir widerwillig zu; bestimmt wusste er, dass ich Scarsdale gegen mich aufgebracht hatte.

Drinnen war es bereits voll und heiß. Am anderen Ende befand sich eine kleine Bühne, auf der ein Tapeziertisch und zwei Stühle standen. Vor einem der Stühle war ein Mikrophon aufgebaut worden. Vor der Bühne waren mehrere Reihen Holzklappstühle aufgestellt worden, die an den Seiten und am Ende der Halle genügend Raum für die Fernsehteams und die Journalisten ließen.

Als ich ankam, waren schon alle Stühle besetzt, aber in

einer Ecke, wo es etwas mehr Platz gab, sah ich Ben stehen. Ich bahnte mir einen Weg zu ihm.

«Ich hätte nicht gedacht, dich hier zu sehen», sagte ich, als wir uns in der überfüllten Halle umsahen.

«Ich dachte, ich höre mal, was der erbärmliche Scheißkerl zu sagen hat. Mal gucken, was für einen giftigen Mist er sich diesmal zusammengereimt hat.»

Er überragte die meisten anderen Leute um einen Kopf. Mir fiel auf, dass ein paar der Kamerateams zu ihm herüberschauten, aber anscheinend wollte niemand sein Glück mit einem Interview versuchen. Vielleicht wollten sie auch nur nicht riskieren, ihre Plätze zu verlieren.

«Sieht nicht so aus, als wäre jemand von der Polizei hier», sagte Ben. «Man hätte doch gedacht, die zeigen sich wenigstens.»

«Sie sind nicht eingeladen worden», sagte ich ihm. Mackenzie hatte mir das erzählt. Er war nicht glücklich darüber gewesen, aber an höherer Stelle war die Entscheidung getroffen worden, sich nicht einzumischen. «Nur die Bewohner Manhams.»

«Komisch, manche der Nachbarn hab ich noch nie gesehen», sagte er und schaute zu der Armada der Kameras und Mikrophone. Er seufzte und zog am Kragen seines Hemdes. «Gott, ist es heiß hier. Hast du danach Lust auf ein Bier?»

«Danke, aber ich kann nicht.»

«So spät noch Patienten?»

«Äh, nein, ich treffe mich mit Jenny. Du hast sie letzte Woche kennen gelernt.»

«Ich weiß, die Lehrerin.» Er grinste. «Ihr seht euch aber ziemlich oft, oder?»

Mir war bewusst, dass ich rot geworden war wie ein Teenager. «Wir sind nur Freunde.»

«Na klar.»

Ich war froh, als er das Thema wechselte. Er schaute auf seine Uhr. «Hätte ich mir denken können, dass er uns warten lässt. Was hat er deiner Meinung nach vor?»

«Das werden wir gleich erfahren», sagte ich, als eine Tür hinter der Bühne aufging.

Aber herein kam nicht Scarsdale, sondern Marcus Metcalf. Im Saal wurde es schlagartig still. Lyn Metcalfs Ehemann sah schrecklich aus. Er war ein großer Mann, doch durch die Trauer schien er geschrumpft zu sein. In seinem zerknitterten Anzug ging er so langsam, als hätte er eine schlimme Verletzung. Als ich ihn besucht hatte, kurz nachdem die Polizei ihm die Todesnachricht überbracht hatte, schien er mich kaum wahrzunehmen. Ein Beruhigungsmittel hatte er abgelehnt, was ich ihm nicht verdenken konnte. Manche Wunden konnten nicht betäubt werden, und wenn man es versuchte, machte man sie nur schlimmer. Aber wenn ich ihn nun anschaute, fragte ich mich, ob er doch etwas genommen hatte. Er sah benommen und geschockt aus, ein Mann, der in wachem Zustand in einem Albtraum gefangen war.

Es blieb totenstill, während Scarsdale Marcus auf die Bühne folgte. Ihre Schritte hallten auf den Holzdielen wider. Als sie sich dem Tisch näherten, legte der Pfarrer eine Hand stützend – besitzergreifend, dachte ich automatisch – auf die Schulter des jüngeren Mannes. Ich hatte eine dunkle Ahnung, denn durch die Anwesenheit des Ehemanns des letzten Opfers würde alles, was Scarsdale im Schilde führte, wesentlich mehr Überzeugungskraft erhalten.

Scarsdale lotste ihn zu einem der Stühle. Zu dem ohne Mikrophon, fiel mir auf. Er wartete, bis Marcus Platz genommen hatte, ehe er sich selbst hinsetzte. Er klopfte einmal auf das Mikrophon, sich vergewissernd, dass es funktionierte, und musterte dann seelenruhig die Leute vor sich.

«Ich danke Ihnen allen, dass Sie …» Das leise Jaulen einer Rückkopplung ließ ihn zurückweichen. Ärgerlich legte er die Stirn in Falten und schob das Mikrophon etwas von sich weg, bevor er fortfuhr. «Ich danke allen für ihr Kommen. Dies ist eine Zeit der Trauer, die ich unter normalen Umständen respektieren würde. Aber leider sind die Umstände alles andere als normal.»

Verstärkt klang seine Stimme noch sonorer als sonst. Während er sprach, schaute Lyn Metcalfs Ehemann auf den Tisch, als wäre er sich keines anderen Menschen im Saal bewusst.

«Ich werde mich kurz fassen, aber was ich zu sagen habe, betrifft uns alle. Es betrifft jeden in diesem Dorf. Ich möchte nur darum bitten, mich erst anzuhören, bevor Fragen gestellt werden.» Scarsdale hatte niemanden von der Presse angesehen, aber es war offensichtlich, an wen der letzte Punkt gerichtet war.

«Nun sind zwei Frauen, die wir alle gekannt haben, getötet worden», fuhr er fort. «So schwer es auch zu fassen sein mag, wir können nicht länger die Tatsache verleugnen, dass aller Wahrscheinlichkeit nach jemand aus diesem Dorf für die Taten verantwortlich ist. Die Polizei ist offensichtlich unfähig, vielleicht auch nicht willens, die nötigen Schritte zu unternehmen. Aber wir können uns nicht länger zurücklehnen, während Frauen verschleppt und ermordet werden.»

Mit einer bedächtigen, beinahe übertriebenen Geste deutete Scarsdale auf den Mann neben ihm. «Wir wissen alle, welchen Verlust Marcus erlitten hat. Welchen Verlust die Familie seiner Frau erlitten hat, deren Tochter, deren Schwester aus ihrer Mitte gerissen wurde. Das nächste Mal könnte es eure Frau sein. Oder eure Tochter. Oder eure Schwester. Wie lange wollen wir diesen Gräueltaten noch untätig zuschauen? Wie viele Frauen müssen noch sterben? Eine? Zwei? Noch mehr?»

Er starrte finster ins Publikum, als erwartete er eine Antwort. Nachdem niemand etwas sagte, wandte sich Scarsdale an Lyn Metcalfs Ehemann und murmelte ihm etwas zu. Der Mann blinzelte, als wache er auf. Er schaute ausdruckslos in den vollen Saal. «Du möchtest etwas sagen, nicht wahr, Marcus?», half ihm der Pfarrer und stellte das Mikrophon vor ihm ab.

Marcus schien zu sich zu kommen. Er sah gehetzt aus. «Er hat Lyn umgebracht. Er hat meine Frau umgebracht. Er …» Seine Stimme stockte. Tränen liefen seine Wangen hinab. «Er muss gestoppt werden. Wir müssen ihn finden und … und …»

Scarsdale legte ihm eine Hand auf den Arm, entweder um ihn zu trösten oder um ihn zurückzuhalten. Als er das Mikrophon wieder zu sich zog, sah der Pfarrer zutiefst zufrieden aus.

«Genug ist genug», sagte er ruhigen, gemessenen Tones. «Genug … ist … *genug*!» Um seine Worte zu betonen, schlug er dazu langsam im Takt auf den Tisch. «Die Zeit des Stillhaltens ist vorbei. Gott prüft uns. Unsere Schwäche und unsere Selbstgefälligkeit haben es dieser Kreatur erlaubt, sich als Mensch verkleidet unter uns zu mischen. Um ungestraft und voller Verachtung zuzuschlagen. Und warum? Weil er weiß, dass er es kann. Weil er sieht, wie schwach wir sind. Und er fürchtet die Schwäche nicht.»

Das Mikrophon machte einen Satz, als er mit der Faust auf den Tisch knallte.

«Nun ist es an der Zeit, dass wir ihn das Fürchten lehren.

Nun ist es an der Zeit, dass wir Stärke zeigen! Manham ist schon zu lange Opfer gewesen! Wenn die Polizei uns nicht schützen kann, dann müssen wir uns selbst schützen! Es ist unsere Pflicht, diese Kreatur auszumerzen!»

Sein Geschrei ging in ein Geheul aus Rückkopplungen über. Als er sich zurücklehnte, geriet der Saal in Aufruhr. Viele Leute sprangen von ihren Stühlen auf, applaudierten und bekundeten lautstark ihre Zustimmung. Während die Kameras aufblitzten und die Journalisten Fragen riefen, blieb Scarsdale in der Mitte der Bühne sitzen und begutachtete sein Werk. Einen Augenblick lang schaute er mich direkt an. Seine Augen funkelten verzückt. Und triumphierend, dachte ich.

Unbemerkt bahnte ich mir einen Weg hinaus.

«Ich kann diesen Mann einfach nicht verstehen», sagte ich wütend. «Er scheint die Leute eher aufstacheln als beruhigen zu wollen. Was ist nur mit ihm los?»

Jenny warf einer Ente, die zu unserem Tisch gewatschelt war, ein Stück Brot zu. Wir saßen in einem Pub am Ufer des Bure, einem der sechs Flüsse, die durch die Broads flossen. Wir hatten beide nicht in Manham bleiben wollen, und obwohl wir nur ein paar Meilen entfernt waren, hatte man das Gefühl, in einer anderen Welt zu sein. Am Flussufer waren Boote festgemacht, in der Nähe spielten Kinder, und die Tische waren mit plaudernden und lachenden Leuten besetzt. Ein englischer Bilderbuchpub, ein englischer Bilderbuchsommer. Was für ein Unterschied zu der bedrückenden Atmosphäre, die wir zurückgelassen hatten.

Jenny gab der Ente die letzten Krümel. «Er hat es geschafft, dass die Leute ihm zuhören. Vielleicht ist es das, was er will.»

«Aber merkt er denn nicht, was er da tut? Ein Mann liegt schon im Krankenhaus, weil ein paar Idioten die Sicherungen durchgebrannt sind – und er ermutigt das Dorf, eine Bürgerwehr aufzustellen! Und missbraucht Marcus Metcalf, um Unterstützung zu kriegen!»

Ich erinnerte mich, dass Scarsdale schon bei der Suche nach Metcalfs Frau an Marcus' Seite gestanden hatte. Ich traute es unserem Pfarrer zu, dass er ihn schon damals instruiert und so die Ausbeutung der Tragödie des Ehemannes vorbereitet hatte. Jetzt bereute ich, nicht mit Marcus gesprochen zu haben, als Lyn verschwand. Ich hatte ihn in seinem Kummer nicht belästigen wollen, aber ich konnte nicht verleugnen, dass mich auch ein gewisser Egoismus davon abgehalten hatte. Ihn damals zu sehen, war eine schmerzhafte Erinnerung an meinen eigenen Verlust gewesen. Doch indem ich mich fern gehalten hatte, hatte ich Scarsdale freie Bahn gelassen. Und die Gelegenheit hatte er beim Schopf gepackt.

«Glaubst du wirklich, dass es ihm darum geht? Will er wirklich die Leute aufstacheln?», fragte Jenny. Sie war nicht bei der Versammlung gewesen, weil sie das Gefühl hatte, noch nicht lange genug im Dorf zu leben, um an so etwas teilzunehmen. Aber ich glaube, auch die Aussicht auf die Menschenmenge hatte sie fern gehalten.

«So hat es jedenfalls geklungen. Aber ich weiß eigentlich nicht, warum ich überrascht bin. Gift und Galle zu spucken macht immer mehr Eindruck, als die andere Wange hinzuhalten. Und er hat jahrelang jeden Sonntag vor leeren Kirchenbänken gepredigt. Jetzt wird er sich die Gelegenheit nicht entgehen lassen, um allen zu beweisen, dass er schon immer Recht gehabt hat.»

«Das klingt ja so, als wäre er nicht der Einzige, der außer sich ist.»

Mir war gar nicht bewusst gewesen, wie wütend mich Scarsdale gemacht hatte. «Entschuldige. Ich mache mir nur Sorgen, dass jemand etwas Dummes tut.»

«Du kannst sowieso nichts daran ändern. Du bist nicht das Gewissen des Dorfes.»

Sie klang abgelenkt. Ich hatte den Eindruck, dass sie schon den ganzen Abend still gewesen war. Ich schaute auf ihr Profil, auf das zarte Muster der Sommersprossen auf Wange und Nase; ich betrachtete die feinen blonden Härchen auf ihrem Unterarm, die sich, von der Sonne gebleicht, von ihrer gebräunten Haut abhoben. Sie starrte in die Ferne, versunken in irgendeinen inneren Dialog.

«Stimmt was nicht?», fragte ich.

«Nein. Ich denke nur nach.»

«Worüber denn?»

«Ach … nichts Besonderes.» Sie lächelte, aber sie wirkte angespannt. «Du, hast du was dagegen, wenn wir zurückfahren?»

Ich versuchte meine Überraschung zu verbergen. «Nein, wenn du willst.»

«Bitte.»

Wir fuhren schweigend zurück. In meiner Magengrube spürte ich eine Leere. Ich verfluchte mich, dass ich so ein Theater um Scarsdale gemacht hatte. Kein Wunder, dass es ihr reichte. *Großartig, jetzt hast du es vermasselt. Glückwunsch.*

Es begann bereits zu dämmern, als wir Manham erreichten. Ich blinkte, um in ihre Straße abzubiegen.

«Nein, nicht», sagte sie. «Ich … ich dachte, du könntest mir zeigen, wo du wohnst.»

Es dauerte einen Moment, ehe ich verstand. «Okay.»

Meine Stimme war belegt. Als ich den Wagen parkte,

war meine Kehle wie zugeschnürt. Der dezente Moschusduft ihres Parfüms machte mich benommen. Ich schloss die Haustür auf und trat zurück, um sie hereinzulassen.

Sie ging in das kleine Wohnzimmer. Ich spürte, dass sie genauso nervös war wie ich.

«Möchtest du etwas trinken?»

Sie schüttelte den Kopf. Verlegen standen wir da. *Tu etwas.* Aber ich konnte nicht. In dem Zwielicht konnte ich sie nicht deutlich sehen. Nur ihre Augen, die im Halbdunkel leuchteten. Wir sahen uns an, ohne uns zu rühren. Als sie sprach, schwankte ihre Stimme.

«Wo ist das Schlafzimmer?»

Jenny war anfangs zu aufgeregt und zitterte am ganzen Leib. Als sie sich allmählich zu entspannen begann, wurde auch ich ruhiger. Zuerst versuchte sich die Erinnerung an vertraute Berührungen und Gerüche wie eine Schablone über mich zu legen. Doch dann setzte sich die Gegenwart durch und verdrängte alles andere. Danach lag Jenny an mich geschmiegt und atmete sanft gegen meine Brust. Ich spürte, wie ihre Hände mein Gesicht ertasteten und die feuchte Spur auf meiner Wange bemerkten.

«David …?»

«Nichts, es ist nur …»

«Ich weiß. Schon gut.»

Und das war es. Ich lachte und umarmte sie und hob dann ihren Kopf. Wir küssten uns lang und innig, und als wir erneut zueinander fanden, versiegten unbemerkt meine Tränen.

Irgendwann in dieser Nacht, während wir zusammen im Bett lagen, glaubte Tina am anderen Ende des Dorfes, ein Geräusch im Garten zu hören. Wie Jenny war sie der Versammlung in der Gemeindehalle ferngeblieben. Mit einer Flasche Weißwein und einer Tafel Schokolade hatte sie es sich zu Hause gemütlich gemacht. Eigentlich hatte sie aufbleiben wollen, bis Jenny nach Hause kam, um sofort zu erfahren, wie der Abend verlaufen war. Doch während sie sich die DVD anschaute, die sie sich ausgeliehen hatte, musste sie gähnen und entschied, ins Bett zu gehen. Als sie dann den Fernseher ausstellte, hörte sie draußen ein Geräusch.

Tina war nicht dumm. Es lief ein Mörder frei herum, der bereits zwei Frauen umgebracht hatte. Sie öffnete die Tür nicht. Stattdessen schnappte sie sich das Telefon, schaltete das Licht aus und ging zum Fenster. Mit dem Telefon in der Hand, jederzeit bereit, die Polizei anzurufen, spähte sie vorsichtig in den Garten.

Nichts. Es war Vollmond und trotz der späten Stunde hell draußen. Im Garten und auf der Koppel dahinter war nichts Bedrohliches zu sehen. Trotzdem schaute sie noch eine Weile hinaus, ehe sie zu der Überzeugung gelangte, dass sie sich getäuscht hatte.

Erst am nächsten Morgen sah sie es. Mitten auf dem Rasen lag ein toter Fuchs. So, wie er dort platziert war, sah es beinahe arrangiert aus. Wenn sie von den Schwanenflügeln oder der Wildente oder den anderen toten Kreaturen gewusst hätte, mit denen der Mörder seine Werke geschmückt hatte, hätte Tina nicht getan, was sie als Nächstes tat.

Aber sie wusste nichts davon. Als echtes Mädchen vom Land lud sie den toten Fuchs auf eine Schaufel und warf ihn in die Mülltonne. Den Wunden nach zu urteilen, war er wahrscheinlich in den Garten gekrochen, nachdem er von einem Hund angefallen worden war, dachte sie. Vielleicht war er auch überfahren worden. Sie hätte es dennoch Jenny gegenüber erwähnen können, und wenn nur nebenbei. Und die hätte es mir erzählen können. Doch Jenny war an diesem Abend nicht nach Hause gekommen. Jenny war immer noch bei mir, und als Tina sie wiedersah, ging es selbstverständlich um ein ganz anderes Thema als um tote Tiere.

Deshalb erzählte Tina niemandem von dem toten Fuchs. Erst Tage später, als die Bedeutung ihrer Entdeckung offensichtlich wurde, erinnerte sie sich wieder daran.

Aber da war es schon zu spät.

KAPITEL 18

AM NÄCHSTEN TAG passierten zwei Dinge. Für den meisten Gesprächsstoff sorgte das erste Ereignis. Zu jeder anderen Zeit wäre es eine Quelle aufgeregten Tratsches und endloser Erzählungen und Nacherzählungen gewesen, ehe es in die Folklore Manhams eingegangen wäre, ein Kapitel der Dorfgeschichte, über das man in den kommenden Jahrzehnten gelacht und den Kopf geschüttelt hätte. Doch in dieser Situation hatte die Sache wesentlich ernstere Auswirkungen als die äußeren Verletzungen, die sie verursacht hatte.

Ben Anders und Carl Brenner waren bei einer Konfrontation, die überfällig gewesen war, aufeinander losgegangen.

Zum Teil lag es am Alkohol, zum Teil an ihrer Feindseligkeit und zum Teil an der Belastung der vergangenen Tage. Die beiden Männer hatten nie einen Hehl daraus gemacht, dass sie sich nicht leiden konnten, und unter den unnatürlichen Spannungen im Dorf waren schon Leute aneinander geraten, deren gegenseitige Abneigung wesentlich harmloser war. Es geschah im Lamb, kurz vor der Sperrstunde. Ben hatte gerade einen Whisky als Absacker bestellt, nachdem er, zugegebenermaßen, ein oder zwei Pints mehr als sonst getrunken hatte. Er hatte einen höllischen Tag im Naturschutzgebiet hinter sich gehabt, wo er einem Vogelkundler erste Hilfe leisten musste, der einen Herzinfarkt erlitten hatte. Außerdem hatten ihm wie immer in der Urlaubszeit die Touristen zu schaffen gemacht. Als Carl Brenner in den Pub kam, ‹großspurig und total von sich eingenommen›, wie sich Ben später ausdrückte, hatte er sich abgewandt, entschlossen, sich nicht reizen zu lassen, um einen schlechten Tag nicht noch mit einem bösen Ende zu krönen.

Aber das hatte nicht ganz funktioniert.

Brenner war nicht nur auf einen Drink gekommen. Aufgestachelt durch Scarsdales Ruf zu den Waffen am vergangenen Abend war sein Besuch im Lamb sowohl ein Rekrutierungsversuch als auch eine Absichtserklärung. An seiner Seite war Dale Brenner, ein finsterer Cousin, der ihm zwar nicht ähnlich sah, jedoch ein Bruder im Geiste und Temperament war. Sie gehörten zu einer größeren Gruppe, die es sich, auf Scarsdales Drängen hin, zur Aufgabe gemacht hatte, Tag und Nacht durchs Dorf zu patrouillieren. «Wenn die Polizei nur Scheiße baut, dann werden wir uns das Arschloch eigenhändig vorknöpfen», hatte Brenner gesagt und damit die Absichten des Pfarrers wiedergegeben, wenn auch nicht im Wortlaut.

Als die Brenners versuchten, weitere Freiwillige zusammenzutrommeln, war Ben noch ruhig geblieben. Doch dann beging Carl, durch den Alkohol und seine neu gefundene Mission ermutigt, den Fehler, ihn direkt anzusprechen.

«Und was ist mit dir, Anders?»

«Was soll sein?»

«Bist du dabei oder nicht?»

Ben trank langsam seinen Whisky aus, ehe er antwortete. «Ihr wollt euch das Arschloch also vorknöpfen, ja?»

«Genau. Hast du Probleme damit?»

«Nur eines. Woher wisst ihr, dass es keiner von euch ist?»

Nicht gerade mit besonderem Scharfsinn gesegnet, war

Brenner die Frage offensichtlich noch nicht in den Sinn gekommen. «Woher wissen wir eigentlich, dass es nicht *du* bist?», meinte Ben. «Löcher buddeln, Fallen aufstellen, das sieht dir doch ähnlich.»

Später gab er zu, dass er den anderen nur reizen wollte und nicht darüber nachgedacht hatte, was für gefährliche Anschuldigungen er geäußert hatte. Und damit trieb er Brenner weiter, als der sonst vielleicht gegangen wäre.

«Halt's Maul, Anders! Die Polizei weiß, dass ich nichts damit zu tun habe.»

«Ist das die gleiche Polizei, von der du gerade noch gesagt hast, dass sie nur Scheiße baut? Und du willst, dass ich mitmache? Mein Gott», schnaubte Ben, ohne seine Verachtung zu verbergen. «Bleib beim Wildern. Nur dazu taugst du was.»

«Ich habe immerhin ein Alibi! Was ist mit dir?»

Ben richtete einen Finger auf ihn. «Vorsicht, Brenner.»

«Wieso? Hast du eins oder hast du keins?»

«Ich warne dich ...»

Ermutigt durch die Anwesenheit seines Cousins, gab Brenner nicht wie sonst klein bei. «Was soll die Scheiße? Ich habe es satt, dass du hier immer das Maul aufreißt. Letzte Woche hast du dich auch schnell vor deinen Doktorkumpel gestellt, oder? Wo war der denn, als Lyn verschwunden ist?»

«Willst du jetzt behaupten, dass wir es beide waren?»

«Beweis mir das Gegenteil!»

«Dir muss ich gar nichts beweisen, Brenner», sagte Ben, der allmählich seine mühsam gehütete Beherrschung verlor. «Du kannst mir mit deiner heldenhaften Bürgerwehr und euren jämmerlichen Streifengängen den Buckel runterrutschen.»

Sie starrten sich an. Brenner brach den Blickkontakt als Erster ab. «Komm», sagte er zu seinem Cousin, und damit wäre die Sache fast zu Ende gewesen. Aber da er nicht ohne einen Versuch gehen wollte, sein Gesicht zu wahren, konnte er einer letzten Stichelei nicht widerstehen. «Feiges Arschloch», fauchte er, als er sich zum Gehen umdrehte.

Das war der Punkt, an dem Bens gute Absichten den Bach hinuntergingen.

Die darauf folgende Prügelei dauerte nicht lange. Es waren ausreichend Männer im Pub, die einsprangen, bevor die Lage außer Kontrolle geriet, was wahrscheinlich ganz gut für Ben war. Brenner allein stellte keine Bedrohung dar, aber so stark Ben auch war, den Cousin hätte er vielleicht nicht auch noch geschafft. Als sie voneinander getrennt wurden, waren bereits ein Tisch und mehrere Stühle zu Bruch gegangen, und es würde Wochen dauern, bis Brenner wieder in einen Rasierspiegel schauen, geschweige denn sich rasieren konnte, ohne zusammenzuzucken. Auch Ben kam nicht ungeschoren davon, erlitt mehrere Schnitte und blaue Flecken und verrenkte sich einen Knöchel. Aber das wäre die Sache wert gewesen, behauptete er.

Doch der wirklich ernsthafte Schaden sollte sich erst mehrere Tage später herausstellen.

Ich erlebte die Prügelei nicht mit. Ich hatte für Jenny gekocht, die über Nacht geblieben war, und Manhams Probleme vergessen. Tatsächlich war ich wohl einer der Letzten, der davon erfuhr, da ich früh am nächsten Morgen weiter an der grauenhaften Aufgabe, die in der Leichenhalle auf mich wartete, arbeitete.

Seit Lyn Metcalfs Leiche gefunden worden war, hatte mich Henry wieder vertreten, wenn ich ins Labor musste. Ich bemühte mich zwar, zur Abendsprechstunde zurück zu sein, doch die zusätzliche Arbeit forderte ihren Tribut bei ihm. Er sah müde aus, obwohl er die Sprechstunden auf ein Minimum reduziert hatte und während meiner Abwesenheit nur das Nötigste erledigte.

Ich hatte ein schlechtes Gewissen, aber ich wusste, dass es nicht mehr sehr lange dauern würde. Noch einen halben Tag im Labor und ich hätte getan, was ich tun konnte. Die meisten Testergebnisse waren noch nicht eingetroffen, doch bisher erzählten Lyn Metcalfs Überreste eine ähnliche Geschichte wie jene von Sally Palmer. Es hatte keine großen Überraschungen gegeben, offen blieb nur die Frage, warum das Gesicht des ersten Opfers derart schlimm zugerichtet war, während das des zweiten unangetastet geblieben war. Da die Verwesung weniger fortgeschritten war, waren zudem noch einige von Lyn Metcalfs Fingernägeln vorhanden. Sie waren abgebrochen und eingerissen, und das forensische Labor hatte Hanffasern an manchen gefunden. Mit anderen Worten, Spuren eines Seils. Sie war also anscheinend gefesselt worden.

Abgesehen von der durchtrennten Kehle und der entsetzlichen Versehrung des Unterleibs handelte es sich bei Lyns Verletzungen vor allem um oberflächliche Schnitte. Nur der Schnitt durch die Kehle hatte eine Kerbe im Knochen hinterlassen. Wie jene, die ich bei Sally Palmer gefunden hatte, war sie durch eine lange, scharfe Klinge verursacht worden. Wahrscheinlich ein Jagdmesser und mit ziemlicher Sicherheit dasselbe wie im ersten Fall, obwohl man das unmöglich mit Gewissheit sagen konnte. Aber es war kein Sägemesser gewesen. Eine Erkenntnis, die mich weiterhin im Unklaren darüber ließ, warum die beiden Frauen mit einer Waffe getötet worden waren und der Hund mit einer anderen.

Ich grübelte noch darüber nach, als ich ins Wartezimmer

ging, nachdem der letzte Patient gegangen war. Die Abendsprechstunde war ruhig gewesen, es war kaum die Hälfte der üblichen Patienten gekommen. Entweder wollten sich die Leute angesichts der größeren Tragödie nicht um ihre trivialeren Beschwerden kümmern, oder es gab einen anderen, weit unangenehmeren Grund, warum so viele beschlossen hatten, ihren Arzt zu meiden. Oder einen von den Ärzten. Es wurde häufiger gewünscht, sich von Henry untersuchen zu lassen, als seit Jahren; mehr und mehr Leute zogen es anscheinend vor, zu warten, anstatt zu mir zu kommen.

Aber ich war zu sehr mit Jenny und meiner Arbeit im Labor beschäftigt, um mir darüber Gedanken zu machen.

Janice räumte gerade das Wartezimmer auf, als ich hereinkam. Sie rückte das Sammelsurium der alten Stühle zurecht und legte die mit Eselsohren versehenen Zeitschriften zurück ins Regal.

«Ein ruhiger Abend», sagte ich.

Sie hob ein Kinderpuzzle vom Boden auf und tat es zum anderen Spielzeug in die Holzkiste zurück. «Besser als ein Zimmer voll Hypochonder.»

«Stimmt.» Ich wusste ihr Taktgefühl zu schätzen. Ihr war genauso klar wie mir, dass meine Termine immer weniger wurden. «Wo ist Henry?»

«Der macht ein Nickerchen. Ich glaube, die Sprechstunde heute Morgen hat ihn ziemlich geschafft. Aber machen Sie nicht so ein Gesicht. Es ist doch nicht Ihre Schuld.»

Janice wusste, dass ich für die Polizei arbeitete, wenn auch nicht genau, in welcher Funktion. Es hatte keine Möglichkeit gegeben, es vor ihr geheim zu halten, und eigentlich gab es auch keinen Grund dazu. Sie tratschte zwar gerne, aber sie wusste, wo die Grenze war.

«Geht es ihm gut?», fragte ich besorgt.

«Er ist einfach müde. Aber es liegt nicht nur an der Arbeit.» Sie schaute mich bedeutungsvoll an. «In dieser Woche wäre sein Hochzeitstag gewesen.»

Das hatte ich vergessen. Ich hatte zu viel um die Ohren gehabt, um an solche Termine zu denken, doch Henry war jedes Jahr um diese Zeit bedrückt. Er sprach nie darüber, genauso wenig wie ich, wenn meine Zeit kam. Aber man merkte es trotzdem.

«Es wäre ihr dreißigster gewesen», fuhr Janice mit gesenkter Stimme fort. «Das macht es wohl noch schlimmer. Auf eine Art ist es deshalb gut, dass er mehr zu tun hat. Das bringt ihn auf andere Gedanken.» Ihre Miene wurde härter. «Es ist nur so eine Schande, dass …»

«Janice», warnte ich sie.

«Aber es ist doch wahr. Sie hatte ihn nicht verdient. Und er hätte etwas Besseres verdient.»

Die Worte waren hastig hervorgekommen. Sie schien den Tränen nahe.

«Alles in Ordnung?», fragte ich.

Sie nickte und lächelte zaghaft. «Tut mir Leid. Aber ich kann einfach nicht mit ansehen, wie er leidet wegen …» Sie unterbrach sich. «Und dann diese andere Sache. Das zermürbt doch jeden.»

Sie begann, die letzten Zeitschriften einzusammeln. Ich ging hinüber und nahm sie ihr ab.

«Warum gehen Sie heute nicht mal früher nach Hause?»

«Aber ich wollte gerade staubsaugen …»

«Ich bin mir sicher, unsere Patienten werden den Staub auch noch einen Tag länger ertragen können.»

Sie lachte und war schon wieder mehr die Alte. «Wenn Sie meinen …»

«Bestimmt. Soll ich Sie fahren?»

«Nein! Der Abend ist zu schön, um im Auto zu sitzen.»

Ich bestand nicht darauf. Sie wohnte nur ein paar hundert Meter entfernt, und der größte Teil der Strecke führte an der Hauptstraße entlang. Es gab einen Punkt, an dem aus Sicherheitsdenken Paranoia wurde.

Trotzdem sah ich ihr durch das Fenster nach, wie sie die Auffahrt hinabging. Nachdem sie verschwunden war, widmete ich mich den Zeitschriften und versuchte, sie pro forma zu ordnen. In den Stapel hatten sich ein paar alte Ausgaben des Mitteilungsblattes der Kirchengemeinde verirrt. Die hatten wohl Patienten, die zu faul waren, sie wegzuwerfen, hier liegen lassen. Als ich sie in den Papierkorb schmiss, fiel mir eine Seite ins Auge.

Ich zog sie wieder aus dem Papierkorb hervor. Sally Palmer lächelte mich fröhlich an. Unter dem Foto stand ein kurzer Artikel über Manhams ‹gefeierte Autorin›, der ein paar Wochen vor ihrem Tod erschienen war. Ich hatte ihn noch nicht gesehen, und ihn jetzt zu entdecken, nachdem sie ermordet worden war, brachte mich durcheinander. Ich begann ihn zu lesen und bekam keine Luft mehr. Ich setzte mich hin und las ihn erneut.

Dann rief ich Mackenzie an.

Schweigend las er den Artikel. Er war gerade in der mobilen Einsatzzentrale gewesen, als ich angerufen hatte, und nachdem ich ihm von der Zeitschrift erzählt hatte, war er sofort herübergekommen. Er hatte einen schweren Sonnenbrand auf Nacken und Händen. Als er fertig war, schlug er die Zeitung ausdruckslos zu.

«Und was halten Sie davon?», fragte ich.

Er rieb sich die gerötete und pellende Nase. «Es könnte Zufall sein.»

Er war jetzt ganz Polizist und professionell unkommunikativ. Und vielleicht hatte er Recht. Obwohl ich es bezweifelte. Ich nahm die Zeitung und schaute mir die Geschichte erneut an. Sie war relativ kurz, kaum mehr als ein typischer Artikel für das Sommerloch. Die Überschrift lautete: «Das Landleben verleiht der Phantasie einer hiesigen Autorin Flügel.» Das Zitat, das diese Schlagzeile inspiriert hatte, befand sich am Ende des Artikels.

Sally Palmer sagt, dass es ihr beim Schreiben ihrer Romane hilft, in Manham zu leben. «Ich bin gerne so nah an der Natur. Das beschwingt meine Phantasie. Fast so, als hätte ich Flügel», sagt die von der Kritik gefeierte Schriftstellerin.

Ich legte die Zeitung wieder auf den Tisch. «Sie halten es für Zufall, dass ihr jemand kaum ein paar Wochen nachdem sie das gesagt hat, Schwanenflügel in den Rücken gesteckt hat?»

Mackenzie wirkte gereizt. «Ich sagte, es könnte Zufall sein. Nur aufgrund eines mageren Artikels in einer Zeitschrift kann ich weder das eine noch das andere mit Bestimmtheit sagen.»

«Wie erklären Sie sich diese Versehrung dann?»

Er sah aus, als fühlte er sich unwohl, wie ein Mann, der einen Standpunkt vertreten musste, von dem er selbst nicht überzeugt war. «Die Psychologen sind der Meinung, dass es ein unterdrückter Wunsch nach Verwandlung sein könnte. Der Mörder gibt ihr Engelsflügel, nachdem er sie getötet hat. Sie meinen, er könnte ein religiöser Fanatiker sein, der von einem höheren Daseinszustand besessen ist.»

«Und was sagen die Psychologen zu den anderen toten Tieren? Oder dazu, was er mit Lyn Metcalf gemacht hat?»

«Darüber sind sie sich noch nicht einig. Doch selbst wenn

Sie Recht haben sollten, dann ...», er deutete auf die Zeitung, «... ist das auch keine Erklärung.»

Ich wählte meine Worte sorgfältig. «Eigentlich wollte ich mit Ihnen über noch etwas sprechen.»

Er betrachtete mich skeptisch. «Na los.»

«Nachdem ich Sie angerufen hatte, habe ich mir Lyn Metcalfs Krankenakte angeschaut. Und die ihres Mannes. Wussten Sie, dass die beiden eine Familie gründen wollten? Sie zogen eine künstliche Befruchtung in Betracht.»

Er brauchte nur eine Sekunde, um zu verstehen. «Karnickelbabys. Mein Gott», hauchte er.

«Aber wie konnte der Mörder davon wissen?»

Mackenzie schaute mich nachdenklich an. «In einer Kommode im Schlafzimmer der Metcalfs haben wir einen Schwangerschaftstest gefunden», sagte er langsam. «In der Tüte war noch eine Quittung. Sie war auf den Tag vor ihrem Verschwinden datiert.»

Ich musste daran denken, wie ich mit ihr zusammengestoßen war, als sie aus der Drogerie kam. Wie glücklich sie ausgesehen hatte. «War er benutzt worden?»

«Nein. Und ihr Mann behauptet, er wüsste nichts von einem Schwangerschaftstest.»

«Aber den kauft man nicht, wenn man ihn nicht auch verwenden will. Sie muss also gedacht haben, sie wäre schwanger.»

Mit finsterer Miene nickte Mackenzie. «Und was würde eine schwangere Frau zu ihrem Entführer sagen? ‹Tun Sie mir nichts, ich bekomme ein Kind!›» Er fuhr sich mit einer Hand übers Gesicht. «Himmel. Ich nehme an, wir werden nie mehr erfahren, ob sie wirklich schwanger war, oder?»

«Keine Chance. Nicht, wenn sie erst so kurz schwanger war, und nicht bei dem Zustand der Leiche.»

Er nickte ohne Überraschung. «Aber wenn sie es war – oder wenn sie glaubte, es zu sein –, dann wird es noch schwieriger, den Scheißkerl zu schnappen, als wir erwartet hatten.»

«Weshalb?»

«Weil es bedeutet, dass diese Versehrungen nicht im Voraus geplant waren. Er lässt sich spontan dazu inspirieren.» Mackenzie erhob sich. Er sah müde aus. «Und wenn er nicht weiß, was er als Nächstes tut, woher sollen wir es dann wissen?»

Nachdem er fort war, fuhr ich hinaus aufs Land. Ich hatte kein Ziel im Kopf, ich wollte nur für ein oder zwei Stunden weg aus Manham. An diesem Abend war ich nicht mit Jenny verabredet. Wir waren beide überrascht, wie plötzlich sich die Dinge zwischen uns entwickelt hatten, und nach den intensiven letzten zwei Tagen brauchten wir eine kleine Atempause. Ich glaube, wir wollten beide mit ein wenig Abstand über diesen unerwarteten Gezeitenwechsel in unseren Leben nachdenken und uns darüber klar werden, wohin er uns führen würde. Es gab die unausgesprochene Übereinkunft, dass wir unsere Annäherung nicht durch ein zu schnelles Vorpreschen verderben wollten. Wenn es das war, was wir beide fühlten, gab es schließlich keinen Grund zur Eile.

Ich hätte es besser wissen müssen. Man darf das Schicksal nicht herausfordern.

Ich fuhr ziellos umher. Als ich mich auf einer Anhöhe wiederfand, von der aus ich die ganze Landschaft überblicken konnte, hielt ich den Wagen an und stieg aus. Ich setzte mich auf einen kleinen Grashügel und schaute zu, wie sich die Sonne langsam auf das Marschland senkte. Auf den Teichen und Bächen, die abstrakte Muster im Schilf formten, glitzerte das goldene Sonnenlicht. Eine Weile versuchte ich mich auf die Morde zu konzentrieren. Aber das alles schien jetzt meilenweit entfernt. Die Farben des Himmels und der Landschaft wurden in der Dämmerung immer dunkler, doch nichts in mir trieb mich zum Aufbruch an.

Zum ersten Mal seit dem Unfall hatte ich das Gefühl, dass mir die Zukunft offen stand. Ich konnte endlich wieder nach vorn und nicht nur in die Vergangenheit schauen. Ich dachte an Jenny, und ich dachte an Kara und Alice und fragte mich, ob ich einen Anflug von Schuld oder Betrug in mir spürte. Aber da war nichts. Nur eine Erwartung. Der Schmerz über den Verlust war noch da und würde immer da sein. Doch jetzt konnte ich ihn akzeptieren. Meine Frau und meine Tochter waren tot, aber ich konnte sie nicht wieder lebendig machen. Lange Zeit war auch ich tot gewesen. Und jetzt war ich unerwartet wieder zum Leben erweckt worden.

Ich saß da und schaute zu, wie die Sonne unterging, bis sie nur noch ein heller Schlitz am Horizont war und die Sumpflandschaft eine einförmige Dunkelheit, die das Licht aufsog. Als ich schließlich steif und mit schmerzenden Gelenken vom langen Sitzen aufstand, wurde mir klar, dass ich nicht mehr länger grübeln musste. Und ich wollte nicht bis zum nächsten Tag warten, um Jenny wiederzusehen. Ich griff nach meinem Handy, um sie anzurufen, doch es war nicht in meiner Tasche. Im Landrover war es auch nicht. Dann fiel mir ein, dass ich es auf meinen Schreibtisch gelegt hatte, als Mackenzie kam, und dass ich es, abgelenkt durch andere Dinge, dort vergessen haben musste.

Fast hätte ich mich nicht weiter darum gekümmert. Doch ich wollte nicht unangemeldet vor Jennys Tür auftauchen. Dass ich Antwort auf meine Fragen gefunden hatte, musste ja nicht unbedingt bedeuten, dass sie auch ihre Probleme gelöst hatte. Zudem war ich immer noch der Landarzt. Die

Bürger von Manham mochten im Moment ihre Vorbehalte gegen mich haben, aber ich durfte nicht unerreichbar sein. Und so steuerte ich, als ich im Dorf ankam, die Praxis an, um mein Telefon zu holen.

Als ich die Hauptstraße entlangfuhr, gingen die Straßenlaternen an. Kurz bevor ich den Polizeiwohnwagen am Dorfplatz erreichte, sah ich im Lichtkegel einer Laterne eine Gruppe Männer stehen. Eine Patrouille von Scarsdales Bürgerwehr, vermutete ich. Sie starrten mich durch das blasse, gelbe Licht misstrauisch an.

Ich fuhr an ihnen vorbei, bog von der Hauptstraße ab und in die lange Auffahrt zu Henrys Haus. Die Wagenreifen knirschten auf den Kieseln, und als ich über die Anhöhe kam und den Abhang hinunterrollte, tanzte das Scheinwerferlicht über die Fassade des Hauses. Die Fenster waren dunkel, was mich nicht überraschte, da Henry für gewöhnlich früh schlafen ging. Um ihn nicht aufzuwecken, nahm ich nicht den Haupteingang, sondern ging um das Haus herum, wo ich direkt in die Praxis gelangen konnte.

Nachdem ich meine Schlüssel hervorgeholt hatte, um die Verandatüren zu meinem Büro aufzuschließen, fiel mir auf, dass die Küchentür offen stand. Wenn das Licht an gewesen wäre, hätte ich mir vielleicht nichts dabei gedacht. Doch alles war dunkel, und ich wusste, dass Henry niemals ins Bett gegangen wäre, ohne abzuschließen.

Ich ging hinüber und schaute in die Küche. Alles schien in Ordnung zu sein. Als ich gerade zum Lichtschalter greifen wollte, hielt ich inne. Ein Instinkt sagte mir, dass etwas nicht stimmte. Einen Augenblick lang zog ich in Erwägung, die Polizei zu rufen. Aber was sollte ich sagen? Gut möglich, dass Henry einfach vergessen hatte, die Tür abzuschließen, nachdem er im Garten gewesen war. Meine Aktien im Dorf standen schon schlecht genug, ohne dass sich herumsprach, dass ich mich nun komplett zum Idioten gemacht hatte.

Stattdessen ging ich in den Flur. «Henry?», rief ich, gerade laut genug, damit er mich hören konnte, falls er noch auf war, aber nicht so laut, dass ich ihn aufweckte.

Keine Antwort. Sein Arbeitszimmer befand sich am anderen Ende des Flurs, um die Ecke herum. Ohne den Gedanken abschütteln zu können, dass ich überreagierte, ging ich den Flur entlang. Die Tür des Arbeitszimmers war angelehnt, durch den Spalt konnte ich sehen, dass drinnen Licht brannte. Ich hielt inne und horchte, ob sich dort etwas rührte. Doch mein Herzschlag übertönte alle leiseren Geräusche. Ich legte eine Hand an die Tür und begann sie aufzudrücken.

Plötzlich wurde die Tür aufgerissen. Während ich zur Seite gestoßen wurde, stürmte eine massige Gestalt aus dem Zimmer. Erschrocken stürzte ich mich auf sie und spürte einen Luftzug an mir vorbeijagen. Meine Hand bekam groben, schmierigen Stoff zu fassen, und dann knallte mir etwas ins Gesicht. Ich taumelte zurück, während die Gestalt in die Küche lief. Als ich dort ankam, schwang die Hintertür in ihren Angeln. Im ersten Moment wollte ich die Verfolgung aufnehmen. Doch dann fiel mir Henry ein.

Ich schlug die Tür zum Garten zu, schloss sie ab und rannte dann zurück in sein Arbeitszimmer. Als ich dort ankam, gingen im Flur die Lichter an.

«David? Was zum Teufel ist da los?»

Henry rollte sich vom Schlafzimmer den Flur hinab. Er sah verschlafen und aufgeschreckt aus.

«Hier war jemand. Als ich ihn gestört habe, ist er abgehauen.»

Mir wurde erst jetzt richtig klar, was passiert war. Das Adrenalin machte mich zittrig. Ich ging in das Arbeitszimmer. Erleichtert sah ich, dass der Stahlschrank noch verschlossen war. Wenigstens war der Einbrecher nicht an unser Medikamentenlager gekommen. Dann schaute ich zu dem Glasschrank, in dem Henry seine Sammlung medizinischer Relikte aufbewahrte. Die Türen standen weit auf und die Objekte und Flaschen lagen überall herum.

Henry fluchte und rollte auf den Schrank zu. «Nichts anfassen! Die Polizei muss alles nach Fingerabdrücken absuchen», warnte ich. «Hast du eine Ahnung, was mitgenommen worden sein könnte?»

Er schielte unsicher in das Durcheinander. «Ich weiß nicht genau …»

Doch während er noch sprach, war mir klar, was fehlte. Solange ich hier arbeitete, verstaubte auf dem obersten Regalbrett eine antiquierte Flasche, deren grünes Glas in der schon längst nicht mehr üblichen Warnung vor Gift vertikal geriffelt war. Jetzt war sie verschwunden.

Bis dahin hatte ich gedacht, der Eindringling hätte nach Drogen gesucht. Auch in Manham gab es Abhängige. Doch selbst der verzweifeltste Junkie hätte kaum eine Flasche Chloroform mitgenommen.

Dann riss Henry mich aus meinen Gedanken. «Mein Gott, David, ist alles in Ordnung mit dir?»

Er starrte auf meine Brust. Ich wollte schon fragen, was er meinte, aber dann sah ich es selbst. Ich erinnerte mich an den Luftzug, den ich gespürt hatte, als ich den Einbrecher im Flur gepackt hatte. Jetzt verstand ich, was es gewesen war.

Die Vorderseite meines Hemdes war aufgeschlitzt worden.

KAPITEL 19

NACH DER AUFREGUNG der vergangenen Nacht begann der nächste Tag wie jeder andere. Das hat mich später gewundert. Dabei müsste ich aus Erfahrung wissen, dass sich eine Katastrophe nicht ankündigt. Doch als sie dann eintrat, traf es mich völlig unvorbereitet.

Wie jeden anderen auch.

Es war fast drei Uhr geworden, ehe die Polizei in der Praxis fertig gewesen war. Sie waren wie ein Unwetter eingefallen, hatten Fotos gemacht und Fingerabdrücke genommen und Fragen gestellt. Als Mackenzie ankam, hatte er müde und angegriffen ausgesehen, wie ein Mann, der gerade aus einem schlechten Schlaf gerissen worden war.

«Noch einmal von vorn. Sie wollen mir erzählen, dass jemand in das Haus eingebrochen, mit dem Messer auf Sie losgegangen und dann abgehauen ist, ohne gesehen zu werden?»

Ich war selbst müde und gereizt. «Es war dunkel.»

«Er kam Ihnen also überhaupt nicht bekannt vor?»

«Nein, tut mir Leid.»

«Und es besteht keine Möglichkeit, dass Sie ihn wiedererkennen würden?»

«Ich wünschte, ich könnte es, aber, wie gesagt, es war zu dunkel.»

Henry hatte genauso wenig helfen können. Er war die ganze Zeit in seinem Schlafzimmer gewesen, ohne etwas zu bemerken, bis er den Aufruhr gehört hatte und aufgetaucht war, um mich von meiner abgebrochenen Verfolgungsjagd zurückkehren zu sehen. Wenn es anders verlaufen wäre, hätte Manham am Morgen vielleicht von einem weiteren Mord gehört. Möglicherweise sogar von zwei Morden.

Der Art und Weise nach zu urteilen, wie Mackenzie mich befragte, war es das mindeste, was wir beide seiner Meinung nach verdient gehabt hätten. «Und Sie haben keine Ahnung, was er sonst noch mitgenommen haben könnte?»

Ich konnte nur den Kopf schütteln. Der Medikamentenschrank war nicht angetastet worden, und im Kühlschrank, in dem wir die Impfstoffe und andere temperaturempfindliche Arzneien lagerten, fehlte auch nichts. Aber Henry war der Einzige, der wusste, was sich in dem durchwühlten Glasschrank befunden hatte, und erst wenn das Team der Spurensicherung damit fertig war, konnte er mit Gewissheit sagen, was verschwunden war.

Mackenzie massierte sich den Nasenrücken. Seine Augen waren rot umrandet und schauten verärgert. «Chloroform.» Er klang angewidert. «Ich weiß nicht einmal, ob Sie irgendwelche Gesetze damit gebrochen haben, dass Sie so etwas im Haus haben. Ich dachte, Ärzte benutzen gar kein Chloroform mehr.»

«Tun sie auch nicht. Die Flasche war lediglich ein Sammlerstück von Henry. Irgendwo im Schrank steht sogar eine alte Magenpumpe.»

«Eine Magenpumpe wäre mir egal, aber dieser Scheißkerl ist auch ohne eine Flasche mit einem Narkosemittel schon gefährlich genug ...!» Er unterbrach sich. «Wie ist er überhaupt reingekommen?»

«Ich habe ihn hereingelassen.»

Wir drehten uns beide um und sahen Henry durch die Tür kommen. Wir befanden uns in meinem Büro, einem der wenigen Zimmer im Erdgeschoss, in dem wir nicht befürchten mussten, etwaige Beweise zu zerstören, da ich es jeden Abend abschloss. Ich hatte darauf bestanden, Henry eine Pause von der Befragung zu gestatten. Der Einbruch hatte ihn ziemlich mitgenommen, und fast eine Stunde Verhör war ihm nicht gut bekommen. Jetzt schien er sich ein wenig erholt zu haben, obwohl er immer noch blass war.

«Sie haben ihn hereingelassen», wiederholte Mackenzie tonlos. «Vorhin haben Sie gesagt, Sie hätten ihn in Ihrem Arbeitszimmer erwischt.»

«Das ist richtig. Aber es war trotzdem mein Fehler. Ich habe noch einmal darüber nachgedacht und …» Er holte tief Luft. «Nun, ich … ich kann mich nicht genau daran erinnern, die Küchentür abgeschlossen zu haben, bevor ich ins Bett gegangen bin.»

«Vorhin haben Sie gesagt, sie war abgeschlossen.»

«Ja, das hatte ich auch angenommen. Ich meine, ich schließe sie immer ab. Also, in der Regel.»

«Aber heute Abend nicht.»

«Ich bin mir nicht sicher.» Henry räusperte sich. Er konnte einem Leid tun. «Anscheinend nicht.»

«Und was ist mit dem Schrank? War der auch nicht abgeschlossen?»

«Ich weiß es nicht.» Henry klang erschöpft. «Die Schlüssel befinden sich in der Schublade meines Schreibtisches. Der Einbrecher könnte sie gefunden haben oder …» Er verstummte.

Mackenzie sah aus, als bemühe er sich verzweifelt, nicht die Beherrschung zu verlieren. «Wie viele Leute wissen von dem Chloroform?»

«Mein Gott … Das ist schon länger hier als ich. Ich habe nie ein Geheimnis daraus gemacht.»

«Also könnte es jeder gesehen haben, der hier reingekommen ist?»

«Gut möglich», räumte Henry unwirsch ein.

«Das hier ist eine Arztpraxis», erklärte ich Mackenzie. «Jeder weiß, dass es hier gefährliche Substanzen gibt. Beruhigungsmittel, Schmerzmittel und so weiter.»

«Die allesamt hinter verschlossene Türen gehören», sagte Mackenzie. «Fazit ist, dass dieser Mann hier einfach hereinspazieren und sich bedienen konnte.»

«Hören Sie, ich habe ihn nicht darum gebeten, verdammt nochmal!», brauste Henry auf. «Können Sie sich nicht vorstellen, dass ich mich schon schlecht genug fühle? Ich bin seit dreißig Jahren Arzt, so etwas ist noch nie passiert.»

«Aber heute Nacht ist es passiert», erinnerte Mackenzie ihn. «Gerade in der Nacht, in der Sie vergaßen, die Tür abzuschließen.»

Henry schaute in seinen Schoß. «Vielleicht … war es nicht das erste Mal. In der letzten Zeit kam es ein paarmal vor, dass ich … dass ich aufstand und merkte, dass die Tür noch offen ist. Nur ein- oder zweimal, normalerweise denke ich daran, abzuschließen», setzte er eilig hinzu. «Aber … tja, in letzter Zeit scheine ich ein bisschen … vergesslich geworden zu sein.»

«Vergesslich.» Mackenzies Stimme war tonlos. «Aber jetzt ist zum ersten Mal eingebrochen worden, oder?»

Ich wollte für Henry antworten und sagen, dass es selbstverständlich das erste Mal war. Dann bemerkte ich seinen gequälten Blick.

«Also, ich …» Er faltete die Hände und nahm sie wieder auseinander. «Ich bin mir nicht sicher …»

Mackenzie starrte ihn weiter an. Henry zuckte verloren mit den Achseln.

«Es ist so, dass ich ein paar Mal den Eindruck hatte, die Sachen im Schrank stünden … nicht an ihrem Platz.»

«Nicht an ihrem Platz? Sie meinen, es hat etwas gefehlt?»

«Keine Ahnung, ich war mir nie ganz sicher … Es hätte auch sein können, dass mich die Erinnerung täuscht.» Er schaute mich beschämt an. «Tut mir Leid, David. Ich hätte es dir sagen sollen. Aber ich hoffte … Tja, ich dachte, wenn ich mich stärker anstrenge …»

Er hob die Hände und ließ sie hilflos fallen. Ich wusste nicht, was ich sagen sollte. Ich fühlte mich mieser denn je, dass er mich in letzter Zeit immer wieder hatte vertreten müssen. Abgesehen von seiner Behinderung hatte ich ihn immer für körperlich gesund gehalten. Jetzt, in den frühen Morgenstunden, sah ich Zeichen, die ich vorher übersehen hatte. Er hatte tiefe Ringe unter den Augen, und die Haut an seinem Kinn mit den silbrigen Stoppeln und am Hals war schlaff. Selbst wenn man den Schock in Betracht zog, den er erlitten hatte, sah er krank und alt aus.

Ich suchte Mackenzies Blick, um ihm anzudeuten, dass er nicht zu hart vorgehen sollte. Schmallippig führte er mich weg und ließ Henry niedergeschlagen bei einer Tasse Tee sitzen, die eine junge Polizistin ihm gemacht hatte.

«Ihnen ist klar, was das bedeutet?», meinte Mackenzie.

«Ich weiß.»

«Es könnte sein, dass so etwas nicht zum ersten Mal passiert ist.»

«Ich weiß.»

«Gut, denn Ihr Freund da drüben könnte die Zulassung verlieren. Wenn es Junkies gewesen wären, wäre es schon schlimm genug, aber wir sprechen hier über einen Serienmörder. Und jetzt sieht es so aus, als hätte er schon Gott weiß wie lange hier hereinmarschieren und sich bedienen können!»

Ich hielt inne, bevor ich erneut «Ich weiß» sagen konnte. «Er muss gewisse medizinische Kenntnisse haben, um zu wissen, was er gebrauchen kann. Und wie er es einsetzen kann.»

«Ach, hören Sie auf! Der Mann ist ein Mörder! Glauben Sie, er kümmert sich darum, ob er die richtige Dosis verabreicht? Außerdem muss man kein Superhirn sein, um zu wissen, was man mit Chloroform anstellen kann.»

«Wenn er schon früher hier drinnen gewesen ist, warum hat er dann nicht gleich die ganze Flasche mitgenommen?», meinte ich.

«Vielleicht wollte er nicht, dass jemand weiß, was er mitgenommen hat. Wenn er heute Nacht nicht überrascht worden wäre, hätten wir es auch nie erfahren, oder?»

Mir fiel nichts ein, was ich dem hätte entgegnen können. Ich fühlte mich so schuldig, als wäre ich anstelle von Henry nachlässig gewesen. Ich war sein Partner, ich hätte merken müssen, was vor sich ging. Was mit ihm los war.

Schließlich hatte die Polizei alles getan, was sie tun konnte, und ich war nach Hause gegangen. Es dämmerte bereits, als mein Kopf das Kissen berührte.

Fast augenblicklich, so kam es mir vor, war ich wieder wach.

Seit Tagen hatte ich zum ersten Mal wieder geträumt. Der Traum war so lebendig gewesen wie immer, aber dieses Mal hatte er mich nicht mit dem typischen Verlustgefühl zurückgelassen. Ich war betrübt, aber ruhig. Alice war mir nicht im Traum erschienen, nur Kara. Wir hatten über Jenny gesprochen. *Es ist in Ordnung,* hatte sie mir lächelnd gesagt. *So soll es sein.*

Es war beinahe wie ein Abschiednehmen gewesen; lange aufgeschoben, aber unvermeidlich. Doch die Erinnerung an Karas letzte Worte, die sie mit dem leicht besorgten Stirnrunzeln geäußert hatte, das ich so gut an ihr kannte, hatten eine nagende Unruhe in mir ausgelöst.

Sei vorsichtig.

Doch wobei ich vorsichtig sein sollte, wusste ich nicht. Ich grübelte eine Weile, bis mir klar wurde, dass ich nur versuchte, mein eigenes Unterbewusstsein zu erforschen.

Es war schließlich nur ein Traum.

Ich stand auf und duschte. Obwohl ich nur ein paar Stunden im Bett gewesen war, fühlte ich mich so ausgeruht, als hätte ich die ganze Nacht durchgeschlafen. Ich machte mich früh auf den Weg ins Labor, damit ich vorher noch bei Henry vorbeischauen konnte. Nach den Ereignissen der Nacht machte ich mir Sorgen um ihn. Er hatte furchtbar ausgesehen, und ich konnte nicht anders, als mich verantwortlich zu fühlen. Wenn er nicht so übermüdet von all der Mehrarbeit gewesen wäre, die ich ihm aufgebürdet hatte, hätte er vielleicht nicht vergessen, die Tür zur Praxis abzuschließen.

Ich ging ins Haus und rief nach ihm. Keine Antwort. Ich ging in die Küche, aber dort war er auch nicht. Ich versuchte, die in mir aufsteigende Unruhe zu ignorieren, und sagte mir, dass er wahrscheinlich noch schlief. Als ich mich umwandte, um die Küche zu verlassen, schaute ich aus dem Fenster und erstarrte. Jenseits des Gartens konnte ich den Teil des alten Holzsteges sehen, der in den See ragte. Darauf stand Henrys Rollstuhl.

Er war leer.

Ich rannte durch die Hintertür hinaus und rief seinen Namen. Der Zugang zum Steg befand sich am Ende des Gartens und war von Büschen und Bäumen verdeckt. Ich konnte ihn erst in der gesamten Länge sehen, als ich die Pforte erreichte, und dann verlangsamte ich erleichtert meinen Schritt. Neben dem leeren Stuhl hockte Henry wackelig am Stegrand und versuchte sich ins Dingi hinabzulassen. Sein Gesicht war rot vor Anstrengung und Konzentration, während seine Beine nutzlos über dem Boot baumelten.

«Um Himmels willen, Henry, was machst du denn da?»

Er warf mir einen wütenden Blick zu, hielt aber nicht inne. «Ich will mit dem Boot rausfahren, was glaubst du denn?»

Er stöhnte, weil sein ganzes Gewicht auf den Armen lastete. Ich zögerte, hätte ihm gern geholfen, doch ich wusste, dass es keine gute Idee war. Sollte er jetzt ins Wasser fallen, war ich wenigstens da, um ihn herauszuziehen.

«Komm schon, Henry, du weißt genau, dass du das nicht tun solltest.»

«Kümmer dich um deinen eigenen Kram.»

Ich sah ihn überrascht an. Sein Mund war zusammengepresst, zuckte jedoch. Er machte mit seinem zwecklosen Versuch noch einen Moment weiter, dann verließ ihn plötzlich die Kraft. Er sank an einen Holzpfosten und hielt die Hände vor die Augen.

«Entschuldige, David. Ich habe es nicht so gemeint.»

«Soll ich dir helfen, zurück in den Stuhl zu kommen?»

«Lass mich eine Minute Luft schöpfen.»

Ich setzte mich neben ihn auf die rohen Planken des Stegs. Sein Brustkorb hob und senkte sich atemlos, sein Hemd klebte schweißnass an ihm. «Wie lange bist du schon hier?»

«Keine Ahnung. Eine Weile.» Er lächelte schwach. «Schien vorhin eine gute Idee zu sein.»

«Henry …» Ich wusste nicht, was ich sagen sollte. «Was hast du dir bloß dabei gedacht? Du weißt doch, dass du nicht allein ins Boot steigen kannst.»

«Ich weiß, ich weiß, aber …» Seine Miene verfinsterte sich. «Dieser verfluchte Polizist. Wie der mich letzte Nacht angeschaut hat. Er hat mit mir geredet, als wäre ich ein … ein seniler, alter Trottel! Ich weiß, dass ich einen Fehler gemacht habe, ich hätte überprüfen müssen, ob abgeschlossen ist. Aber dass mich jemand so herablassend behandelt …»

Er starrte mit zusammengepressten Lippen auf seine Beine. «Manchmal ist es frustrierend. Sich so hilflos zu fühlen. Manchmal hat man das Gefühl, dass man einfach irgendetwas *tun* muss, verstehst du?»

Ich schaute über die flache, verlassene Weite des Sees. Keine Menschenseele war zu sehen. «Und wenn du hineingefallen wärst?»

«Dann hätte ich jeden von seinem Elend befreit, oder?» Er sah zu mir hoch und grinste süffisant, was ihm schon wieder ähnlicher sah. «Schau mich nicht so an. Ich habe noch nicht vor, mich umzubringen. Für heute habe ich mich schon lächerlich genug gemacht.»

Er drückte sich hoch und verzog bei der Anstrengung das Gesicht.

«Hilfst du mir zurück in den verfluchten Stuhl?»

Ich legte ihm die Hände unter die Achseln und stützte ihn, als er sich in den Rollstuhl stemmte. Es war ein Zeichen, wie müde er war, dass er keine Einwände hatte, sich zurück zum Haus schieben zu lassen. Obwohl ich bereits zu spät ins Labor kommen würde, blieb ich noch eine Weile, um ihm Tee zu machen und mich zu vergewissern, dass er allein klarkam.

Er gähnte und rieb sich die Augen, als ich aufstand, um zu gehen. «Ich mache mich mal lieber fertig. In einer halben Stunde beginnt die Sprechstunde.»

«Heute nicht. Du bist nicht in der Verfassung zu arbeiten. Du brauchst Schlaf.»

Er hob eine Augenbraue. «Ist das eine ärztliche Anweisung?»

«Wenn du so willst.»

«Und was ist mit den Patienten?»

«Janice soll ihnen mitteilen, dass die Sprechstunde heute ausfällt. In dringenden Fällen können sie den Notdienst anrufen.»

Er sträubte sich nicht mehr. Jetzt, wo er die Frustration überwunden hatte, sah er ausgelaugt aus. «Hör mal, David … Du erzählst doch niemandem davon, oder?»

«Natürlich nicht.»

Er nickte erleichtert. «Gut. Ich komme mir schon so dumm genug vor.»

«Das musst du nicht.»

Ich war schon an der Tür, als er mich zurückrief.

«David …» Er hielt verlegen inne. «Danke.»

Seine Dankbarkeit änderte nichts an meinem schlechten Gewissen. Während ich ins Labor fuhr, war mir wieder unangenehm bewusst, welchem zusätzlichen Druck ich ihn in letzter Zeit ausgesetzt hatte. Ich hatte seine Anwesenheit selbstverständlich gefunden, nicht nur in der Praxis, sondern auch in allen anderen Belangen. Ich wünschte nun, ich hätte mir die kleine Mühe gemacht, mit ihm auf den See hinauszufahren oder einfach nur mehr Zeit mit ihm zu verbringen. Aber ich war so sehr von der Ermittlung gefesselt gewesen und noch mehr von Jenny, dass ich kaum einen Gedanken für Henry übrig gehabt hatte.

Aber das würde sich ändern, beschloss ich. Ich war im Labor fast fertig. Sobald ich Mackenzie meine Ergebnisse mitgeteilt hatte, würde es Sache der Polizei sein, etwas aus meinen Ergebnissen zu machen, und ich könnte meine jüngsten Versäumnisse wieder gutmachen. Nach dem heutigen Tag, sagte ich mir, sollte mein Leben wieder zur Normalität zurückkehren.

Ich hätte mich nicht gründlicher täuschen können.

Nach dem Durcheinander der vergangenen zwölf Stunden war es beinahe eine Erleichterung, wieder in das klinische Refugium des Labors zurückzukehren. Hier war ich immerhin auf vertrautem Terrain. Die Ergebnisse der Analysen waren eingetroffen und bestätigten, was ich bereits vermutet hatte. Lyn Metcalf war seit ungefähr sechs Tagen tot gewesen, was bedeutete, dass ihr Mörder sie aus welchem unseligen Grund auch immer fast drei Tage lang gefangen gehalten hatte, bevor er ihr die Kehle aufschlitzte. Das war die Todesursache gewesen. Wie bei Sally Palmer deutete der ausgetrocknete Zustand ihrer Leiche darauf hin, dass sie ausgeblutet war. Und der niedrige Eisengehalt des Bodens in der Umgebung der Leiche bewies, dass der Fundort nicht der Tatort gewesen war, ihre Leiche also erst nach der Ermordung in den Sumpf geschafft worden war.

Außerdem war genau wie im Falle Sally Palmers am Fundort nichts entdeckt worden, was einen Anhaltspunkt auf den Täter gab. Der Boden war zu vertrocknet, um Fußspuren aufzuweisen, und abgesehen von den Seilfasern unter ihren abgebrochenen Fingernägeln gab es keine Spuren und keine verwertbaren Hinweise auf die Identität des Mörders.

Aber darüber mussten sich andere den Kopf zerbrechen. Mein Beitrag war fast erledigt. Ich nahm Abdrücke vom zervikalen Rückenwirbel, der die Schnittkerbe des Messers aufwies, gewisser denn je, dass die beiden Frauen mit derselben Waffe getötet worden waren. Danach konnte ich im Grunde nur noch aufräumen. Marina fragte, ob ich zur Feier des Tages mit ihr zu Mittag essen wollte, aber ich lehnte ab. Ich hatte immer noch keine Gelegenheit gehabt, mit Jenny zu sprechen, und mit einem Mal konnte ich keinen Moment mehr warten.

Sobald Marina gegangen war, rief ich Jenny an. Während ich darauf wartete, dass sie sich meldete, war ich so aufgeregt, dass es wehtat.

«Entschuldige», sagte sie atemlos. «Tina ist nicht da und ich war im Garten.»

«Und wie geht es dir?», fragte ich. Plötzlich war ich nervös. Ich war so in meine Bauchnabelbespiegelungen versunken gewesen, dass es mir zuvor gar nicht in den Sinn gekommen war, sie könnte vielleicht ihre eigene Entscheidung über unsere Beziehung getroffen haben. Vielleicht eine andere als meine.

«Mir geht's gut, aber was ist mit dir? Jeder spricht davon, was letzte Nacht in der Praxis geschehen ist. Du bist doch nicht verletzt worden, oder?»

«Nein, alles in Ordnung. Für Henry war es schlimmer.»

«Gott, als ich davon hörte, da dachte ich … also, ich habe mir Sorgen gemacht.»

Darauf war ich nicht gekommen. Ich war es nicht mehr gewöhnt, auf jemand anderes Rücksicht zu nehmen. «Entschuldige, ich hätte mich früher melden sollen.»

«Schon in Ordnung. Ich bin nur froh, dass es dir gut geht. Ich wollte dich anrufen, aber …» Ich hielt die Luft an, als sie eine Pause machte. *Jetzt kommt es.* «… Du, ich weiß, dass wir uns ein paar Tage geben wollten, aber … Also, ich würde dich wirklich gerne sehen. Wenn du auch willst, meine ich.»

Ich musste grinsen. «Ich will.»

«Bist du sicher?»

«Völlig.»

Wir lachten beide. «Gott, ist das lächerlich. Ich komme mir vor wie ein Teenager», sagte sie.

«Ich auch.» Ich schaute auf meine Uhr. Zehn nach eins. Um zwei könnte ich wieder in Manham sein, und die Sprechstunde begann erst wieder um vier. «Ich könnte jetzt vorbeikommen, wenn du möchtest.»

«Gut.» Sie klang schüchtern, doch ich hörte ihr an, dass sie lächelte. Im Hintergrund läutete es zweimal. «Eine Sekunde, da ist jemand an der Tür.»

Ich hörte, wie sie den Hörer ablegte. Mit einem idiotischen Grinsen im Gesicht lehnte ich mich an die Kante des Labortisches und wartete, dass sie ihn wieder in die Hand nahm. Zum Teufel damit, uns gegenseitig Raum und Zeit zu geben. Ich wusste nur, dass ich jetzt bei ihr sein wollte und dass ich seit einer Ewigkeit nichts so sehr gewollt hatte. Während ich wartete, konnte ich im Hintergrund das Radio spielen hören. Es dauerte länger, als ich erwartet hatte, ehe ich hörte, dass der Hörer wieder aufgenommen wurde.

«Der Milchmann?», scherzte ich.

Keine Antwort. Am anderen Ende konnte ich jemanden atmen hören. Tiefe und etwas gehetzte Atemzüge wie nach einer Anstrengung.

«Jenny?», fragte ich unsicher.

Nichts. Ein, zwei weitere Atemzüge. Dann gab es ein leises Klicken. Die andere Person hatte aufgelegt.

Ich starrte benommen auf mein Handy, dann tippte ich

die Nummer zitternd erneut ein. *Geh ran, bitte, geh ran,* flehte ich lautlos. Doch das Telefon klingelte und klingelte.

Als ich die Verbindung abbrach und begann, Mackenzies Nummer zu wählen, rannte ich bereits hinaus zum Wagen.

KAPITEL 20

MAN MUSSTE NICHT lange rätseln, was geschehen war. Das Haus erzählte die Geschichte von allein. Auf dem wackeligen Tisch, an dem wir beim Grillen gesessen hatten, lag ein halb aufgegessenes Sandwich, das sich in der Hitze bereits wellte. Das daneben stehende Radio lief. Die Tür, die von der Küche in den Garten führte, stand sperrangelweit offen und der Perlenvorhang schwankte wegen der ständig ein und aus gehenden Polizeibeamten hin und her. Die Fußmatte drinnen war gegen den Küchenschrank geschoben worden, während der Telefonhörer ordentlich auf die Gabel zurückgelegt worden war.

Doch von Jenny keine Spur.

Als ich angekommen war, hatte mich die Polizei nicht hereinlassen wollen. Das Haus war bereits abgesperrt worden, und von der Straße starrte eine Traube Kinder und Nachbarn mit ernsten Gesichtern zu den umhereilenden Beamten. Ein junger Constable, der nervös die Koppel und die Felder beobachtete, stellte sich mir in den Weg. Er wollte mich nicht anhören, aber der Zustand, in dem ich mich befand, geriet mir wohl auch nicht gerade zum Vorteil. Erst als Mackenzie eintraf und mich mit erhobenen Händen beruhigte, wurde ich hineingelassen.

«Fassen Sie nichts an», ermahnte er mich unnötigerweise, als wir das Haus betraten.

«Ich bin kein Anfänger, verflucht nochmal!»

«Dann hören Sie auf, sich wie einer zu benehmen.»

Ich war kurz davor zurückzublaffen, hielt mich dann aber zurück. Er hatte Recht. Ich atmete tief durch und versuchte mich zu fassen. Mackenzie beobachtete mich neugierig.

«Wie gut kennen Sie die Frau?»

Was geht dich das an, hätte ich ihm am liebsten gesagt. Aber das ging natürlich nicht. «Wir haben uns gerade erst näher kennen gelernt.» Ich ballte meine Fäuste, als ich zwei Beamte der Spurensicherung sah, die das Telefon nach Fingerabdrücken untersuchten.

«Wie ernst ist es?»

Ich sah ihn nur an. Nach einem Augenblick nickte er knapp. «Es tut mir Leid.»

Spar dir dein Mitleid! Tu lieber was! Doch alles, was getan werden konnte, geschah bereits. Über uns knatterte der Polizeihubschrauber, während uniformierte Gestalten über die Koppel und die angrenzenden Felder trotteten.

«Erzählen Sie mir noch einmal, was passiert ist», forderte mich Mackenzie auf. Ich tat es, war jedoch unfähig zu begreifen, dass es tatsächlich geschehen war. «Wissen Sie genau, wie spät es war, als sie sagte, dass jemand an der Tür wäre?»

«Ganz genau. Ich habe auf meine Uhr geschaut, um zu sehen, wann ich bei ihr sein könnte.»

«Und Sie haben nichts gehört?»

«Nein! Mein Gott, es ist helllichter Tag, wie kann da einfach jemand an ihre Tür klopfen und sie verschleppen? Im Dorf wimmelt es vor Scheißpolizisten! Was machen die denn die ganze Zeit, verdammt nochmal?»

«Hören Sie, ich weiß, wie Sie sich fühlen, aber ...»

«Nein, das wissen Sie nicht! Irgendjemand muss doch etwas gesehen haben!»

Er seufzte und sprach mit Engelsgeduld weiter. «Wir sprechen gerade mit allen Nachbarn. Aber von keinem der anderen Häuser kann man den ganzen Garten einsehen. Es gibt einen Pfad, der über die Weide direkt zum Garten führt. Der Täter könnte mit einem Transporter oder einem Wagen von dort gekommen sein und dann den gleichen Weg zurück genommen haben, ohne von jemandem auf der Straße entdeckt zu werden.»

Ich schaute aus dem Fenster. In der Ferne lag still und unschuldig der spiegelglatte See. Mackenzie muss geahnt haben, was ich dachte.

«Wir haben kein Boot gefunden. Der Hubschrauber sucht noch, aber …»

Er musste nichts erklären. Nachdem Jenny an die Tür gegangen war, waren fast fünfzehn Minuten verstrichen, ehe die Polizei eingetroffen war. Das war mehr Zeit als genug für jemanden, der diese Gegend kannte, um sich und jeden, der bei ihm war, zu verstecken.

«Warum hat sie nicht um Hilfe gerufen?», fragte ich, nun etwas ruhiger. Aber es war eine verzweifelte Ruhe. «Sie wäre niemals mit ihm gegangen, ohne sich zu wehren.»

Bevor Mackenzie antworten konnte, war draußen ein Aufruhr zu hören. Einen Moment später kam Tina mit weißem Gesicht und außer sich ins Haus gestürzt.

«Was ist passiert? Wo ist Jenny?»

Ich konnte nur den Kopf schütteln. Sie schaute sich panisch um.

«Das war er, nicht wahr? Er hat sie.» Ich versuchte etwas zu sagen, aber ich konnte nicht. Tina legte die Hände vor den Mund. «Oh, nein. O Gott, nein, bitte nicht.»

Sie begann zu weinen. Zögernd streckte ich meine Hand aus und berührte sie. Schluchzend fiel sie mir entgegen.

«Sir.»

Einer der Beamten der Spurensicherung war zu Mackenzie gekommen. Er hatte einen Beweisbeutel in der Hand. Was in ihm war, sah aus wie ein zusammengeknäulter, schmutziger Lappen.

«Das haben wir neben der Hecke an der hinteren Grundstücksecke gefunden», sagte der Beamte. «Dort gibt es eine Lücke, die groß genug ist, dass sich jemand durchzwängen kann.»

Mackenzie öffnete die Tüte und schnupperte vorsichtig. Wortlos hielt er ihn mir hin. Der Geruch war schwach, aber unverkennbar.

Chloroform.

Ich beteiligte mich nicht an der Suchaktion. Zum einen wollte ich ständig auf dem Laufenden sein. Da die Umgebung von Manham mit Funklöchern übersät war, in denen Handys völlig nutzlos wurden, wollte ich es nicht riskieren, in irgendeinem abgelegenen Sumpf- oder Waldabschnitt unerreichbar zu sein. Außerdem wusste ich, dass die Suche nur Zeitverschwendung war. Wir würden Jenny nicht finden, indem wir aufs Geratewohl durch die Landschaft trabten. Jedenfalls nicht, ehe ihr Entführer wollte, dass wir sie fanden.

Tina hatte uns erzählt, vor zwei Tagen den toten Fuchs entdeckt zu haben. Selbst jetzt war ihr seine Bedeutung nicht bewusst. Als Mackenzie sie gefragt hatte, ob sie oder Jenny in der letzten Zeit Vögel oder Tiere gefunden hatten, hatte sie mit Verblüffung reagiert. Zunächst hatte sie nein gesagt, dann erst hatte sie den Fuchs beinahe in einem Nebensatz erwähnt. Mir wurde schlecht bei dem Gedanken, dass es eine Warnung gegeben hatte, die ignoriert worden war.

«Glauben Sie immer noch, dass es eine gute Idee war,

der Öffentlichkeit nichts von den Tieren zu sagen?», fragte ich Mackenzie hinterher. Er wurde rot, antwortete aber nicht. Ich wusste, dass es ungerecht von mir war, weil die Entscheidung wahrscheinlich über seinen Kopf hinweg getroffen worden war. Aber ich wollte auf etwas losschlagen. Auf jemanden.

Es war Tina, der Jennys Insulin einfiel. Ein Beamter der Spurensicherung durchsuchte Jennys Handtasche, und als Tina ihn beobachtete, wurde sie plötzlich blass.

«O Gott, da ist ihr Stift!»

Der Polizist hielt Jennys Insulinstift hoch. Er sah wie ein dicker Füller aus, enthielt jedoch genau abgemessene Insulindosen. Wenn sie bei mir übernachtet hatte, hatte ich gesehen, wie sie ihn morgens benutzt und sich beiläufig das Medikament verabreicht hatte, das ihren Stoffwechsel stabil hielt.

Mackenzie schaute mich fragend an. «Sie ist Diabetikerin», erklärte ich ihm. Angesichts dieses neuen Schlages versagte mir fast die Stimme. «Sie muss sich jeden Tag Insulin injizieren.»

«Und wenn sie das nicht kann?»

«Dann wird sie irgendwann ins Koma fallen.» Ich sagte nicht, was danach passieren würde, aber Mackenzies Miene nach zu urteilen, verstand er es auch so.

Ich hatte genug gesehen. Mackenzie war sichtlich erleichtert, als ich ging, und versprach, mich anzurufen, sobald es Neuigkeiten gab. Der Gedanke, der mir während der Heimfahrt immer wieder durch den Kopf ging, war, dass Jenny nach Manham gekommen war, weil sie überfallen worden war, nur um jetzt einem noch viel schlimmeren Verbrechen zum Opfer zu fallen. Sie war hierher gekommen, weil es sicherer war als in der Stadt. Das erschien so grundsätzlich ungerecht, als wäre ein Naturgesetz verletzt worden. Ich hatte das Gefühl, als wäre ich in zwei Teile gerissen worden; die Vergangenheit überlagerte die Gegenwart, sodass ich den Albtraum, Kara und Alice zu verlieren, erneut erlebte. Andererseits war dies ein völlig anderes Gefühl. Damals hatte mich die Trauer und der Verlust gelähmt. Jetzt wusste ich nicht, ob Jenny noch am Leben war oder nicht. Oder was sie durchmachte, wenn sie noch lebte. Wie sehr ich mich auch dagegen wehrte, ich musste ständig an die Schnitte und Versehrungen denken, die ich bei den beiden anderen Frauen gesehen hatte, und an die Seilfasern unter Lyn Metcalfs abgebrochenen Fingernägeln. Beide waren gefesselt und Gott weiß welchen Gräueltaten ausgesetzt gewesen, bevor sie gestorben waren. Und was auch immer sie erlitten hatten, würde nun mit Jenny geschehen.

Ich hatte noch nie im Leben solche Angst gehabt.

Kaum war ich zu Hause, fühlte ich mich eingesperrt. Wie um mich selbst zu quälen, ging ich hinauf ins Schlafzimmer. Dort hing noch Jennys Duft in der Luft und erinnerte mich schmerzhaft an ihre Abwesenheit. Ich schaute auf das Bett, in dem wir erst vor zwei Nächten geschlafen hatten, und hielt es im Haus nicht mehr aus. Schnell ging ich nach unten und wieder hinaus.

Ohne eine bewusste Entscheidung zu treffen, fuhr ich in die Praxis. Vogelgezwitscher und durch das Laub gefiltertes Sonnenlicht erfüllten den Abend. Diese Herrlichkeit kam mir grausam und spöttisch vor und war eine unnötige Erinnerung an die Gleichgültigkeit des Universums. Als ich die Eingangstür hinter mir schloss, kam Henry aus seinem Arbeitszimmer gerollt. Er wirkte noch immer abgespannt und elend. Ich konnte ihm ansehen, dass er Bescheid wusste.

«David … es tut mir so Leid.»

Ich nickte nur. Er sah aus, als wäre er den Tränen nahe.

«Das ist alles meine Schuld. Neulich abends …»

«Es ist nicht deine Schuld.»

«Als ich hörte … Ich weiß nicht, was ich sagen soll.»

«Es gibt auch nicht viel zu sagen, oder?»

Er rieb die Armlehne seines Rollstuhls. «Was ist mit der Polizei? Die müssen doch eine … eine Spur haben oder so?»

«Nichts dergleichen.»

«Gott, was für ein Unglück.» Er fuhr sich mit einer Hand übers Gesicht und streckte sich dann. «Lass uns etwas trinken.»

«Nein, danke.»

«Du trinkst jetzt was, keine Widerrede.» Er versuchte ein Lächeln. «Anweisung des Arztes.»

Ich gab nach, einfach weil es leichter war, als zu streiten. Statt in sein Arbeitszimmer gingen wir ins Wohnzimmer. Er schenkte uns beiden einen Whisky ein und reichte mir ein Glas.

«Na los. Runter damit.»

«Aber …»

«Trink einfach.»

Ich gehorchte. Der Alkohol lief mir brennend in den Magen. Wortlos nahm Henry mein Glas und goss nach.

«Hast du was gegessen?»

«Ich habe keinen Hunger.»

Er schien etwas dazu sagen zu wollen, überlegte es sich dann aber anders. «Du kannst heute Nacht gerne hier bleiben. Dein altes Zimmer ist schnell wieder hergerichtet.»

«Nein, danke.»

Da ich nichts anderes zu tun wusste, trank ich noch einen

Schluck Whisky. «Ich werde das Gefühl nicht los, dass ich das irgendwie verursacht habe.»

«Ich bitte dich, David, rede keinen Quatsch.»

«Ich hätte es kommen sehen müssen.» Und vielleicht hatte ich das auch, dachte ich in Erinnerung an Karas Warnung in meinem Traum. Doch ich hatte sie geflissentlich ignoriert.

«Das ist Unsinn», fuhr mich Henry an. «Gegen manche Dinge kann man einfach nichts tun. Das weißt du genauso gut wie ich.»

Er hatte Recht, aber dieses Wissen war keine Hilfe. Ich blieb noch ungefähr eine Stunde, die meiste Zeit saßen wir schweigend beieinander. Ich nippte an dem Whisky und lehnte ab, als er mir nachschenken wollte. Ich wollte nicht betrunken werden. Obwohl es verlockend war, wusste ich, dass ein Alkoholnebel nichts verbessern würde. Als ich mich wieder eingeengt zu fühlen begann, verabschiedete ich mich. Henry litt so offensichtlich an seiner Unfähigkeit, mir zu helfen, dass er mir Leid tat. Doch die Gedanken an Jenny verdrängten schnell alles andere.

Während ich durchs Dorf fuhr, gingen die Polizisten gerade von Tür zu Tür und demonstrierten sinnlosen Aktionismus. Ich fühlte Wut in mir auflodern, als ich beobachtete, wie sie methodisch Zeit vergeudeten. Ich fuhr an meinem Haus vorbei, denn ich wusste, dass ich es dort so wenig aushalten würde wie vorhin. Als ich mich dem Dorfrand näherte, versperrte eine Gruppe Männer die Straße. Ich bremste ab. Die meisten Gesichter erkannte ich. Selbst Rupert Sutton war unter ihnen. Er hatte sich anscheinend endlich vom Rockzipfel seiner Mutter gelöst.

Vor der Gruppe hatte sich Carl Brenner aufgebaut.

Alle starrten den Wagen an und unternahmen keinen

Versuch, aus dem Weg zu gehen, als ich mich aus dem Fenster lehnte.

«Was ist los?»

Brenner spuckte auf den Boden. Sein Gesicht war noch geschwollen von den Prügeln, die er von Ben bezogen hatte. «Haben Sie nicht gehört? Es hat noch ein Opfer gegeben.»

Ich hatte das Gefühl, mir hätte jemand einen Stich ins Herz versetzt. Sollte jetzt eine vierte Frau verschwunden sein, konnte das nur eines bedeuten: Jenny war bereits etwas passiert.

Brenner fuhr ahnungslos fort: «Die Lehrerin. Er hat sie sich am Nachmittag geschnappt.»

Er redete weiter, aber ich hörte es nicht. Blut pochte in meinem Kopf und betäubte mich, während mir klar wurde, dass Brenners Nachrichten alt und nicht neu waren.

«Wo wollen Sie hin?», wollte er wissen, ohne sich der Wirkung seiner Worte bewusst zu sein.

Ich hätte es ihm sagen können. Ich hätte es erklären oder irgendeinen Grund erfinden können. Doch als ich diesen aufgeblasenen Wichtigtuer anschaute, kochte meine Wut über.

«Das geht Sie nichts an.»

Er sah erstaunt aus. «Machen Sie einen Hausbesuch?»

«Nein.»

Brenner zuckte unsicher mit den Schultern wie ein Boxer, der versucht, seine Kräfte zu sammeln. «Niemand kommt hier rein oder raus, ohne uns zu sagen warum.»

«Was wollen Sie machen? Mich aus dem Wagen zerren?»

Einer der anderen Männer meldete sich zu Wort. Es war Dan Marsden, der Landarbeiter, den ich behandelt hatte, nachdem er sich an einer der Fallen des Mörders verletzt hatte. «Kommen Sie, Dr. Hunter, nehmen Sie es nicht persönlich.»

«Warum nicht? Mir kommt das verdammt persönlich vor.»

Brenner hatte seine übliche Aggressivität zurückgewonnen. «Was ist los, *Doktor*? Haben Sie was zu verbergen?»

Der Titel klang bei ihm wie eine Beleidigung. Doch ehe ich etwas sagen konnte, griff Marsden nach seinem Arm.

«Lass ihn, Carl. Er war mit ihr befreundet.»

War. Ich umklammerte das Lenkrad, als sie mich mit unverhohlener Neugier anstarrten.

«Aus dem Weg», forderte ich sie auf.

Brenner legte seine Hand auf die Tür. «Nicht bevor Sie …»

Als ich das Gaspedal durchtrat, wurde er weggeschleudert. Die Männer vor mir sprangen zur Seite, und der Landrover schoss vorwärts. Erschrockene Gesichter sausten vorbei, dann hatte ich sie hinter mir gelassen. Zornig riefen sie mir etwas nach, aber ich wurde nicht langsamer. Erst als ich außer Sichtweite war, legte sich meine Wut so weit, dass ich wieder klar denken konnte. Was hatte ich mir nur dabei gedacht? Ein großartiger Arzt war ich. Ich hätte jemanden verletzen oder noch Schlimmeres anrichten können.

Ich fuhr ziellos umher, bis ich merkte, dass ich auf dem Weg zu dem Pub war, in dem ich vor ein paar Tagen mit Jenny gewesen war. Ich bremste abrupt ab, unfähig, auch nur den Gedanken zu ertragen, das Lokal jetzt wiederzusehen. Als hinter mir eine Autohupe plärrte, fuhr ich an den Straßenrand und wartete, bis der Wagen vorbei war, ehe ich wendete und zurückfuhr.

Ich hatte versucht, vor den Ereignissen davonzulaufen, aber ich wusste, dass ich es nicht konnte. Als ich wieder in Manham ankam, war ich erschöpft. Von Brenner oder seinen Freunden keine Spur mehr. Ich widerstand der Versuchung, zu Jennys Cottage zu fahren oder Mackenzie anzurufen. Es hatte keinen Sinn. Wenn etwas passiert war, würde ich es schnell genug hören.

Ich ging ins Haus, schenkte mir einen Whisky ein, den ich nicht wollte, und setzte mich nach draußen, während die Sonne vom Himmel sank. Mein Herz ging mit ihr unter. Fast ein halber Tag war bereits vergangen, seit Jenny verschleppt worden war. Ich konnte mir einreden, dass es noch Hoffnung gab, dass der Täter die beiden anderen Opfer nicht sofort getötet hatte. Aber das tröstete mich nicht, überhaupt nicht.

Selbst wenn sie noch nicht tot war – eine Möglichkeit, die sich entsetzlich vor mir auftat –, blieben uns nicht mehr als zwei Tage, um sie zu finden. Sollte sie bis dahin nicht durch ihren Insulinmangel ins Koma gefallen sein, würde die gesichtslose Bestie sie genauso töten wie Sally Palmer und Lyn Metcalf.

Und es gab nichts, was ich dagegen tun konnte.

KAPITEL 21

NACH EINER WEILE war die Dunkelheit nicht mehr undurchdringlich. Es gab helle Punkte, die so winzig waren, dass sie erst dachte, sie wären nur eine Einbildung. Wenn sie versuchte, sich darauf zu konzentrieren, verschwanden sie. Erst als sie zu einer Seite schaute, wurden die winzigen Flecken wie eine horizontale Schicht aus Sternen am Rande ihres Blickfeldes sichtbar.

Und als ihre Augen sich umgewöhnt hatten, merkte sie, dass sie die Lichter leichter ausmachen konnte. Es waren nicht nur Punkte. Auch Schlitze. Helle Risse. Nach einer Weile erkannte sie, dass sie nicht überall um sie herum waren. Das Licht kam nur aus einer Richtung. Sie begann diese Seite Vorne zu nennen.

Mit diesem Anhaltspunkt begann Jenny allmählich, der sie umgebenden Dunkelheit Form und Gestalt zu geben.

Sie war nur langsam erwacht. Ein dumpfer, hämmernder Kopfschmerz hatte jede Bewegung zu einer Qual gemacht. In ihrem Kopf war alles durcheinander, doch ein schreckliches Angstgefühl hielt sie davon ab, wieder das Bewusstsein zu verlieren. Sie dachte, sie wäre wieder auf dem Parkplatz, nur dass sie der Taxifahrer dieses Mal in den Kofferraum gesperrt hatte. Sie fühlte sich eingeengt und bekam keine Luft. Sie wollte um Hilfe rufen, doch ihr Mund schien wie der Rest des Körpers nicht auf ihre Befehle zu reagieren.

Allmählich waren ihre Gedanken wieder zusammenhängender geworden. Ihr wurde nun klar, dass sie sich auf jeden Fall nicht auf dem Parkplatz befand. Dieser Überfall gehörte wieder in die Vergangenheit. Doch die Erkenntnis erleichterte sie nicht. *Wo war sie?* Die Dunkelheit verwirrte und verängstigte sie. Als sie sich aufrichten wollte, schien etwas ihr Bein festzuhalten. Sie versuchte, es wegzuziehen, spürte, wie sich etwas zuzog, und ertastete dann mit ihren Fingern das grobe Hanfseil um ihren Knöchel. Mit wachsendem Unglauben verfolgte sie es der Länge nach, bis sie zu einem schweren Eisenring gelangte, der im Boden verankert war.

Sie war gefesselt. Und plötzlich passten das Seil, die Dunkelheit und der harte Boden unter ihr auf schreckliche Weise zusammen.

Und sie erinnerte sich.

Die Erinnerung baute sich fragmentarisch auf, ein Mosaik, das sich nach und nach zusammenfügte. Sie hatte mit David telefoniert. An der Tür hatte es geläutet, sie war nachschauen gegangen, wer es war, hatte draußen die Gestalt eines Mannes stehen gesehen, die von dem Perlenvorhang halb verdeckt war, und … und …

O Gott, das konnte nicht geschehen sein. Aber es war geschehen. Sie schrie auf und rief nach David, nach Tina. Niemand kam. Nur mit Mühe zwang sie sich aufzuhören. *Atme tief durch. Reiß dich zusammen.* Zitternd begann sie, sich über ihre Situation klar zu werden. Wo auch immer sie war, es war jedenfalls kühl, jedoch nicht zu kalt. Die Luft war schlecht und hatte einen üblen Geruch, den sie nicht zuordnen konnte. Aber immerhin war sie noch bekleidet, ihre Shorts und ihr Top waren unangetastet. Sie sagte sich, dass das ein gutes Zeichen war. Der Kopfschmerz war zu einem gedämpften Pochen geworden, und das intensivste Gefühl war nun Durst. Ihre Kehle war so geschwollen und trocken, dass es beim Schlucken wehtat. Zudem war sie hungrig, und bei diesem Gedanken überfiel sie eine wesentlich erschreckendere Erkenntnis.

Sie hatte kein Insulin.

Sie wusste nicht einmal, wie viel Zeit seit ihrer letzten Dosis vergangen war. Sie hatte keine Ahnung, wie lange sie schon hier war. Am Morgen hatte sie sich ihre übliche Injektion gegeben, aber wie lange war das her? Wenn die nächste noch nicht überfällig war, dann würde es bald so weit sein. Ohne Insulin konnte ihr Blutzucker nicht reguliert werden, und sie wusste nur zu genau, was passieren würde, wenn der Spiegel zu steigen begann.

Denk nicht darüber nach, sagte sie sich schroff. *Denk darüber nach, wie du hier rauskommst. Wo auch immer* hier *ist.*

Mit ausgestreckten Händen begann sie, die äußeren Grenzen ihres Gefängnisses abzumessen. Hinter ihr befand sich eine raue Mauer, aber an allen anderen drei Seiten fasste ihre Hand nur ins Leere. Während sie in der Dunkelheit umhertastete, trat ihr Fuß gegen etwas. Sie schrie auf und stolperte zurück. Als nichts passierte, hockte sie sich nieder und suchte vorsichtig nach dem Gegenstand. Es war ein Schuh, dachte sie und untersuchte ihn mit den Fingern. Ein Turnschuh, zu klein für einen Männerschuh …

Sie ließ ihn fallen, als die Erkenntnis sie überfiel. Das war kein Turnschuh, sondern ein Laufschuh. Von einer Frau.

Von Lyn Metcalf.

Eine Weile drohte die Angst sie zu überwältigen. Seitdem sie das Seil um ihr Bein gespürt hatte, hatte Jenny versucht, die Gewissheit zu verdrängen, dass der Mörder sie als drittes Opfer auserwählt hatte. Nun war sie brutal bestätigt worden. Doch sie konnte sich keinen Zusammenbruch erlauben. Nicht, wenn sie hier herauskommen wollte.

Nachdem sie so nah an die Wand gerückt war, dass das Seil nicht mehr spannte, untersuchte sie mit ihren Fingern den Knoten. Er war so fest, dass er gut und gern aus dem gleichen Eisen wie der Ring gegossen sein könnte. Die Schlinge war nicht fest genug, um ihr Schmerzen zu verursachen, sie war jedoch zu eng, um ihren Fuß hindurchzuziehen. Wenn sie es versuchte, scheuerte sie sich nur die Haut an ihrem Knöchel auf.

Danach stemmte sie ihren nicht gefesselten Fuß gegen die Mauer und zog so fest, wie sie konnte. Weder das Seil noch der Eisenring gaben nach, doch sie zog weiter, bis ihr Kopf wieder hämmerte und ihr schwarz vor Augen wurde.

Als das Schwindelgefühl verschwunden war und sie nach Atem ringend dalag, bemerkte sie die winzigen Lichtspalte. Nachdem sie sich überzeugt hatte, dass sie real waren, versuchte sie, sie zu erreichen. Licht bedeutete, dass es einen Ausweg gab oder wenigstens etwas anderes jenseits dieses schwarzen, unendlichen Gefängnisses. Doch der Ursprung des Lichtes blieb außer Reichweite. Sie hockte sich auf den Boden und bewegte sich so weit von der Mauer weg, wie es das Seil erlaubte. Vorsichtig streckte sie ihre Hand in Richtung der winzigen Lichtspalte aus. Weniger als dreißig Zentimeter entfernt traf sie auf etwas Hartes und Unnachgiebiges. Langsam fuhr Jenny mit ihren Fingern darüber und spürte die raue Oberfläche ungehobelter Holzbretter.

Das Licht fiel durch Risse und Lücken zwischen den Brettern. Ein Spalt war genau vor ihr und etwas größer als die anderen. Sie rückte näher heran. Als ihre Wimpern die Oberfläche des Holzes berührten, zuckte sie zurück, aber dann legte sie vorsichtig ein Auge davor.

Dahinter konnte sie den Teil eines langen, abgedunkelten Raumes erkennen. Es sah aus wie ein Keller, was die unterirdische Feuchte in der Luft erklären würde. Die Wände waren aus ungetünchtem Stein, der alt wirkte. Auf Regalen standen Gläser und Dosen, die alle staubig waren. Genau gegenüber von ihr befand sich eine Werkbank aus Holz mit einem Schraubstock und einer Vielzahl von Werkzeugen. Aber das war es nicht, was ihr den Atem stocken ließ.

Wie schauderhafte Pendel hingen verstümmelte Tierkadaver von der Decke.

Es waren Dutzende. Füchse, Vögel, Hasen, Wiesel, Maulwürfe und ein Tier sah sogar wie ein Dachs aus. Sie schwankten umher, bewegt von einem leichten Luftzug wie die Oberfläche eines verkehrten Meeres. Manche waren an ihrem Hals aufgehängt, andere an den Hinterläufen, sodass man die Stümpfe sah, wo ihre Köpfe hätten sein sollen. Viele der kleinen Kadaver waren bis auf Haut und Knochen verwest. Leere Augenhöhlen starrten Jenny ausdruckslos an.

Sie unterdrückte einen Schrei und bewegte sich von den Brettern weg. Jetzt wusste sie, woher der ekelhafte Gestank kam. Und dann richteten sich ihr die Nackenhaare auf, als ihr ein erschreckender Gedanke kam. Sie stand auf und hob langsam eine Hand. Ihre Fingerspitzen strichen gegen etwas Weiches. Fell. Sie zog sofort ihre Hand zurück und zwang sich dann, noch einmal nach oben zu fassen. Dieses Mal fühlte sie Federn, die durch ihre Berührung leicht ins Schwanken geraten waren.

Auch über ihr hingen Tiere.

Diesmal stieß sie einen Schrei aus und hockte sich umhertastend auf den Boden, bis ihr Rücken die Wand berührte. Dann brach sie zusammen und legte schluchzend die Arme um sich. Doch nach und nach versiegten die Tränen. Sie wischte sich Augen und Nase. *Memme.* Mit Heulen würde sie auch nicht weiterkommen. Und die Tiere über ihr waren tot. Sie konnten niemandem etwas tun.

Mit neuer Entschlossenheit krabbelte sie noch einmal zur Bretterwand und spähte durch den Schlitz. Der Raum dahinter war unverändert. Niemand war dort. Und jetzt bemerkte sie etwas, das sie durch den Schock bei der Entdeckung der toten Tiere übersehen hatte. Hinter der Werkbank war eine Nische. Das wenige Licht im Keller kam von dort, ein schwacher, künstlicher Schein. In der Nische gerade noch sichtbar war eine Treppe, die aus dem Blickfeld ragte.

Der Ausweg.

Jenny schaute sehnsüchtig auf die Stufen, rückte dann von dem Schlitz ab und stieß zur Probe gegen die Bretter. Kniend schlug sie nun mit beiden Händen dagegen. Der Aufprall stauchte ihre Arme und trieb ihr Splitter in die Handflächen. Die Holzwand rührte sich nicht.

Aber sie fühlte sich nun besser, wo sie etwas tat. Wieder und wieder knallte sie ihre Hände gegen die Bretter und vertrieb mit jedem Schlag ein wenig von der Angst, die sie zu lähmen drohte. Atemlos krabbelte sie zurück, bis das Seil locker genug war, damit sie sich hinsetzen konnte. Obwohl sie in ihrem gefesselten Bein einen Krampf hatte und die Anstrengung ihre Kopfschmerzen und ihren Durst verschlimmert hatte, spürte sie eine erbitterte Befriedigung. Sie klammerte sich daran und ließ den Gedanken nicht zu, wie wenig sie im Grunde erreicht hatte. Die Bretter waren kein unüberwindbares Hindernis. Sie hatte das Gefühl, dass es nur eine Frage der Zeit war, bis sie die andere Seite erreicht hatte. *Nur dass du nicht weißt, wie viel Zeit dir noch bleibt, nicht wahr?*

Doch sie verdrängte diesen Gedanken, tastete nach dem Seil und begann sich über den Knoten herzumachen.

KAPITEL 22

AM NÄCHSTEN MORGEN erfuhr ich aus den Nachrichten, dass ein Verdächtiger verhaftet worden war.

Ich hatte eine größtenteils schlaflose Nacht hinter mir, die meiste Zeit hatte ich auf einem Stuhl gesessen und gleichzeitig gehofft und gefürchtet, dass Mackenzie anrufen würde. Doch das Telefon war stumm geblieben. Um fünf Uhr war ich aufgestanden und hatte geduscht. Erst wollte ich das Radio nicht anmachen, weil ich wusste, was die zentrale Nachricht sein würde. Doch die Stille im Haus war bedrückend, und nichts zu hören war noch schlimmer. Als es Zeit für die Acht-Uhr-Nachrichten war, gab ich auf und schaltete das Radio ein.

Dennoch rechnete ich nicht damit, etwas Neues zu erfahren. Da ich mir gerade Kaffee machen wollte und die Maschine füllte, übertönte das Geräusch des laufenden Wasserhahns die ersten Sekunden der Sendung. Aber ich hörte die Worte ‹Verhaftung› und ‹Verdächtiger› und drehte aufgeregt das Wasser ab.

«… der Name wurde nicht bekannt gegeben, doch die Polizei bestätigt, dass gestern Abend in Verbindung mit der Entführung der Lehrerin Jenny Hammond ein Mann aus der Gegend verhaftet wurde …»

Der Nachrichtensprecher ging zum nächsten Thema über. *Und was ist mit Jenny?*, wollte ich schreien. Wenn jemand verhaftet worden war, warum hatte man sie dann nicht gefunden? Ich merkte, dass ich immer noch die Kaffeekanne umklammerte. Ich knallte sie auf den Tisch und schnappte mir das Telefon. *Na los, geh ran*, betete ich, nachdem ich Mackenzies Nummer gewählt hatte. Es klingelte lange, und als ich schon dachte, dass gleich seine Mailbox angeht, nahm er ab.

«Haben Sie sie gefunden?», fragte ich, ehe er etwas sagen konnte.

«Dr. Hunter?»

«Haben Sie sie gefunden?»

«Nein. Hören Sie, ich kann jetzt nicht reden. Ich rufe Sie zurück …»

«Legen Sie nicht auf! Wen haben Sie verhaftet?»

«Das kann ich Ihnen nicht sagen.»

«Ach, um Himmels willen …!»

«Er steht nicht unter Anklage, deshalb geben wir seinen Namen noch nicht bekannt. Sie wissen doch, wie es läuft.» Er klang entschuldigend.

«Hat er Ihnen schon etwas gesagt?»

«Wir befragen ihn noch.»

Mit anderen Worten, nein. «Warum haben Sie mir nicht Bescheid gesagt? Sie wollten anrufen, sobald sich etwas getan hat!»

«Es war schon spät. Ich wollte Sie heute Morgen informieren.»

«Was, dachten Sie, Sie würden mich *stören*?»

«Hören Sie, ich weiß, dass Sie sich Sorgen machen, aber dies ist eine polizeiliche Ermittlung und …»

«Ich weiß, ich war daran beteiligt, erinnern Sie sich?»

«… und wenn es so weit ist, werde ich Ihnen alles berichten. Doch im Moment verhören wir einen Verdächtigen, und mehr darf ich nicht sagen.»

Ich unterdrückte das Verlangen, ihn anzubrüllen. Er war kein Typ, der auf Drohungen reagierte. «Im Radio wurde gesagt, es wäre ein Mann aus der Gegend», sagte ich so ruhig wie möglich. «Über kurz oder lang wird also jeder im Dorf wissen, wer es ist, ob Sie es wollen oder nicht. Ich werde es also sowieso erfahren. Es bedeutet nur, dass ich mir in den nächsten Stunden den Kopf darüber zermartern werde.» Mit einem Mal hatte ich keine Kraft mehr zu diskutieren. «Bitte. Ich muss es wissen.»

Er zögerte. Ich sagte nichts und ließ ihm Zeit, zu einer Entscheidung zu kommen. Ich hörte ihn seufzen. «Warten Sie einen Moment.»

Die Sprechmuschel wurde zugehalten. Ich vermutete, dass er irgendwo hinging, wo ihn keiner hören konnte. Als er sich wieder meldete, war seine Stimme gedämpft.

«Das ist jetzt streng vertraulich, okay?» Ich antwortete erst gar nicht. «Es ist Ben Anders.»

Ich war auf einen Namen gefasst gewesen, den ich kannte. Aber nicht auf diesen.

«Dr. Hunter? Sind Sie noch da?», fragte Mackenzie.

«Ben Anders?», wiederholte ich fassungslos.

«Sein Wagen wurde in den frühen Morgenstunden, bevor Jenny Hammond verschwunden ist, in der Nähe ihres Hauses gesehen.»

«Und das ist alles?»

«Nein, das ist nicht alles», blaffte er. «Im Kofferraum haben wir Material zum Bau von Fallen gefunden. Draht, Drahtscheren. Holzpfähle. Kein Zeug, das ein Aufseher eines Naturschutzgebietes normalerweise mit sich herumschleppt.»

Ich konnte es immer noch nicht glauben. Doch jetzt begann mein Gehirn zu arbeiten. «Wer hat seinen Wagen in der Nähe von Jennys Haus gesehen?»

«Das darf ich Ihnen nicht sagen.»

«Sie haben einen Tipp bekommen, richtig? Einen anonymen Tipp.»

«Wie kommen Sie darauf?» Seine Stimme wurde misstrauisch.

«Weil ich weiß, von wem er stammt», sagte ich mit plötzlicher Überzeugung. «Von Carl Brenner. Erinnern Sie sich, wie ich Ihnen erzählt habe, dass Ben glaubte, er würde wildern? Vor ein paar Abenden hatten sie eine Prügelei. Brenner hat den Kürzeren gezogen.»

«Das heißt noch gar nichts», sagte Mackenzie stur.

«Es heißt, dass Sie Brenner mal auf den Zahn fühlen sollten. Ich kann nicht glauben, dass Ben etwas damit zu tun hat.»

«Weshalb? Weil er ein Freund von Ihnen ist?» Mackenzie war jetzt wütend.

«Nein, weil ich glaube, dass man ihm etwas anhängen will.»

«Ach, und glauben Sie, auf die Idee wären wir nicht auch schon gekommen? Und bevor Sie fragen, Brenner hat zufällig ein wasserdichtes Alibi, was man von Ihrem Freund Anders nicht behaupten kann. Wussten Sie, dass er ein Exfreund von Sally Palmer war?»

Diese Neuigkeit fegte alles weg, was ich hätte sagen wollen.

«Sie hatten vor ein paar Jahren eine Beziehung», fuhr Mackenzie fort. «Kurz bevor Sie ins Dorf gezogen sind, um genau zu sein.»

«Das wusste ich nicht», sagte ich benommen.

«Vielleicht hat er vergessen, es zu erwähnen. Und ich wette, er hat auch vergessen zu erwähnen, dass er vor fünfzehn Jahren wegen sexueller Nötigung verhaftet worden ist, oder?»

Zum zweiten Mal fehlten mir die Worte.

«Wir hatten ihn schon im Auge, bevor wir den Tipp bekommen haben. So erstaunlich es auch sein mag, aber wir sind keine Vollidioten», sagte Mackenzie kühl. «Und wenn Sie nun entschuldigen würden, ich habe zu tun.»

Ein Klicken, dann war die Verbindung unterbrochen. Ich legte auch auf. Ich wusste nicht mehr, was ich denken sollte. Normalerweise hätte ich geschworen, dass Ben unschuldig war. Und ich war weiterhin davon überzeugt, dass der anonyme Tipp von Carl Brenner kam. Der Mann war kleingeistig genug, dass er um jeden Preis seine Rechnung mit Ben begleichen wollte, egal, was für Konsequenzen das hatte.

Trotzdem hatten mich Mackenzies Worte erschüttert. Ich hatte keine Ahnung, dass Ben eine Beziehung mit Sally gehabt, geschweige denn, dass er sich schon einmal eines Sexualdeliktes schuldig gemacht hatte. Natürlich gab es keinen Grund, warum er mir das hätte erzählen sollen, und wahrscheinlich jeden Grund, es unter diesen Umständen nicht zu tun. Doch jetzt musste ich mich fragen, wie gut ich ihn eigentlich kannte. Die Welt ist voller Menschen, die nicht glauben wollen, dass jemand, den sie kennen, ein Mörder sein könnte. Zum ersten Mal fragte ich mich, ob ich einer von diesen Menschen war.

Doch wesentlich besorgniserregender war die Möglichkeit, dass die Polizei kostbare Zeit mit dem falschen Mann vergeudete. Urplötzlich hatte ich einen Entschluss gefasst. Ich nahm meine Wagenschlüssel und lief aus dem Haus. Wenn Brenner gelogen hatte, um Ben zu belasten, dann musste ihm klar gemacht werden, welchen Preis Jenny dafür bezahlen könnte. Ich musste es so oder so wissen und ihn, wenn nötig, davon überzeugen, die Wahrheit zu sagen. Sonst …

Ich wollte nicht daran denken, was sonst passieren würde. Die Sonne schien bereits heiß, als ich durch das Dorf fuhr. Es wimmelte noch mehr von Polizisten und Presse als je zuvor. Die Journalisten, Fotografen und Tontechniker standen verstimmt in Gruppen zusammen, frustriert von ihren Versuchen, die verschlossenen Einheimischen zu interviewen. Ich konnte den Gedanken nicht ertragen, dass sie wegen Jenny hier waren. Als ich an der Kirche vorbeifuhr, sah ich Scarsdale auf dem Friedhof. Aus einem Impuls heraus hielt ich an und stieg aus. Er sprach gerade mit Tom Mason und gab dem Gärtner mit erhobenem Finger Anweisungen. Als er mich kommen sah, hielt er inne, und sein Gesicht legte sich missmutig in Falten.

«Dr. Hunter», grüßte er mich kalt.

«Sie müssen mir einen Gefallen tun», sagte ich ohne Umschweife.

Er konnte seine Genugtuung kaum verbergen. «Einen Gefallen? Das ist ja etwas ganz Neues, dass Sie mich um etwas bitten müssen.»

Ich ließ ihn seinen Triumph auskosten. Es stand mehr auf dem Spiel als sein oder mein Stolz. Ohne zu fragen, was ich wollte, schaute er geziert auf seine Uhr.

«Aber was auch immer es ist, es wird warten müssen. Ich erwarte einen Anruf. Ich soll in Kürze ein Live-Interview im Radio geben.»

Zu jeder anderen Zeit hätte mich sein aufgeblasener Tonfall geärgert, doch jetzt nahm ich ihn kaum wahr. «Es ist wichtig.»

«Dann werden Sie ja warten können, nicht wahr?» Er legte seinen Kopf schief, als aus einer geöffneten Tür an der Seite der Kirche ein Telefonklingeln ertönte. «Entschuldigen Sie mich.»

Ich hätte ihn am liebsten an seinem staubigen Revers gepackt und geschüttelt. Stattdessen biss ich die Zähne zusammen, als er hineineilte. Ich war versucht, wieder zu gehen. Aber Scarsdales Anwesenheit könnte helfen, wenn ich Brenners Gewissen anrühren wollte, wie auch immer das aussehen mochte. Nachdem ich ihn in der vergangenen Nacht fast über den Haufen gefahren hatte, bezweifelte ich, dass er mir zuhören würde, wenn ich allein kam.

Das Geräusch der Gartenschere riss mich allmählich aus meiner Versenkung. Ich schaute hinüber zu Tom Mason, der bedächtig das Gras um ein Blumenbeet trimmte und so gut wie möglich so tat, als hätte er den Wortwechsel nicht gehört. Erst jetzt fiel mir ein, dass ich ihn nicht einmal gegrüßt hatte.

«Morgen, Tom», sagte ich und versuchte, normal zu klingen. Ich schaute mich nach seinem Großvater um. «Wo ist George?»

«Noch im Bett.»

Ich hatte gar nicht gewusst, dass er krank war. Ein weiteres Zeichen dafür, wie ich die Arbeit in der Praxis hatte schleifen lassen. «Wieder sein Rücken?»

Er nickte. «Noch ein paar Tage und er ist wieder auf dem Damm.»

Ich hatte ein schlechtes Gewissen. Der gute George und sein Enkel waren zwar Henrys Patienten, aber für die Hausbesuche war ich zuständig. Und der alte Gärtner war ein solch fester Bestandteil von Manham, dass mir seine Abwesenheit hätte auffallen müssen. Wie viele andere Menschen hatte ich in letzter Zeit im Stich gelassen? Und ich tat es weiterhin, denn Henry musste während der Sprechstunde heute Morgen erneut ohne mich klarkommen.

Aber die Angst um Jenny drängte alles andere in den Hintergrund. Das Bedürfnis, etwas zu tun – irgendetwas –, begann überzusprudeln, während Scarsdales wichtigtuerischer Singsang durch die offene Tür getragen wurde. Mir war schwindelig vor lauter Ungeduld. Das Sonnenlicht auf dem Kirchhof erschien mir zu grell, und von den süßen Gerüchen in der Luft wurde mir übel. Irgendetwas zerrte an meinem Unterbewusstsein, aber was auch immer es war, es verschwand, als ich hörte, wie Scarsdale auflegte. Einen Moment später kehrte er mit selbstgerechter Miene aus dem Kirchenbüro zurück.

«Nun, Dr. Hunter. Sie haben mich um einen Gefallen gebeten.»

«Ich bin auf dem Weg zu Carl Brenner. Ich möchte, dass Sie mich begleiten.»

«Tatsächlich? Und warum sollte ich das tun?»

«Weil es wahrscheinlicher ist, dass er Ihnen zuhört.»

«Was soll ich ihm sagen?»

Ich schaute kurz zu dem Gärtner hinüber, aber er war, in seine Arbeit vertieft, weggegangen. «Die Polizei hat jemanden verhaftet. Ich glaube, die Beamten könnten aufgrund einer Aussage von Carl Brenner einen Fehler gemacht haben.»

«Dieser ‹Fehler› hat nicht zufällig etwas mit Ben Anders zu tun?» Mein Gesichtsausdruck muss Antwort genug gewesen sein. Scarsdale sah zufrieden mit sich aus. «Es tut mir Leid, Sie zu enttäuschen, aber das ist nun wirklich keine Neuigkeit. Man hat gesehen, wie er abgeführt wurde. So etwas kann man kaum geheim halten.»

«Es spielt keine Rolle, wer es ist, ich glaube trotzdem, dass Brenner der Polizei falsche Informationen gegeben hat.»

«Darf ich fragen, warum?»

«Er hat eine Rechnung mit Ben offen. Das ist seine Chance, es ihm heimzuzahlen.»

«Aber das wissen Sie nicht mit Sicherheit, oder?» Scarsdale schürzte tadelnd seine Lippen. «Und Anders ist ein Freund von Ihnen, glaube ich.»

«Wenn er schuldig ist, dann hat er jede Strafe verdient. Doch wenn nicht, verschwendet die Polizei Zeit mit einer falschen Spur.»

«Das sollte die Polizei entscheiden und nicht der Landarzt.»

Ich versuchte, ruhig zu bleiben. «Bitte.»

«Tut mir Leid, Dr. Hunter, aber ich glaube nicht, dass Sie sich bewusst sind, um was Sie da bitten. Sie wollen, dass ich mich in eine polizeiliche Ermittlung einmische.»

«Ich will ein Leben retten!» Ich schrie fast. «Bitte», wiederholte ich ruhiger. «Es geht nicht um mich. Vor ein paar Tagen saß Jenny Hammond in Ihrer Kirche, als Sie von der Notwendigkeit gesprochen haben, etwas zu tun. Vielleicht ist sie noch am Leben, aber viel Zeit hat sie nicht mehr. Es gibt kein … Ich kann nicht …»

Die Stimme versagte mir. Scarsdale beobachtete mich. Unfähig, weiterzusprechen, schüttelte ich den Kopf und wandte mich ab.

«Wie kommen Sie darauf, dass Carl Brenner auf mich hören wird?»

Ich wartete einen Moment, um mich wieder zu fassen, ehe ich mich zu ihm umdrehte. «Sie haben diese Patrouillen veranlasst. Er wird eher auf Sie hören als auf mich.»

«Dieses dritte Opfer», sagte er vorsichtig. «Sie kennen sie?»

Ich nickte nur. Er betrachtete mich eine Weile. In seinem Blick war etwas, das ich bei ihm noch nie gesehen hatte. Ich brauchte einen Augenblick, um es als Mitgefühl zu erkennen. Dann war es verschwunden und durch seinen gewohnten Hochmut ersetzt worden.

«Na gut», sagte er.

Ich war vorher noch nie im Haus der Brenners gewesen, es war jedoch eine Art regionales Wahrzeichen, das man kaum übersehen konnte. Es lag ungefähr eine Meile außerhalb des Dorfes an einem Feldweg, der den ganzen Sommer mit Schlaglöchern übersät war und während des restlichen Jahres nur aus schmutzigen Pfützen und Schlamm bestand. Die Felder in der Umgebung waren einst drainiertes Ackerland gewesen, mit der Zeit aber wieder verwildert. Mittendrin, umgeben von Gerümpel und Schutt, stand das Haus. Es war ein großes, verfallenes Gebäude, das weder eine gerade Wand noch einen rechten Winkel zu haben schien. Über die Jahre waren Anbauten vorgenommen worden, baufällige Konstruktionen, die sich wie Blutegel an die Mauern klammerten. Das Dach war mit Wellblech ausgebessert und mit einer unpassend modernen und riesigen Satellitenschüssel geschmückt worden.

Scarsdale hatte während der kurzen Fahrt kein Wort gesagt. Im beengten Innenraum des Wagens war sein muffiger, leicht säuerlicher Geruch noch penetranter. Der Landrover holperte über den ausgefahrenen Weg zum Haus. Ein Hund kam auf uns zugelaufen und bellte wild, hielt aber Abstand, als wir aus dem Wagen stiegen. Als ich an die Vordertür klopfte, rieselten Splitter alter Farbe hinab. Sie wurde fast sofort von einer angegriffen aussehenden Frau geöffnet, in der ich Carl Brenners Mutter erkannte.

Sie war schrecklich dünn und hatte strähniges graues Haar und blasse Haut, als wäre sie vom Leben ausgezehrt worden.

Da sie Witwe war und angesichts des Naturells ihrer Kinder, die sie allein hatte großziehen müssen, war das wohl auch der Fall. Trotz der Hitze trug sie eine selbst gestrickte Jacke über einem verwaschenen Kleid. Sie zupfte daran, als sie uns wortlos anblinzelte.

«Ich bin Dr. Hunter», sagte ich. Scarsdale musste nicht vorgestellt werden. «Ist Carl zu Hause?»

Keine Antwort. Erst als ich die Frage gerade wiederholen wollte, verschränkte sie die Arme vor der Brust.

«Er ist im Bett.» Sie sprach schnell, auf eine gleichzeitig aggressive und nervöse Weise.

«Wir müssen mit ihm reden. Es ist wichtig.»

«Er wird nicht gerne geweckt.»

Scarsdale trat vor. «Es wird nicht lange dauern, Mrs. Brenner. Aber es ist wichtig, dass wir mit ihm sprechen.»

Ich ärgerte mich kurz darüber, dass er die Kontrolle übernommen hatte, aber das ging schnell vorüber. Wichtig war nur, ins Haus zu kommen.

Widerwillig trat sie einen Schritt zurück, sodass wir eintreten konnten. «Warten Sie in der Küche. Ich hole ihn.»

Scarsdale ging zuerst ins Haus. Ich folgte ihm in den unordentlichen Flur. Es roch nach alten Möbeln und Bratkartoffeln. Als wir in die Küche gingen, wurde der Fettgestank intensiver. In einer Ecke lief ein kleiner Fernseher. Am Tisch, vor leeren Frühstückstellern, zankten sich ein halbwüchsiger Junge und ein Mädchen. Daneben saß Scott Brenner, einen Fuß bandagiert und auf einen Hocker gelagert, und sah mit einem Becher Tee in der Hand fern.

Als wir hereinkamen, verstummten sie und starrten uns an. «Morgen», sagte ich verlegen zu Scott. An die Namen seiner halbwüchsigen Geschwister konnte ich mich nicht erinnern. Zum ersten Mal begann ich in Frage zu stellen, was ich vorhatte. Erst jetzt wurde mir bewusst, dass ich jemanden zu Hause aufsuchte, um ihn der Lüge zu bezichtigen. Doch ich wollte keine Zweifel zulassen. Egal, ob es richtig oder falsch war, ich musste es tun.

Die Stille dehnte sich aus. Scarsdale stand im Zentrum des Raumes, so unbeeindruckt von seiner Umgebung wie eine Statue. Der Junge und das Mädchen glotzten uns weiter an. Scott starrte in seinen Schoß.

«Wie geht es Ihrem Fuß?», fragte ich, um etwas zu sagen.

«In Ordnung.» Er betrachtete ihn und zuckte mit den Achseln. «Tut ein bisschen weh.»

Ich konnte sehen, dass der Verband schmutzig war. «Wann haben Sie den Verband das letzte Mal gewechselt?»

Er wurde rot. «Keine Ahnung.»

«Aber er wurde doch schon einmal gewechselt, oder?» Er antwortete nicht. «Es war eine schlimme Wunde, Sie müssen sich darum kümmern.»

«Ich komme ja schlecht irgendwohin, oder?», meinte er gekränkt.

«Wir hätten dafür sorgen können, dass jemand vorbeikommt. Oder Carl hätte Sie in die Praxis bringen können.»

Sein Gesicht verfinsterte sich. «Er war zu beschäftigt.»

Ja, dachte ich, das kann ich mir vorstellen. Doch es stand mir nicht zu, selbstgerecht zu sein. Dies war nur eine weitere Mahnung, wie sehr ich den Kontakt zu meinen Pflichten als Arzt verloren hatte. Man konnte hören, wie jemand die Treppe herunterkam, dann trat seine Mutter in die Küche.

«Melissa, Sean, raus mit euch», wies sie die Teenager an.

«Wieso?», wollte das Mädchen wissen.

«Weil ich es sage! Na los!»

Widerwillig schlurften sie hinaus. Ihre Mutter ging zur Spüle und ließ Wasser ein.

«Kommt er runter?», fragte ich.

«Wenn er so weit ist.»

Mehr wollte sie anscheinend nicht sagen. Schlecht gelaunt begann sie einen Haufen Geschirr abzuwaschen, und außer dem Planschen des Wassers und dem Klappern des Bestecks und der Teller war es still in der Küche. Ich horchte, ob ich Geräusche auf der Treppe hörte, aber da war nichts.

«Und was soll ich nun machen?», fragte Scott und starrte besorgt auf seinen Fuß.

Ich musste mich mühsam wieder auf ihn konzentrieren. Mir war bewusst, dass Scarsdale mich beobachtete. Für einen Moment kämpfte meine Ungeduld mit meinem Pflichtgefühl, dann gab ich nach. «Lassen Sie mich mal nachschauen.»

Die Wunde sah nicht so schlimm aus, wie es bei dem schmutzigen Zustand der Bandage hätte sein können. Sie heilte, und die Chancen standen gut, dass er seinen Fuß wieder vollständig benutzen konnte. Die Stiche sahen aus, als wären sie von einer ungeschickten Schwesternschülerin gemacht worden, doch die Ränder der Wunde begannen sauber zusammenzuwachsen. Ich holte meine Tasche aus dem Wagen und machte mich daran, die Wunde zu säubern und neu zu verbinden. Ich war fast fertig damit, als polternde Schritte Carl Brenners Kommen ankündigten.

Ich beendete meine Arbeit und stand auf, während er hereingeschlurft kam. Er trug dreckige Jeans und ein enges T-Shirt. Sein Oberkörper war blass, aber kräftig und mit drahtigen Muskeln überzogen. Er fixierte mich mit einem giftigen Blick und nickte dann Scarsdale mit so etwas wie widerwilligem Respekt zu. Er erinnerte mich an einen mürrischen Schüler, der vor einen strengen Rektor trat.

«Guten Morgen, Carl», sagte Scarsdale und übernahm die Initiative. «Es tut uns Leid, dich zu stören.»

Seine Stimme hatte einen missbilligenden Unterton. Erst als Brenner das hörte, schien er sich seines Aufzugs bewusst zu werden.

«Ich bin gerade aufgestanden», sagte er unnötigerweise. Seine Stimme klang noch verschlafen. «Bin erst spät nach Hause gekommen.»

Scarsdales Miene schien zu sagen, dass er darüber hinwegsehen würde. Nur dieses eine Mal. «Dr. Hunter will dich etwas fragen.»

Brenner versuchte nicht, seine Feindseligkeit zu verbergen, als er mich anstarrte. «Interessiert mich einen Schei…» Er bremste sich. «Interessiert mich nicht, was er will.»

Scarsdale erhob die Hände, ganz der geduldige Friedensstifter. «Mir ist klar, dass wir hier einfach so eindringen, aber er meint, es könnte wichtig sein. Ich möchte gerne, dass du ihm zuhörst.» Er wandte sich an mich und gab zu erkennen, dass er alles getan hatte, was in seiner Macht stand. Mir war bewusst, dass Scott und die Mutter mich beobachteten, als ich sprach.

«Sie wissen, dass Ben Anders verhaftet worden ist», sagte ich. Brenner nahm sich Zeit mit der Antwort. Er lehnte sich gegen den Tisch und verschränkte seine Arme.

«Und?»

«Wissen Sie etwas darüber?»

«Warum sollte ich?»

«Die Polizei hat einen Tipp bekommen. Von Ihnen?»

Er wurde sofort aggressiv. «Was geht Sie das an?»

«Wenn es so war, würde ich gerne wissen, ob Sie ihn wirklich gesehen haben.»

Er kniff seine Augen zusammen. «Beschuldigen Sie mich?»

«Hören Sie, ich möchte einfach nicht, dass die Polizei Zeit verschwendet.»

«Wie kommen Sie darauf? Es wird Zeit, dass die Leute merken, was für ein Arschloch Anders ist.»

Scott wackelte unruhig auf seinem Stuhl umher. «Ich weiß nicht, Carl, vielleicht war er nicht …»

Brenner fauchte ihn an. «Wer hat dich gefragt, verflucht nochmal? Halt die Klappe.»

«Es geht doch nicht nur um Ben Anders», sagte ich, während sein jüngerer Bruder zusammenzuckte und sich wegduckte. «Um Himmels willen, verstehen Sie das denn nicht?»

Brenner stieß sich mit geballten Fäusten vom Tisch ab. «Scheiße, für wen halten Sie sich eigentlich? Als wir sie gestern Abend angehalten haben, waren Sie zu hochnäsig, um mit uns zu reden. Und jetzt kommen Sie hierher und wollen mir erzählen, was ich zu tun habe?»

«Ich möchte nur, dass Sie die Wahrheit sagen.»

«Jetzt nennen Sie mich also einen Lügner?»

«Sie spielen mit dem Leben eines anderen Menschen!»

Er grinste gehässig. «Na und? Von mir aus können sie das Arschloch hängen.»

«Es geht mir nicht um ihn!», rief ich. «Was ist mit der Frau? Was passiert so lange mit ihr?»

Sein Grinsen verschwand. Er sah aus, als wäre ihm dieser Zusammenhang noch nie in den Sinn gekommen. Er zuckte mit den Achseln, doch nun war er defensiv.

«Sie ist wahrscheinlich schon tot.»

Scarsdale hielt mich zurück, als ich einen Schritt auf Brenner zumachte. Mit großer Mühe appellierte ich ein letztes Mal an Carl.

«Der Mörder hält seine Opfer drei Tage gefangen, ehe er

sie tötet», sagte ich und kämpfte darum, ruhig zu bleiben. «Er hält sie am Leben, damit er Gott weiß was mit ihnen anstellen kann. Heute ist der zweite Tag, und die Polizei versucht noch immer, Ben Anders zu einem Geständnis zu bewegen. Nur weil jemand gesagt hat, er hätte ihn vor Jenny Hammonds Haus gesehen.»

Ich konnte nicht mehr. «Bitte», fuhr ich nach einem Augenblick fort. «Bitte, wenn Sie es waren, dann sagen Sie es der Polizei.»

Die anderen starrten mich fassungslos an. Niemand, der nichts mit der Ermittlung zu tun hatte, wusste, dass die Opfer gefangen gehalten worden waren. Mir war klar, dass Mackenzie an die Decke gehen würde, wenn er wüsste, dass ich es diesen Leuten erzählt hatte. Es war mir egal. Meine ganze Aufmerksamkeit war auf Brenner konzentriert.

«Ich habe keine Ahnung, wovon Sie sprechen», brummte er, doch ich konnte die Unsicherheit in seinem Gesicht sehen. Er konnte keinem von uns in die Augen sehen.

«Carl …?», sagte seine Mutter zögernd.

«Ich sagte, ich habe keine Ahnung, okay?», blaffte er, plötzlich wieder zornig. Er wandte sich an mich. «Sie haben Ihre Frage gestellt, jetzt verpissen Sie sich!»

Ich weiß nicht, was geschehen wäre, wenn Scarsdale nicht dabei gewesen wäre. Er trat schnell zwischen uns. «Jetzt reicht's!» Er sah Brenner an. «Carl, ich verstehe, dass du aufgebracht bist, aber ich wäre dir dankbar, solche Worte nicht in meiner Anwesenheit zu benutzen. Auch nicht vor deiner Mutter.»

Brenner sah nach dieser Zurechtweisung alles andere als glücklich aus, doch Scarsdales Glaube an seine Autorität war unerschütterlich. Der Pfarrer wandte sich an mich.

«Dr. Hunter, Sie haben Ihre Antwort bekommen. Ich

glaube, es gibt keinen Grund mehr für Sie, noch länger hier zu bleiben.»

Ich rührte mich nicht. Ich starrte Brenner an und war überzeugter denn je, dass er Ben aus purem Trotz belastet hatte. Beim Anblick seiner mürrischen Miene hätte ich am liebsten die Wahrheit aus ihm herausgeprügelt.

«Wenn ihr irgendetwas passiert», sagte ich mit einer Stimme, die mir selbst fremd war, «wenn sie stirbt, weil Sie gelogen haben, dann bringe ich Sie eigenhändig um, das schwöre ich Ihnen.»

Die Drohung schien dem Raum alle Luft zu nehmen. Ich spürte, wie Scarsdale meinen Arm nahm und mich zur Tür lotste. «Kommen Sie, Dr. Hunter.»

Als ich an Scott Brenner vorbeikam, blieb ich einen Moment stehen. Leichenblass und mit großen Augen schaute er hoch zu mir. Dann hatte mich Scarsdale in den Flur gedrängt.

Schweigend gingen wir zurück zum Landrover. Erst als wir auf der Straße zurück ins Dorf waren, fühlte ich mich wieder dazu in der Lage zu sprechen.

«Er lügt.»

«Wenn ich gewusst hätte, dass Sie die Kontrolle verlieren, hätte ich niemals eingewilligt, Sie zu begleiten», entgegnete Scarsdale erregt. «Ihr Verhalten war skandalös.»

Ich schaute ihn erstaunt an. «Skandalös? Er hat einen unschuldigen Mann verraten, ohne sich darum zu scheren, was deswegen passieren könnte!»

«Dafür haben Sie keinen Beweis.»

«Ach, hören Sie auf! Sie haben ihn doch gesehen!»

«Alles, was ich gesehen habe, waren zwei Männer, die die Beherrschung verloren haben.»

«Das ist doch nicht Ihr Ernst! Wollen Sie mir sagen, Sie

glauben wirklich nicht, dass Brenner der Polizei den Tipp gegeben hat?»

«Es steht mir nicht zu, darüber zu urteilen.»

«Das verlange ich auch nicht. Kommen Sie einfach mit mir zur Polizei und sagen Sie den Beamten, dass Sie der Meinung sind, sie sollten mit Brenner sprechen!»

Er reagierte nicht sofort. Als er es tat, war es keine direkte Antwort. «Sie sagten vorhin, dass die Opfer nicht sofort getötet worden sind. Woher wissen Sie das?»

Aus Gewohnheit zögerte ich, doch nun war es mir egal, wer Bescheid wusste. Es spielte keine Rolle mehr. «Weil ich die Leichen untersucht habe.»

Überrascht wirbelte er zu mir herum. «Sie?»

«Ich war einmal ein Experte auf diesem Gebiet. Bevor ich hierher gezogen bin.»

Scarsdale brauchte einen Moment, um diese Neuigkeit zu verdauen. «Sie meinen, Sie waren an der Polizeiermittlung beteiligt?»

«Man hat mich um Hilfe gebeten, ja.»

«Verstehe.» Seiner Stimme war anzuhören, dass ihm die Sache nicht gefiel. «Und Sie haben beschlossen, das geheim zu halten.»

«Das ist eine heikle Arbeit. Ich wollte nicht, dass darüber geredet wird.»

«Natürlich. Wir sind schließlich nur dummes Volk vom Land. Ich nehme an, unsere Ignoranz hat Sie amüsiert?»

Zwei Farbflecken waren auf seinen Wangen entstanden. Die Sache missfiel ihm nicht nur, merkte ich, sondern er war wütend. Einen Augenblick lang verwirrte mich seine Reaktion, aber dann verstand ich. Er hatte seine wachsende Bedeutung im Dorf genossen und sich als Führer Manhams gesehen. Und jetzt musste er entdecken, dass die ganze Zeit noch jemand anderes eine zentrale Rolle gespielt hatte und in Informationen eingeweiht gewesen war, die man ihm vorenthalten hatte. Das war ein Schlag für seinen Stolz. Und, was noch schlimmer war, für sein Ego.

«So war es nicht», sagte ich ihm.

«Nein? Komisch, dass Sie mir erst davon erzählt haben, als Sie etwas von mir wollten. Jetzt verstehe ich erst, wie naiv ich war. Aber ich kann Ihnen versichern, dass ich mich nicht mehr für dumm verkaufen lassen werde.»

«Niemand wollte Sie für dumm verkaufen. Sollte ich Sie gekränkt haben, tut es mir Leid, aber es geht doch nicht um uns!»

«Natürlich nicht. Und von nun an können Sie sicher sein, dass ich die Sache den *Experten* überlassen werde.» Er sagte es mit bitterem Spott. «Ich bin schließlich nur ein bescheidener Pfarrer.»

«Hören Sie, ich brauche Ihre Hilfe. Ich kann nicht ...»

«Ich glaube nicht, dass wir uns noch etwas zu sagen haben», entgegnete er.

Der Rest der Fahrt verlief schweigend.

KAPITEL 23

ES WAR DAS GERÄUSCH, das Jenny aufweckte. In der Dunkelheit konnte sie sich zuerst nicht orientieren. Sie hatte keine Erinnerung daran, wo sie war und warum sie nichts sehen konnte. Sie schlief immer mit geöffneten Vorhängen, sodass selbst in der dunkelsten Nacht etwas Licht in ihr Schlafzimmer fiel. Dann nahm sie den harten Boden wahr und den Geruch, und damit wurde ihr entsetzlich klar, wo sie sich befand.

Sie zerrte wieder an dem Seil. Ihre Fingernägel waren dadurch bereits aufgerissen, und wenn sie die Finger in den Mund steckte, schmeckte sie Blut. Doch sosehr sie sich auch anstrengte, sie konnte den Knoten nicht lösen. Sie sackte zurück. Nun wurden andere Beschwerden spürbar. Hunger, aber noch schlimmer war der Durst. Bevor sie eingeschlafen war, hatte sie am äußersten Rand ihrer Reichweite eine winzige Pfütze Wasser gefunden, das durch den Boden und die Wände ihrer Zelle gesickert war. Sie war zu seicht, um daraus zu trinken, aber sie hatte ihr Top ausgezogen und damit die Feuchtigkeit aufgesaugt. Als sie daran gesaugt hatte, hatte das Wasser schal und brackig geschmeckt, und dennoch war es wunderbar gewesen.

Seitdem hatte sie noch zwei weitere Stellen entdeckt, wo Wasser durchgesickert war, und mit ihnen das Gleiche getan. Doch das hatte ihren Durst nur wenig gelöscht. Sie hatte von Wasser geträumt und war mit einer ausgetrockneteren

Kehle denn je aufgewacht, sowie einem Gefühl der Lethargie, das sie nicht abschütteln konnte. Sie wusste, dass beides frühe Anzeichen von Insulinmangel waren, aber auch darüber wollte sie nicht nachdenken. Um etwas zu tun, machte sie sich erneut daran, den Boden ihrer Zelle zu erforschen. Sie hoffte, dass sich die feuchten Stellen wieder aufgefüllt haben könnten.

In diesem Moment hörte sie wieder das Geräusch. Es kam aus dem Keller hinter den Holzbrettern.

Es war noch jemand hier unten.

Sie wartete und wagte kaum zu atmen. Wer auch immer es war, er war nicht hier, um sie zu retten. Das Geräusch des Umhergehens dauerte an, aber sonst passierte nichts. Jetzt bemerkte sie, dass mehr Licht durch die Spalte in den Holzbrettern drang. Das Pochen in ihrem Kopf übertönte fast alles andere, als sie langsam zu den Brettern kroch. Sie tastete sich mit den Händen vorwärts und legte dann so leise sie konnte ein Auge vor die gleiche Lücke wie vorher.

Nach der Finsternis ihrer Zelle war die Helligkeit wie ein Stich in die Netzhaut. Sie blinzelte die Tränen weg, bis ihre Augen sich umgestellt hatten. Über der Werkbank brannte eine nackte Glühbirne, die an einem so langen Kabel angebracht war, dass sie fast die Arbeitsplatte berührte. Sie hing so niedrig, dass der Lichtstrahl nur eine kleine Fläche beleuchtete und alles andere in unförmige Schatten hüllte. Darin verloren sich die toten, von der Decke baumelnden Tiere.

Das Geräusch war wieder zu hören, und dann sah Jenny einen Mann aus der Dunkelheit auftauchen. Auf dem Boden kauernd war ihr Blickwinkel beschränkt. Sie konnte flüchtig eine Jeans erkennen und so etwas wie eine Armeejacke, ehe er vor das Licht trat. Während er an der Werkbank hantierte, machte seine Silhouette den Eindruck von Größe und Massigkeit. Dann kam er auf sie zu.

Sie krabbelte schnell von den Brettern weg, als sich seine Schritte näherten. Sie hielten an. Gelähmt starrte sie in die Finsternis. Ein lautes Knarren war zu hören, dann entstand ein vertikaler Lichtstreifen. Einen Augenblick später, als die Brettertür in ihren Angeln zurückgezogen wurde, durchflutete Licht ihre Zelle. Geblendet hielt Jenny sich die Hände vor die Augen. Eine dunkle Gestalt überragte sie.

«Steh auf.»

Die Stimme war ein tiefes Brummen. Sie war zu verängstigt, um sagen zu können, ob sie ihr bekannt vorkam oder nicht. Sie war unfähig, sich zu rühren.

Es gab eine plötzliche Bewegung, dann spürte sie einen flüchtigen, heftigen Schmerz. Sie schrie auf und umklammerte ihren Arm. Er war feucht. Dann sah sie ungläubig das Blut auf ihrer Hand.

«Steh *auf*!»

Mit einer Hand auf dem Schnitt an ihrem Arm rappelte sie sich hoch. Zitternd presste sie sich an die Wand. Ihre Augen begannen sich an das Licht zu gewöhnen, doch sie wandte den Kopf ab. *Schau ihn nicht an. Wenn er weiß, dass du ihn wiedererkennen kannst, kann er dich nicht mehr gehen lassen.* Doch ihr Blick machte sich selbständig. Er wanderte nicht zu seinem Gesicht, sondern zu dem Jagdmesser in seiner Hand, dessen gebogene Klinge auf sie zeigte. *O Gott, nein, bitte nicht …*

«Zieh dich aus.»

Es war wie damals im Taxi. Doch dieses Mal war es schlimmer, weil sie diesmal nicht auf Rettung hoffen konnte.

«Warum?» Sie hörte den hysterischen Unterton in ihrer Stimme und hasste ihn.

Sie hatte keine Zeit zu reagieren, als das Messer wieder ausholte. Ein kaltes Brennen auf ihrer Wange. Fassungslos legte sie ihre Hand darauf und fühlte, wie die Flüssigkeit durch ihre Finger zu rinnen begann. Sie schaute ihre Hand an, die vor Blut glänzte, und dann setzte der Schmerz ein, ein scharfes Brennen, das ihr den Atem raubte.

«Zieh deine Sachen aus.»

Jetzt wurde ihr klar, dass sie die Stimme schon einmal gehört hatte. Sie schien in einem Brunnenschacht widerzuhallen, während sie versuchte, sie zu identifizieren. *Kipp jetzt nicht um. Kipp jetzt nicht um.* Sie konzentrierte sich auf den Schmerz ihrer Wange. Sie schwankte, aber sie fiel nicht. Sie konnte das heisere Atmen des Mannes hören, als er gemächlich das Messer ausstreckte. Die Spitze berührte ihren nackten Arm, drehte sich dann weg, sodass die flache Seite der Klinge locker auf ihrer Haut lag. Sie schloss die Augen, während die Klinge wie eine Feder hinauf zu ihrer Schulter glitt, ihrem Brustbein folgte und dann vor der Kehle zum Stillstand kam. Die Spitze bewegte sich langsam nach oben, bis sie die weiche Unterseite ihres Kinns erreicht hatte. Unter dem nicht nachlassenden Druck war sie gezwungen, ihren Kopf zu heben. Als sie nicht weiter wegrücken konnte, nahm der Druck ab und ließ sie mit bloßgelegter Kehle auf der nadelscharfen Spitze balancieren. Jenny kämpfte darum, still zu stehen, und konnte nur stoßweise atmen. Dann war das Messer verschwunden.

«Zieh dich aus.»

Sie öffnete die Augen, vermied aber weiterhin, den Mann vor ihr anzuschauen. Ihre Arme waren bleischwer, als sie an den Saum ihres Tops fasste, das feucht und schmutzig von den Pfützen war, und es über den Kopf zog. Für einen Augenblick verschlang eine gnädige Dunkelheit sie. Dann war das Top über ihrem Gesicht und sie war zurück in dem stinkenden Raum.

Zum ersten Mal begann sie ihre Umgebung wahrzunehmen. Ihre Zelle war lediglich ein Kellerabteil, das durch die rohe Brettertür vom Rest abgetrennt war. Jenseits des Lichtscheins der Glühbirne erkannte sie in dem abgedunkelten Raum alte Möbel, Werkzeuge und Gerümpel, ein Durcheinander, in dem man sich kaum orientieren konnte. Am anderen Ende befanden sich die Stufen, die sie schon vorher entdeckt hatte. Sie wanden sich aufwärts und wurden schwach von einer Lichtquelle beleuchtet, die außerhalb ihres Sichtfeldes lag.

Und über allem hingen die verstümmelten Tierkadaver.

Jetzt konnte sie sehen, dass der gesamte Keller voll mit ihnen war, ausgetrocknete Bündel aus Fell, Knochen und Federn, die in einer unsichtbaren Luftströmung schwankten. Dann kam der Mann auf sie zu und verdeckte das Licht. Sie konnte das Messer nicht aus den Augen lassen, das er in seiner Hand hielt. Hastig, um einem weiteren Schnitt zuvorzukommen, zog sie sich weiter aus. Als sie zu ihren Shorts kam, erstarrte sie, schob sie dann herunter und ließ sie um ihren gefesselten Fuß baumeln. Nun hatte sie nur noch ihren Slip an. Sie hielt den Kopf gesenkt; die Angst, ihm in die Augen zu schauen, war so groß wie die vor einem tollwütigen Hund.

«Alles.» Die Stimme des Mannes war rauer geworden.

«Was haben Sie vor?», flüsterte Jenny und verachtete sich dafür, so schwach zu klingen.

«Tu es einfach!»

Wie gelähmt vor Angst gehorchte sie. Er bückte sich und schlitzte schnell ihre Shorts und ihren Slip auf, zog sie von ihrem gefesselten Fuß und warf sie ungeduldig fort. Sie unterdrückte einen Schrei, als er langsam eine Hand ausstreckte und beinahe zögernd ihre Brust berührte. Sie biss sich auf die Lippe und wandte ihren Kopf ab, während sie gegen Tränen ankämpfte. Dabei sah sie die von der Decke hängenden Tierkadaver.

Ohne nachzudenken, schlug sie seine Hand weg.

Ihre Haut speicherte eine Erinnerung an diesen Kontakt; wie die grobe Behaarung, der kräftige Knochenbau darunter sich angefühlt hatten. Einen Moment lang schien alles zu erstarren. Dann schlug er sie mit dem Handrücken ins Gesicht. Jenny knallte gegen die Wand und rutschte zu Boden.

Sie konnte ihn atmen hören, als er über ihr stand. Sie schreckte zurück und wartete, aber er tat nichts weiter. Erleichtert hörte sie, dass er sich wegbewegte. Ihr Gesicht schmerzte von seinem Schlag, doch wenigstens war es nicht die Seite mit dem Schnitt. *Was für ein Glück,* dachte sie benommen. *Ein Glück und eine Dummheit.*

Sie hörte ein Klicken und dann war sie wieder geblendet. Ein greller Lichtstrahl war auf sie gerichtet. Sie beschirmte die Augen und sah, dass er eine Schreibtischlampe angeschaltet hatte, die auf der Werkbank stand. Jenny hörte das Kratzen eines Stuhles und dann ein Knarren, als er sich in die Dunkelheit hinter dem Licht hinsetzte.

«Steh auf.»

Unter Schmerzen gehorchte sie ihm. Doch irgendwie hatte ihre kurze Revolte eine subtile Veränderung herbeigeführt. Die Angst war noch da, aber nun war sie auch wütend. Sie zog Kraft daraus, genug, um sich trotzig aufzurichten. Was auch immer passierte, sagte sie sich, sie würde wenigstens einen Rest von Würde bewahren. Plötzlich erschien ihr das unglaublich wichtig. *Na gut. Tu, was du nicht lassen kannst. Bringen wir es hinter uns.*

Nackt und zitternd wartete sie darauf, was als Nächstes passieren würde. Nichts passierte. Aus der Dunkelheit vernahm sie undeutliche Geräusche. Was machte er? Sie wagte einen kurzen Blick und konnte dort seine schemenhafte Gestalt mit weit gespreizten Beinen sitzen sehen. Und als die rhythmischen, gedämpften Geräusche andauerten, verstand sie schließlich.

Er masturbierte.

Die Geräusche hinter dem Lichtstrahl wurden heftiger. Sie hörte ihn einen unterdrückten Schrei ausstoßen. Seine Stiefel schabten über den Boden und hielten dann still. Jenny stand bewegungslos da und atmete kaum, während sie zuhörte, wie seine abgehackten Atemzüge allmählich leiser wurden. *Was nun?*

Nach einer Weile stand er auf. Sie konnte ein Rascheln hören, dann kam er zu ihr. Sie hielt den Blick auf ihre Füße gerichtet, als er so nah bei ihr stehen blieb, dass sie ihn riechen konnte. Er streckte ihr etwas hin.

«Zieh das an.»

Sie streckte ihre Hand aus, um es zu nehmen, doch sie musste die ganze Zeit das Messer anstarren. *Steck es weg,* dachte sie. *Steck es weg, nur einen Moment. Dann wollen wir mal sehen, wie mutig du bist.* Aber er tat es nicht. Das Messer blieb in seiner Hand, während Jenny ihm das Bündel abnahm. Als sie sah, dass es ein Kleid war, keimte ein Hoffnungsschimmer in ihr auf, und sie glaubte, dass er sie gehen lassen wollte. Aber nur, bis sie erkannte, was sie da in den Händen hielt.

Es war ein Hochzeitskleid. Weißer Satin und Spitze, vom Alter vergilbt. Es war schmutzig und starr vor dunklen, verkrusteten Flecken. Jenny musste würgen, als ihr klar wurde, was es war.

Getrocknetes Blut.

Jenny ließ das Kleid fallen. Das Messer holte aus und schlitzte die Haut ihres Arms auf. Sofort begann Blut aus der dunkelroten Linie hervorzuquellen.

«Heb es auf!»

Ihre Gliedmaßen schienen nicht ihr zu gehören, als sie sich nach dem Kleid bückte. Sie wollte hineinsteigen, doch dann wurde ihr klar, dass es mit dem Seil um ihren Knöchel nicht funktionieren würde. Hoffnung flackerte kurz auf, aber irgendetwas hielt sie davon ab, ihn zu fragen, ob er sie losbinden könnte. *Das will er doch nur*. Intuitiv wusste sie es. *Er will, dass ich ihm einen Vorwand liefere.*

Der Raum begann zu verschwimmen, doch die Einsicht gab ihr Kraft. Unbeholfen zog sie das Kleid über ihren Kopf. Es stank nach Mottenkugeln, altem Schweiß und einem Hauch Parfüm. Als die Falten des schweren Stoffes ihr Gesicht zudeckten, fühlte sie sich plötzlich eingeengt und hatte panische Angst, dass das Messer wieder ausholen könnte, während sie gefangen war. Sie zerrte das Kleid nach unten und rang nach Luft, als ihr Kopf wieder frei war.

Doch der Mann stand nicht mehr vor ihr. Er war in der Dunkelheit hinter dem Licht und hantierte an der Werkbank herum. Jenny schaute an sich hinab. Das Hochzeitskleid war zerknittert und steif. Das Blut von ihren Schnitten saugte sich in den Stoff und fügte neue Flecken zu den bereits eingetrockneten hinzu. Aber es war hübsch gearbeitet, aus schwerem und dickem Satin mit einem kunstvollen Lilienmuster in den Spitzenaufsätzen auf der Vorderseite. Irgendeine Braut hatte es einmal getragen, dachte sie benommen. *Am glücklichsten Tag ihres Lebens.*

Ein Geräusch war zu hören, als würde eine Uhr aufgezogen. Noch immer in der Dunkelheit verborgen, stellte der

Mann eine kleine Holzschachtel neben die Lampe. Erst als er den Deckel hob, erkannte Jenny, was es war.

Eine Spieldose. Auf einem Sockel in der Mitte stand eine winzige Ballerina. Jenny starrte auf die Spieldose, als sich die Figur zu drehen begann und ein zartes, aber schiefes Klimpern die stinkende Luft erfüllte. Der Mechanismus war beschädigt, das Stück aber dennoch erkennbar. *Claire de Lune.*

«Tanz.»

Jenny wurde aus ihrer Trance gerissen. «Was …?»

«Tanz.»

Die Anweisung war so surreal, als wäre sie in einer fremden Sprache gegeben worden. Erst als das Messer erhoben wurde, setzte sie sich geschockt in Bewegung. Wie in der trunkenen, gefesselten Parodie eines Tanzes begann sie von einem Fuß auf den anderen zu schwanken. *Nicht weinen, er darf dich nicht weinen sehen,* sagte sie sich. Trotzdem liefen ihr unkontrolliert die Tränen die Wangen hinab.

Sie war sich des Mannes bewusst, der sie halb in der Dunkelheit verborgen beobachtete. Und dann ging er zur Treppe. Während er die Stufen hinauf verschwand, hörte Jenny verwirrt auf zu tanzen. Einen Augenblick glaubte sie, dass er gehen wollte, ohne sie hinter den Holzbrettern wieder einzusperren. Doch nur wenige Sekunden später kamen wieder Schritte herab. Diesmal waren sie langsam und bedächtig und wesentlich träger als beim Hochgehen. Diese bedächtigen Schritte hatten etwas furchtbar Bedrohliches an sich. *Er versucht, dir Angst einzujagen,* sagte sie sich. *Das ist nur ein weiteres Spiel, wie das Kleid.*

Als die Gestalt am Fuße der Stufe auftauchte, wandte sie schnell den Blick ab und begann wieder im Rhythmus der Musik zu schlurfen. Sie hielt den Kopf gesenkt. Sie hörte ihn langsam durch den Keller gehen. Wieder war das Kratzen von Holz und das Knarren des Stuhles zu hören. Sie wusste, dass sie beobachtet wurde, und unter dem spürbaren Druck seiner Blicke wurden ihre Bewegungen steif und unkoordiniert. *Genießt du das?*, dachte sie erzürnt und versuchte ihre Wut zu entfachen. Nur so würde sie es schaffen, mit der Angst fertig zu werden.

Die Musik wurde langsamer und dabei immer dissonanter. Als sie erstarb, hörte sie ein Kratzen, und dann flackerte ein Streichholz auf. Für einen Augenblick erleuchtete die gelbe Flamme die Dunkelheit hinter der grellen Lampe, dann war wieder alles finster. Aber nicht, bevor Jenny einen Blick auf das Gesicht erhaschen konnte.

Und mit einem Mal verstand sie.

Die Musik hatte aufgehört, ohne dass sie es bemerkt hatte. Als sie hörte, wie die Spieldose wieder aufgezogen wurde, drang der Geruch von Schwefel und Tabakrauch zu ihr herüber.

Die Musik begann von vorn. Niedergeschmettert von der Last dieses neuen Schocks und der Verzweiflung setzte Jenny ihren traurigen Tanz fort.

KAPITEL 24

DIE POLIZEI LIESS Ben Anders noch am selben Tag frei. Mackenzie rief mich an, um es mir mitzuteilen.

«Ich dachte, Sie würden es wissen wollen», sagte er. Er klang müde und erschöpft, als wäre er den größten Teil der Nacht aufgeblieben. Was er wahrscheinlich auch war.

Ich war der Leere meines Hauses entflohen und befand mich in meinem Büro in der Praxis. Ich wusste nicht, wie ich mich bei der Nachricht fühlen sollte. Natürlich freute es mich für Ben. Trotzdem war ich seltsamerweise enttäuscht. Ich hatte Ben nie für den Mörder gehalten, doch bis zu einem gewissen Grad musste ich Zweifel gehabt haben. Oder vielleicht hatte ich, solange die Polizei einen Verdächtigen verhörte, ungeachtet dessen, wer es war, die kleine Hoffnung gehabt, dass Jenny gefunden werden könnte. Nun hatte sich selbst diese aufgelöst.

«Was ist passiert?», fragte ich.

«Nichts ist passiert. Wir haben uns nur davon überzeugt, dass er an dem Nachmittag, als sie verschwand, nicht bei ihrem Haus gewesen sein kann, das ist alles.»

«Der Meinung waren Sie vorhin nicht.»

«Vorhin wussten wir es noch nicht», sagte er knapp. «Zuerst wollte er uns nicht sagen, wo er war. Jetzt hat er es gesagt, und wir haben es überprüft.»

«Verstehe ich nicht», sagte ich. «Wenn er ein Alibi hatte, warum hat er es dann nicht gleich gesagt?»

«Das müssen Sie ihn selbst fragen.» Er klang gereizt. «Er wird schon wissen, ob er es Ihnen erzählen will. Aber was uns betrifft, ist er entlastet.»

Ich rieb mir die Augen. «Und wo stehen wir jetzt?»

«Wir verfolgen natürlich noch andere Spuren. Wir warten immer noch auf die Auswertung der forensischen Beweise aus dem Haus und …»

«Vergessen Sie den offiziellen Scheiß und sagen Sie es mir einfach!» Schweigen am anderen Ende der Leitung. Ich holte tief Luft. «Tut mir Leid.»

Mackenzie seufzte. «Wir tun alles, was wir können. Mehr kann ich Ihnen nicht sagen.»

«Gibt es andere Verdächtige?»

«Noch nicht.»

«Was ist mit Brenner?» Im letzten Moment entschied ich, nicht zu erwähnen, dass ich am Morgen bei ihm gewesen war. «Ich bin mir immer noch sicher, dass er derjenige war, der Ihnen den Hinweis auf Ben Anders gegeben hat. Lohnt es sich nicht, noch einmal mit ihm zu reden?»

Mackenzie konnte seine Ungeduld nicht mehr verbergen. «Ich habe Ihnen doch schon gesagt, dass Carl Brenner ein Alibi hat. Wenn er für die falsche Spur verantwortlich ist, werden wir ihn deswegen später zur Rede stellen. Doch im Moment habe ich Wichtigeres zu tun.»

Die Verzweiflung, die ich versuchte im Zaum zu halten, drohte mit mir durchzugehen. «Kann ich irgendwie helfen?», fragte ich flehend, obwohl ich wusste, wie seine Antwort ausfallen würde.

«Im Moment nicht.» Er zögerte. «Hören Sie, es ist immer noch Zeit. Die anderen Frauen wurden fast drei Tage gefangen gehalten. Man kann davon ausgehen, dass er jetzt dem gleichen Muster folgt.»

Soll mich das etwa aufmuntern?, hätte ich am liebsten geschrien. Selbst wenn Jenny noch am Leben war, wussten wir beide, dass sie es nicht mehr viel länger sein würde. Und der Gedanke daran, was sie in der Zwischenzeit durchmachen musste, war unerträglich.

Nachdem Mackenzie aufgelegt hatte, stützte ich den Kopf in beide Hände. An der Tür klopfte es. Ich richtete mich auf, als Henry hereinkam.

«Irgendwas Neues?», wollte er wissen.

Ich schüttelte den Kopf. Mir fiel wieder auf, wie müde er aussah. Was im Grunde nicht überraschend war. Seit Jenny verschwunden war, hatte ich keine Anstalten mehr unternommen, Patienten zu empfangen.

«Wie geht's dir?», fragte ich.

«Gut!» Doch er konnte mir nichts vormachen. Er lächelte mich matt an und zuckte mit den Achseln. «Mach dir keine Sorgen um mich. Ich komme klar. Wirklich.»

Das wirkte nicht sehr überzeugend. Er konnte nicht verbergen, wie abgespannt er war. Doch so schlecht ich mich auch fühlte, weil ich ihm die ganze Arbeit überließ, im Moment konnte ich nur an Jenny denken und daran, was in den nächsten vierundzwanzig Stunden passieren würde. Alles andere erschien zu weit weg, um darüber nachzugrübeln.

Als er merkte, dass mir nicht nach Gesellschaft war, ließ Henry mich allein. Auf die vage Möglichkeit hin, etwas zu finden, was mir entgangen war, begann ich, meine Laborberichte über Sally Palmer und Lyn Metcalf durchzugehen. Doch das lenkte meine Phantasie in eine Richtung, die ich krampfhaft zu meiden versucht hatte. Frustriert schaltete ich meinen Computer aus. Während ich auf den dunklen Monitor starrte, machte sich die Überzeugung in mir breit, dass es etwas Wichtiges gab, das ich die ganze Zeit übersah.

Etwas, das mir ins Gesicht starrte. Einen Augenblick lang kam es mir verlockend nah vor, doch schon, als ich danach griff, konnte ich spüren, wie es mir entglitt.

Das Bedürfnis, irgendetwas zu tun, trieb mich fort. Ich packte mein Handy und lief hinaus zum Wagen. Mir fiel nur ein Ziel ein.

Doch noch als ich losfuhr, wollte das Gefühl, dass mir etwas Offensichtliches entging, nicht abklingen.

Ben Anders wohnte in einem großen Backsteinhaus am Dorfrand. Es hatte einmal seinen Eltern gehört, und nachdem sie gestorben waren, hatte er dort mit seiner Schwester gelebt, bis sie geheiratet hatte und weggezogen war. Er hatte oft gesagt, dass das Haus zu groß für ihn wäre und er es verkaufen und irgendwo ein kleineres erwerben wollte, hatte aber nie Anstalten gemacht, es zu tun. Letzten Endes war es sein Zuhause, ob zu groß oder nicht.

Ich war erst zweimal dort gewesen. Beide Male auf einen Absacker, nachdem das Lamb Feierabend hatte, und als ich vor dem schweren Holztor in der hohen Steinmauer parkte, dachte ich, dass es viel über unsere Freundschaft aussagte, dass ich noch nie bei Tageslicht hier gewesen war.

Ich wusste nicht einmal, ob er zu Hause sein würde. Und nun, wo ich angekommen war, merkte ich, dass ich halb hoffte, er wäre es nicht. Ich war gekommen, weil ich seine Version über die Gründe für seine Verhaftung hören wollte, aber ich hatte nicht darüber nachgedacht, was ich eigentlich zu ihm sagen wollte.

Als ich an die Tür klopfte, verdrängte ich jedoch alle Zweifel. Das Haus war aus hellem Backstein errichtet und nicht besonders schön, strahlte aber eine reizvolle Massigkeit aus. Ein großer Garten, ordentlich, ohne pingelig zu sein. Weiße

Fenster, eine dunkelgrüne Tür. Ich klopfte erneut und wartete. Ich klopfte noch einmal. Als ich nach dem dritten Versuch nichts hörte, wandte ich mich ab. Aber ich ging nicht fort. Ich weiß nicht, ob es nur mein Widerwillen war, wieder zu Hause untätig herumzuwarten, oder etwas anderes, aber irgendwie erschien mir das Haus nicht leer.

Ein Pfad führte um das Haus herum. Ich folgte ihm. Auf dem Weg sah ich einen dunklen Fleck auf dem Boden. Blut. Ich stieg darüber hinweg. Der hintere Garten wirkte wie ein gepflegtes Feld. Am Ende stand eine Gruppe Obstbäume. Im Schatten darunter saß eine Gestalt.

Ben schien nicht überrascht, mich zu sehen. Auf dem zusammengezimmerten Tisch aus ungehobelten Holzbalken neben ihm stand eine Flasche Whisky. Am Rande des Tisches verglühte eine Zigarette. Der Menge in der Flasche und der Röte in seinem Gesicht nach zu urteilen, hatte er schon eine ganze Weile dort gesessen. Er schenkte sich gerade nach, als ich näher kam.

«Im Haus findest du ein Glas, wenn du mir Gesellschaft leisten willst.»

«Nein, danke.»

«Ich würde dir ja einen Kaffee anbieten. Aber, ehrlich gesagt, kriege ich meinen Arsch nicht mehr hoch.» Er nahm die Zigarette, schaute sie an und drückte sie aus. «Die erste seit vier Jahren. Schmeckt wie Scheiße.»

«Ich habe angeklopft.»

«Habe ich gehört. Ich dachte schon, es wäre wieder die verfluchte Presse. Zwei Reporter hatte ich schon hier. Irgendein Bulle, der die Klappe nicht halten kann, hat ihnen wohl einen Wink gegeben.» Er grinste schief. «Sie mussten ein wenig davon überzeugt werden, dass ich lieber meine Ruhe haben will, aber schließlich haben sie es kapiert.»

«Kommt daher das Blut auf dem Weg?»

«Es wurde etwas Blut vergossen, bevor sie mein ‹kein Kommentar› akzeptieren konnten, ja.» Abgesehen von seiner vorsichtigen Artikulation klang er nicht betrunken. «Arschlöcher», meinte er düster.

«Reporter zu schlagen ist keine besonders gute Idee.»

«Wer sagt, dass ich sie geschlagen habe? Ich habe sie nur von meinem Grundstück geleitet, das ist alles.» Ein Schatten legte sich über sein Gesicht. «Du, das mit Jenny tut mir Leid.» Er seufzte. «Tut mir Leid. Scheiße, es gibt keine Worte dafür.»

Ich war noch nicht bereit für Beileidsbekundungen. «Wann hat die Polizei dich freigelassen?»

«Vor zwei oder drei Stunden.»

«Warum?»

«Warum was?»

«Warum haben sie dich gehen lassen?»

Er sah mich über das Glas hinweg an. «Weil ich nichts damit zu tun habe.»

«Und warum sitzt du dann hier und betrinkst dich?»

«Bist du schon mal als Mordverdächtiger zum Verhör mitgenommen worden?» Er lachte auf. «‹Verhör›, das ist ein beschissener Witz. Die hören dir nicht zu, die erzählen dir was. ‹Wir wissen, dass Sie da waren, Ihr Wagen wurde gesehen, wohin haben Sie sie verschleppt, was haben Sie mit ihr getan?› Das ist kein Spaß, das kann ich dir sagen. Und selbst wenn sie dich gehen lassen, tun sie noch so, als würden sie dir einen Gefallen tun.»

Er hob sein Glas zu einem höhnischen Gruß. «Und dann bist du wieder ein freier Mann. Nur dass dich die Leute angucken und denken: ‹Kein Rauch ohne Feuer.› Und über den Weg getraut haben sie dir ja sowieso nie.»

«Aber du hast nichts damit zu tun.»

Ich sah, dass sein Kiefer zuckte, doch als er sprach, blieb seine Stimme ruhig. «Nein, ich habe nichts damit zu tun. Auch nicht mit den anderen.»

Ich war nicht mit der Absicht gekommen, ihn zu verhören, aber jetzt, wo ich da war, schien ich mich nicht davon abhalten zu können. Er seufzte und zuckte mit den Achseln. Die Anspannung ließ nach.

«Es war ein Fehler. Jemand hat der Polizei erzählt, er hätte meinen Wagen vor Jennys Haus gesehen, aber das konnte nicht sein.»

«Wenn du beweisen konntest, dass du nicht da gewesen bist, warum hast du es dann nicht gleich getan? Warum hast du so getan, als hättest du etwas zu verbergen, um Himmels willen?»

Er trank noch einen Schluck. «Weil ich etwas zu verbergen hatte. Nur nicht das, was die Polizei dachte.»

«Na, hoffentlich war es etwas Wichtiges.» Ich konnte meine Wut nicht mehr unterdrücken. «Mein Gott, Ben, die Polizei hat Stunden mit dir verschwendet.»

Er presste seine Lippen zusammen, ließ meine Kritik aber über sich ergehen. «Ich habe mich mit einer Frau getroffen. Keine, die du kennst, sie wohnt … Also, sie wohnt nicht hier im Dorf. Ich war mit ihr zusammen.»

Den Rest konnte ich mir vorstellen. «Sie ist verheiratet.»

«Noch. Doch jetzt, wo die Polizei bei ihr zu Hause war und ihren Mann gefragt hat, ob seine Frau bestätigen kann, dass sie mit mir im Bett war, wird sie es wohl nicht mehr viel länger sein.»

Ich sagte nichts.

«Ich weiß, ich weiß, ich hätte es der Polizei gleich sagen sollen», platzte er heraus. «Scheiße, ich wünschte, ich hätte es getan, Mensch. Ich hätte mir eine Menge Ärger ersparen können und müsste jetzt nicht hier herumhocken und meine Entscheidung bereuen. Aber wenn du weggeschleppt und in eine Zelle gesteckt wirst, fallen dir solche Sachen nicht immer gleich ein, verstehst du?»

Er rieb sich das Gesicht und sah erschöpft aus. «Und das nur, weil jemand versehentlich glaubte, er hätte meinen Wagen gesehen.»

«Es war kein Versehen. Es war Carl Brenner.»

Ben schaute mich durchdringend an, als wäre ihm plötzlich ein Licht aufgegangen. «Ich werde wohl langsam alt», sagte er nach einem Augenblick. «Scheiße, auf die Idee bin ich überhaupt nicht gekommen.»

Wir rückten von unserem Konfrontationskurs ab und akzeptierten stillschweigend, dass aus uns beiden der Stress sprach. «Ich bin zu ihm nach Hause gefahren. Brenner wollte es nicht zugeben, aber ich könnte schwören, dass er es war.»

«Er ist kein Typ, der irgendetwas zugibt. Aber ich weiß zu schätzen, dass du es versucht hast.»

«Ich habe es nicht nur für dich getan. Ich wollte, dass die Polizei nach Jenny sucht und sich nicht auf einer falschen Spur verliert.»

«Kann ich verstehen.» Er betrachtete sein Glas und setzte es dann ab, ohne daraus zu trinken. «Und was hat dir dein Freund, der Inspector, sonst noch erzählt?»

«Dass du mal mit Sally Palmer zusammen warst. Und dass du dich vor ein paar Jahren an einer Frau vergangen hast.»

Er lachte bitter auf. «Irgendwann holt dich alles ein, oder? Stimmt, Sally und ich waren vor einer Weile mal zusammen. Das war kein großes Geheimnis, aber wir haben es auch nicht an die große Glocke gehängt. Nicht in so einem Dorf. Aber es war nichts Ernstes und nichts von Dauer. Danach sind wir

Freunde geblieben. Ende der Geschichte. Was die andere Sache angeht … Tja, sagen wir, es war eine Jugendsünde.»

Er musste in meinem Gesicht gelesen haben. «Bevor du dir falsche Vorstellungen machst, ich habe mich an niemandem vergangen. Ich war achtzehn und hatte was mit einer Frau angefangen, die ein gutes Stück älter war. Eine verheiratete Frau.»

«Schon wieder.»

«Ich weiß, das ist eine schlechte Angewohnheit. Ich bin nicht stolz darauf. Aber damals wollte ich nichts anbrennen lassen, verstehst du? Ich war jung, ich hielt mich für unwiderstehlich. Als ich die Sache dann beenden wollte, wurde es ein bisschen hässlich. Sie drohte mir, wir stritten uns. Und ehe ich michs versah, hatte sie mich wegen versuchter Vergewaltigung angezeigt.»

Er zuckte mit den Achseln. «Am Ende hat sie die Anzeige zurückgezogen. Aber so was bleibt an einem hängen, oder? Und falls du dich fragst, warum du von alledem nichts weißt, ich gehe mit meinem Privatleben nicht hausieren, und ich entschuldige mich auch nicht dafür.»

«Das habe ich auch nicht verlangt.»

«Dann ist ja gut.» Er streckte sich und schüttete den Rest seines Whiskys auf den Rasen. «Das war's. Meine dunklen Geheimnisse. Jetzt kann ich mir überlegen, was ich mit diesem Arschloch Brenner mache.»

«Du wirst gar nichts machen.»

Er setzte ein hintergründiges Lächeln auf, das die Auswirkungen des Whiskys zeigte. «Darauf würde ich nicht wetten.»

«Wenn du dir ihn vorknöpfst, wird alles nur noch schlimmer. Im Moment steht mehr auf dem Spiel als irgendeine Rache.»

Sein Gesicht verfärbte sich. «Glaubst du, ich vergesse die Sache einfach?»

«Im Moment, ja. Danach ...» Der Gedanke, was *Danach* bedeuten könnte, war wie ein Schlag in die Magengrube. «... wenn Jennys Entführer gefasst worden ist, kannst du tun, was immer du willst.»

Er beruhigte sich wieder. «Du hast Recht. Ich habe nicht nachgedacht. Das hebe ich mir für später auf.» Er schien zu überlegen. «Nicht dass du glaubst, ich sage das nur aus Rache, aber hast du dich mal gefragt, warum Brenner der Polizei erzählt haben könnte, dass er mich bei Jennys Haus gesehen hat?»

«Abgesehen davon, dass du verhaftet wirst, meinst du?»

«Ich meine, er könnte mehr als einen Grund dafür gehabt haben. Zum Beispiel, um sich selbst zu decken.»

«Das ist mir auch schon durch den Kopf gegangen, ja. Aber du bist nicht der Einzige mit einem Alibi. Mackenzie sagt, er hätte ihn schon überprüft.»

Ben musterte sein leeres Glas. «Hat er zufällig gesagt, was für ein Alibi er hat?»

Ich versuchte mich zu erinnern. «Nein.»

«Ich wette hundert zu eins, dass seine Familie für ihn gebürgt hat. Die stecken alle unter einer Decke. Das ist einer der Gründe, warum wir ihn nie fürs Wildern drangekriegt haben. Und natürlich, weil er ein vorsichtiges Arschloch ist.»

Bei seinen Worten hatte mein Herz schneller zu schlagen begonnen. Brenner war Jäger, ein als aggressiv und asozial bekannter Wilderer. Da man von dem Mörder wusste, dass er Fallen stellte und sowohl Tiere als auch Frauen quälte, passte Brenner eindeutig in das Raster. Mackenzie war kein Idiot, aber ohne Beweise und Motiv hatte er keinen Grund, Brenner mehr zu verdächtigen als jeden anderen.

Nicht, solange der ein Alibi hatte.

Ben hatte noch etwas gesagt, doch ich hatte keine Ahnung was. Ich war mit den Gedanken schon ganz woanders.

«Um welche Zeit geht Brenner wohl jagen?», fragte ich.

KAPITEL 25

JENNY HATTE JEDES Zeitgefühl verloren. Das fiebrige Zittern, das sie gepackt hatte, nachdem sie schließlich allein gelassen worden war, hatte fast aufgehört. Doch schlimmer war, wie schläfrig sie nun wurde. Es war keine normale Müdigkeit. Sie hatte keine Ahnung, wie lange sie schon hier unten war, doch bestimmt lange genug, um zwei, vielleicht drei Insulininjektionen versäumt zu haben. Nun begann ihr Blutzucker unkontrolliert zu steigen, und der Schock verschlimmerte es.

Der Schock und der Blutverlust.

In der Dunkelheit konnte sie unmöglich abschätzen, wie viel Blut sie tatsächlich verloren hatte. Die meisten Schnitte waren mit der Zeit vom Schorf verschlossen worden, nur der letzte nicht. Der schlimmste. Ein blutgetränkter Lappen, der einmal ihr Top gewesen war, war um ihren rechten Fuß gewickelt. Mittlerweile war der Stoff klebrig geworden. Ein gutes Zeichen, hoffte sie. Das bedeutete, dass die Wunde nicht mehr so stark blutete. Aber sie tat noch weh. Gott, und wie sie wehtat.

Es war passiert, nachdem sie das schmutzige Hochzeitskleid ausgezogen hatte. Als die Spieldose zum dritten Mal stockend zum Stillstand gekommen war, hatte auch Jenny innegehalten. Schwindelig war sie umhergeschwankt und hatte sich kaum noch auf den Beinen halten können. Noch in dem blutverschmierten Kleid sank sie zu Boden. Mit aller

Mühe versuchte sie wach zu bleiben, doch allmählich wurde ihr schwarz vor Augen. Verschwommen nahm sie wahr, dass etwas um sie herum geschah, es schien aber immer weiter in die Ferne zu rücken. Die Zeit verstrich, dann wurde sie schroff gestoßen.

Als sie die Augen öffnete, sah sie als Erstes das Messer.

Sie hob ihren Kopf, um zu dem Mann aufzuschauen, der es hielt. Es hatte keinen Zweck mehr, den Blickkontakt zu vermeiden. Ihr war klar, dass sie hier nicht lebend herauskommen würde, egal ob sie ihn erkannte oder nicht.

Trotzdem drehte sich ihr Magen um, als sie in sein Gesicht schaute und sah, dass sie Recht gehabt hatte. Er trat wieder gegen ihren Fuß.

«Zieh es aus.»

Sie stützte sich an der Wand ab, rappelte sich auf und zog sich das Kleid über den Kopf. Er riss es ihr aus der Hand und blieb vor ihr stehen. Obwohl sie den Kopf gesenkt hielt, spürte sie seine Blicke auf ihrem nackten Körper. Ihr Herz hämmerte schmerzhaft. Sie konnte ihn riechen und seinen Atem auf ihrer Haut spüren, als er näher kam. *O Gott, was hat er jetzt vor?* Verstohlen behielt sie das Messer im Auge und wünschte sich verzweifelt, dass er es weglegte. *Nur einmal. Gib mir nur eine Chance, mehr verlange ich nicht.*

Aber er tat es nicht. Langsam hob er das Messer und ließ sie die Klinge sehen, bevor er damit näher kam. Als die Spitze ihren Arm berührte, zuckte sie zurück.

«Halt still.»

Sie zwang sich, ruhig stehen zu bleiben. Das Messer bewegte sich über ihren Körper und stach sie immer wieder. Jedes Mal quoll Blut aus dem kleinen Punkt, eine dunkelrote Perle, die anschwoll, ehe sie auf ihrer Haut hinabtropfte. Jeder Stich tat weh, doch die Erwartung des nächsten war noch schlimmer. Sie merkte, wie er schneller atmete und eine Erregung ausströmte wie eine Hitzewallung. Er rückte noch näher heran. Jenny schnappte nach Luft und zuckte zurück, als er ihr mit einem Stiefel auf die Zehen trat. Sie geriet in Panik.

«Geh weg!», schrie sie und stürzte blind davon, wobei sie das Seil um ihren Knöchel vergaß. Sie kam nicht weit, das Seil riss ihr Bein weg, sodass sie heftig stürzte. Als sie am Boden wieder herumwirbelte, stand er schon über ihr. Sein Blick ging ihr durch Mark und Bein. Er hatte nichts Menschliches, er war völlig unzurechnungsfähig.

«Ich habe doch gesagt, du sollst stillhalten!» Seine Stimme war beängstigend ruhig. Er bückte sich und packte ihren ungefesselten Fuß. «Du darfst nicht weglaufen. Das kann ich nicht zulassen.»

«Nein! Nein, ich wollte nicht …»

Er hörte nicht zu. Er streichelte den Fuß mit seinem Messer. Mit verzückter Miene legte er die Klinge an den großen Zeh.

«Dieses kleine Schweinchen ging zum Markt.» Seine Stimme war sanft, fast ein Singsang. Er wechselte zum nächsten Zeh. «Dieses kleine Schweinchen blieb zu Haus. Dieses kleine Schweinchen hatte Roastbeef.»

Weiter zum dritten, dann zum vierten.

«Dieses kleine Schweinchen hatte nichts. Und dieses kleine Schweinchen …»

Jenny wusste einen Augenblick vorher, was passieren würde. Ein höllisches Brennen stieg von ihrem Fuß auf, als das Messer plötzlich einen Ruck machte. Schreiend versuchte sie ihren Fuß wegzuziehen. Er hielt ihn fest, schaute zu, wie sie strampelte und um sich schlug, und ließ ihn endlich fallen. Der abgetrennte Zeh lag wie ein blutiger Kieselstein am Boden.

«Dieses kleine Schweinchen wird nicht mehr weglaufen.»

Während er mit dem blutverschmierten Messer über ihr stand, glaubte sie, er würde ihr nun den Rest geben. Sie wollte ihn anflehen, doch ein Trotz hielt sie zurück. Darauf war sie nun immerhin stolz. Und sie wusste, dass ihr Flehen nichts bewirkt hätte. Er hätte es nur genossen.

Danach hatte er von ihr abgelassen und die Brettertür zurückgeschoben, um sie wieder in die Dunkelheit zu sperren. Sie hatte keine Ahnung, wie lange das her war. Es konnten Minuten, Stunden, sogar Tage gewesen sein. Der Schmerz in ihrem Fuß war zu einem brennenden, bis auf die Knochen gehenden Pochen geworden, und ihre Kehle war so trocken, als hätte sie Glassplitter geschluckt. Dennoch wurde es immer mühsamer, sich wach zu halten. Sie hatte wieder versucht, den Knoten des Seils um ihren Knöchel zu lösen, aber das war zu anstrengend gewesen.

In der Finsternis konnte sie nicht sagen, ob ihr Sehvermögen nachließ, sie wusste jedoch, dass ihr Blutzuckerspiegel jetzt gefährlich hoch war. Und ohne Insulin würde er weiter steigen.

Vorausgesetzt, sie lebte lange genug.

Beinahe so, als hätte es nichts mit ihr zu tun, fragte sich Jenny, warum sie nicht vergewaltigt worden war. Das Verlangen und der Hass waren offensichtlich gewesen, doch aus irgendeinem Grund war es nicht zum Übergriff gekommen. Trotzdem machte sie sich nichts vor. Sie dachte an das Gesicht, das sie im Schein des Streichholzes erblickt hatte. Es gab keine Gnade und keine Hoffnung für sie. Und es war ihr nur allzu bewusst, dass sie nicht die erste Frau war, die hier unten gefangen gehalten wurde. Die Schnitte, das Kleid, das Tanzen, alles schien Teil eines unbegreiflichen Rituals zu sein.

So oder so, sie wusste, dass sie es nicht überleben würde.

KAPITEL 26

ES WAR SPÄTER Nachmittag, als ich das Haus der Brenners erreichte. Der Tag war dunstig geworden, ein leichter Nebelschleier hatte sich über den vorher noch strahlend blauen Himmel gelegt. Ich blieb am Ende des Weges stehen und schaute auf das baufällige Haus. Es kam mir diesmal noch heruntergekommener vor als bei meinem letzten Besuch. Keine Menschenseele war zu sehen. Nach einer Weile wurde mir klar, dass ich die Sache bewusst verzögerte. Ich legte einen Gang ein und holperte langsam über den ausgefahrenen Weg.

Nachdem ich mir einen Plan zurechtgelegt hatte, fiel es mir am schwersten, Geduld zu bewahren. Im tiefsten Inneren hatte ich sofort handeln und direkt zum Haus hinausfahren wollen. Doch ich wusste, dass ich nur dann Erfolg haben würde, wenn Carl Brenner nicht da war. Ben hatte gemeint, ich sollte bis später warten, wenn man davon ausgehen konnte, dass er entweder ins Lamb oder zum Jagen gegangen war. «Er ist ein Wilderer. Er ist entweder am frühen Morgen oder am späten Abend unterwegs. Deswegen lag er noch im Bett, als du das letzte Mal dort warst. Er war bestimmt bis nach Morgengrauen mit seinen Fallen beschäftigt.»

Doch ich konnte den Gedanken nicht ertragen, so lange zu warten. Jede Stunde, die verstrich, verringerte die Chance, Jenny lebend zu finden. Am Ende traf ich eine lächerlich einfache Entscheidung: Ich rief bei den Brenners an und fragte, ohne mich zu erkennen zu geben, ob Carl da war. Beim ersten Mal ging seine Mutter ans Telefon. Als sie sagte, ich solle einen Moment warten, und ihn holen wollte, legte ich auf.

«Was willst du machen, wenn ihr Telefon deine Nummer speichert und er zurückruft?», fragte Ben.

«Das spielt keine Rolle. Ich könnte behaupten, dass ich mit ihm sprechen will. Das wird er sowieso ablehnen.»

Doch Brenner rief nicht zurück. Nach einer Weile rief ich erneut an. Dieses Mal war Scott dran. Nein, Carl wäre unterwegs, sagte er mir. Er hätte keine Ahnung, wann er zurückkommen würde. Ich dankte ihm und legte auf.

«Wünsch mir Glück», sagte ich zu Ben und machte mich auf den Weg.

Er hatte mich begleiten wollen, aber ich war dagegen gewesen. So gerne ich ihn an meiner Seite gehabt hätte, es hätte nur Ärger heraufbeschworen. Ein Aufeinandertreffen von ihm und den Brenners war schon brisant genug, ohne dass er eine halbe Flasche Whisky getrunken hatte. Und was ich im Sinn hatte, erforderte Überzeugungskünste und keine Konfrontation.

Ich hatte in Erwägung gezogen, Mackenzie in meinen Plan einzuweihen, diesen Gedanken jedoch schnell wieder abgetan. Ich konnte meinen Verdacht jetzt nicht besser untermauern als vorher bei meinem Telefonat mit ihm. Und Mackenzie hatte bereits sehr deutlich gemacht, dass er meine Einmischung nicht guthieß. Ohne Beweise würde er überhaupt nichts unternehmen.

Und genau die versprach ich mir von meinem Besuch bei den Brenners.

Aber nun war ich nicht mehr so zuversichtlich. Meine letzte Zuversicht verebbte, als ich vor der Tür parkte. Bei dem Motorengeräusch kam wieder der Hund bellend um die

Ecke gelaufen. Doch dieses Mal war er mutiger und zog sich nicht gleich wieder zurück. Vielleicht lag es daran, dass ich allein war. Es war ein großer Mischling mit einem eingerissenen Ohr. Mit gesträubtem Fell baute er sich zwischen mir und dem Haus auf. Ich nahm meinen Erste-Hilfe-Koffer aus dem Wagen und hielt ihn wie einen Schild vor mich, falls er angreifen sollte. Der Hund kläffte wütend, als ich näher kam. Ich blieb stehen, und er knurrte mich an.

«Jed!»

Der Hund schenkte mir einen letzten, warnenden Blick und trottete dann zu Mrs. Brenner, die in der Tür erschienen war. Ihr schmales Gesicht war feindselig. «Was wollen Sie?»

Ich hatte mir eine Geschichte zurechtgelegt. «Ich möchte mir Scotts Fuß noch einmal anschauen.»

Sie musterte mich misstrauisch. Vielleicht interpretierten es auch nur meine Nerven so. «Sie haben ihn doch schon untersucht.»

«Da hatte ich nicht alles dabei, was ich brauche. Ich möchte sicherstellen, dass er sich nicht entzündet. Aber wenn Sie nicht wollen, dass ich mich darum kümmere ...»

Ich tat so, als wollte ich zurück zu meinem Wagen gehen. Sie seufzte. «Sie haben ja Recht, kommen Sie herein.»

Ich versuchte nicht zu zeigen, wie erleichtert – und nervös – ich war, und folgte ihr ins Haus. Scott lag im Wohnzimmer auf einem schmuddeligen Sofa vor dem Fernseher. Sein verletztes Bein war auf die Kissen gebettet.

«Der Doktor ist nochmal wegen dir gekommen», sagte seine Mutter, als wir eintraten.

Er drückte sich hoch und sah mich überrascht an. Und schuldbewusst, dachte ich. Aber auch das könnte ich mir nur eingebildet haben. «Carl ist noch nicht zurück.»

«Kein Problem. Ich war gerade in der Nähe und dachte, ich schaue mir noch einmal Ihren Fuß an. Ich habe einen antibakteriellen Verband mitgebracht.» Ich versuchte, entspannt zu wirken, doch meine Stimme klang in meinen Ohren schrecklich falsch.

«Haben Sie vorhin angerufen und nach Carl gefragt?», fragte seine Mutter mit neu entflammter Feindseligkeit.

«Ja, die Verbindung wurde unterbrochen. Ich habe vom Handy aus angerufen.»

«Was wollten Sie von ihm?»

«Ich wollte mich entschuldigen.» Die Lüge fiel mir überraschend leicht. Ich ging hinüber und setzte mich auf einen Stuhl neben Scott. «Doch jetzt bin ich mehr an Ihrem Fuß interessiert. Haben Sie etwas dagegen, wenn ich ihn untersuche?»

Er schaute seine Mutter an und zuckte dann mit den Achseln. «Nein.»

Ich begann, den Verband abzuwickeln. Seine Mutter stand in der Tür und schaute zu.

«Entschuldigen Sie, aber könnte ich wohl eine Tasse Tee bekommen?», fragte ich, ohne aufzublicken.

Einen Augenblick dachte ich, sie würde meine Bitte ablehnen. Dann ging sie mit einem eingeschnappten Seufzer in die Küche. Nachdem sie verschwunden war, war nur noch das Gebrabbel aus dem Fernseher und das Rascheln des Verbandes zu hören. Mein Mund war trocken. Ich riskierte einen Blick zu Scott. Er beobachtete mich mit leicht besorgter Miene.

«Erzählen Sie mir noch einmal, wie es passiert ist», forderte ich ihn auf.

«Ich bin in eine Falle getreten.»

«Wo?»

«Weiß ich nicht mehr.»

Ich zog den Verband weg. Die Stiche darunter waren so hässlich wie vorher. «Sie hatten Glück, dass Sie den Fuß nicht verloren haben. Wenn sich die Wunde infiziert, könnten Sie ihn immer noch verlieren.» Ich war zwar der Meinung, dass keine Gefahr mehr bestand, doch ich wollte ihn durcheinander bringen.

«Es war nicht mein Fehler», sagte er mürrisch. «Ich bin nicht absichtlich reingetreten.»

«Vielleicht nicht. Aber wenn die Nerven beschädigt sind, werden Sie den Rest Ihres Lebens hinken. Sie hätten den Fuß untersuchen lassen sollen.» Ich schaute hoch zu ihm. «Oder wollte Carl das nicht?»

Er wandte den Blick ab. «Wieso das denn?»

«Es ist allgemein bekannt, dass er wildert. Er will natürlich auf keinen Fall, dass die Polizei Fragen stellt, warum sein Bruder in eine Falle getreten ist.»

«Ich habe Ihnen doch gesagt, dass es keine von unseren war», brummte er.

«Na gut», sagte ich, als wäre es mir egal. Übertrieben genau untersuchte ich die Wunde und bog seinen Fuß vor und zurück. «Aber Sie haben es bei der Polizei nicht angezeigt, oder?»

«Als sie gekommen sind und mich gefragt haben, habe ich ihnen alles erzählt», sagte er abwehrend.

Ich erwähnte nicht, dass ich es gewesen war, der Mackenzie davon berichtet hatte. «Was hatte Carl dazu zu sagen?»

«Was meinen Sie?»

«Als die Polizei zu Ihnen kam. Hat er bestimmt, was Sie den Beamten sagen sollen?»

Plötzlich zog er seinen Fuß weg. «Was geht Sie das an, verdammt nochmal?»

Ich versuchte ruhig zu klingen, obwohl mir ganz anders zumute war. «Carl hat die Polizei belogen, oder?»

Er starrte mich an. Ich wusste, dass ich zu weit gegangen war. Aber ich hatte keine Ahnung, wie ich sonst weiterkommen sollte.

«Raus hier! Na los, verpissen Sie sich!»

Ich stand auf. «Okay. Aber fragen Sie sich doch mal, warum Sie jemanden decken, der es riskiert, dass Sie Wundbrand kriegen, anstatt Sie ins Krankenhaus zu bringen.»

«Das ist Schwachsinn!»

«Tatsächlich? Und warum hat er Sie dann nicht gleich in die Notaufnahme gefahren? Warum ist er zu mir gekommen, um Sie zusammenflicken zu lassen, wo er doch sehen konnte, wie schlimm Ihre Verletzung war?»

«Sie waren eben näher dran.»

«Und er wusste, dass ein Krankenhaus den Vorfall der Polizei melden würde. Er wollte Sie nicht mal dann hinbringen, als ich sagte, das müsse genäht werden.»

Eine Regung in seinem Gesicht ließ mich innehalten. Ich schaute hinab auf die unbeholfenen Stiche in seinem Fuß. Plötzlich verstand ich.

«Er hat Sie tatsächlich nicht ins Krankenhaus gebracht, richtig?», sagte ich erstaunt. «Deswegen wurde der Verband auch nie gewechselt. Sie sind nie im Krankenhaus gewesen.»

Scotts Wut hatte sich in Luft aufgelöst. Er konnte mich nicht anschauen. «Er sagte, es würde in Ordnung kommen.»

«Und wer hat die Wunde dann genäht? Er?»

«Mein Cousin Dale.» Jetzt, wo ich es herausgefunden hatte, klang er verlegen. «Er war früher bei der Army. Er kennt sich mit so was aus.»

Das war der gleiche Cousin, den ich neulich Abend mit Carl an der Straßensperre gesehen hatte. «Und hat er sich sein Werk später noch einmal angeschaut?»

Scott schüttelte unglücklich den Kopf. Er tat mir Leid, aber nicht genug, um aufzuhören.

«Hilft er Carl auch bei den anderen Sachen? Beim Wildern zum Beispiel?»

Widerwillig nickte er. Ich wusste, dass ich auf etwas gestoßen war. Zwei Männer. Zwei Jäger, einer mit einer Armeevergangenheit.

Zwei verschiedene Messer.

«Und was noch?»

«Nichts», sagte er stur, doch sein Versuch, den Unwissenden zu spielen, war schwach.

«Die beiden haben Sie gefährdet. Das ist Ihnen doch klar, oder?», sagte ich ihm. «Was war so wichtig, dass die beiden Ihren Fuß dafür aufs Spiel gesetzt haben?»

Jetzt wand er sich. Mit Bestürzung sah ich, dass er den Tränen nahe war. Aber ich konnte mich davon nicht aufhalten lassen.

«Ich möchte die beiden nicht in Schwierigkeiten bringen», sagte er so leise, dass es fast ein Flüstern war.

«Die beiden stecken bereits in Schwierigkeiten. Und um Sie haben die sich nicht solche Sorgen gemacht.» Ich wollte ihn weiter unter Druck setzen, doch eine innere Stimme befahl mir, lockerzulassen. Ich wartete und ließ Scott um eine Entscheidung kämpfen.

«Sie fangen Vögel», sagte er schließlich. «Seltene Vögel. Auch Tiere, wie Otter und so weiter, wenn sie die kriegen können. Carl meinte, es gibt bestimmt einen Markt für lebende Tiere und Eier. Um sie an Sammler zu verkaufen, verstehen Sie.»

«Da stecken beide drin?»

«So in etwa. Aber um die Fallen kümmert sich vor allem Carl. Er hält die Tiere draußen im Sumpf, in der alten Windmühle.»

Meine Gedanken rasten so schnell, dass sie ins Schleudern zu geraten schienen. Die Windmühle war völlig verfallen, abgelegen und seit langem verlassen. Anscheinend aber nicht.

Ich begann seinen Fuß neu zu bandagieren. «Und dort sind Sie in die Falle getreten», sagte ich und erinnerte mich an ihre Geschichte, als sie an jenem Abend ins Lamb gestolpert waren. Und wie Carl Brenner seinen Bruder unterbrochen hatte, damit er nicht zu viel sagte.

Er nickte. «Als die Polizei begann, nach diesen Frauen zu suchen, hat Carl Angst gekriegt, dass sie dort gucken könnten. Er will sonst nicht, dass ich ihn begleite. Er sagte, ich sollte mich um meine eigenen Sachen kümmern und mich aus seinen raushalten. Aber Dale war in der Woche weg, deshalb musste ich ihm helfen, alles wegzuschaffen.»

«Wohin?»

«Überallhin. An verschiedene Stellen. Die meisten Tiere brachten wir hierher, in die Außengebäude. Meine Mum fand das gar nicht gut, aber es war nur für ein paar Tage, bis die Polizei die Windmühle durchsucht hatte. Doch dann bin ich in die Falle getreten und er musste sie alle selbst wieder da hinbringen.» Er sah niedergeschlagen aus. «Er wurde stinksauer. Aber ich habe es ja nicht mit Absicht gemacht.»

«Also war es eine von seinen Fallen?»

Er schüttelte den Kopf. «Er sagte hinterher, es muss eine von diesem Wahnsinnigen gewesen sein, der all die Frauen umbringt.»

Ich hielt meinen Kopf abgewandt und gab vor, mit seinem

Fuß beschäftigt zu sein. «Hat er jetzt noch Tiere da draußen?»

«Ja. Er wusste nicht, wohin sonst damit. Und Dale wollte nicht riskieren, sie jetzt bei den ganzen umherschnüffelnden Bullen wegzuschaffen.»

«Und geht Carl immer noch raus zur Mühle?»

«Jeden Tag. Er muss die Tiere ja am Leben erhalten, bis er sie verkaufen kann.» Er zuckte mit den Achseln. «Aber ich weiß nicht, wie lange er noch Lust hat, sich darum zu kümmern. Viele sind sie noch nicht losgeworden.»

Es kostete Mühe, normal zu reagieren. Ich sprach so gleichgültig, wie ich konnte.

«Haben Sie Carl vor der Polizei gedeckt?»

Er schaute mich verwirrt an. «Was?»

Meine Hände zitterten, als ich mit dem Verbinden seines Fußes zu Ende kam. «Als die Beamten nach den vermissten Frauen fragten. Er konnte als Alibi ja schlecht sagen, er wäre wildern gewesen, oder?»

Scott brachte es tatsächlich fertig zu lächeln. «Nee. Wir haben einfach gesagt, er wäre die ganze Zeit hier gewesen.» Sein Lächeln erstarb. «Sie erzählen ihm aber nicht, was ich gesagt habe, oder?»

«Nein», sagte ich. «Ich erzähle ihm nichts.»

Ich hatte ihm schon zu viel gesagt. Ich musste daran denken, was ich Carl Brenner beim letzten Mal erzählt hatte. *Er hält sie drei Tage lang gefangen, ehe er sie tötet.* Jetzt wusste er, dass die Polizei seinen Zeitplan kannte. Durch meine Schuld hatte Jenny vielleicht nicht einmal mehr diese kleine Überlebenschance.

Gott, was hatte ich getan?

Ich stand auf und packte ungeschickt meine Sachen ein, als Scotts Mutter mit einem Becher Tee zurückkehrte.

«Tut mir Leid, ich muss los.»

Sie presste verärgert die Lippen zusammen. «Ich dachte, Sie wollten eine Tasse Tee?»

«Tut mir Leid.»

Ich eilte bereits aus dem Zimmer. Scott schaute mich unsicher an, als würde er schon bereuen, was er gesagt hatte. Mit einem Mal wollte ich nur noch weg von hier, denn ich befürchtete, dass Carl plötzlich auftauchen und mich zurückhalten könnte. Ich warf meinen Erste-Hilfe-Koffer in den Landrover und drehte schnell den Zündschlüssel herum. Als ich den Weg zurückholperte, spürte ich, dass Mrs. Brenner in der Tür stand und mir hinterherschaute.

Sobald ich außer Sichtweite war, griff ich nach meinem Telefon. Doch als ich Mackenzie anrufen wollte, flackerte das Signal, ehe es vollständig erstarb.

«Komm schon, komm schon!»

Ich raste zur Straße, bog in Richtung der alten Windmühle ab und wartete darauf, wieder Empfang zu haben. Als das Signal endlich da war, wählte ich erneut Mackenzies Nummer.

Sein Anrufbeantworter schaltete sich ein. *Scheiße, Scheiße!* «Carl Brenners Familie hat ihm ein falsches Alibi gegeben», sagte ich ohne Vorrede. «Er war …»

Abrupt ertönte Mackenzies Stimme. «Sagen Sie mir nicht, dass Sie bei ihm gewesen sind, um mit ihm zu sprechen.»

«Nicht mit ihm, mit seinem Bruder, aber …»

«Ich habe Ihnen gesagt, Sie sollen sich da raushalten!»

«Hören Sie mir einfach zu!», schrie ich. «Brenner hat Vögel und Tiere gefangen, um sie zu verkaufen. Gemeinsam mit seinem Cousin. Der Name ist Dale Brenner, ein ehemaliger Berufssoldat. Sie halten die Tiere draußen in der verfallenen Windmühle, ungefähr eine Meile südlich des Dorfes. Da, wo Scott Brenner in die Falle getreten ist.»

«Warten Sie.» Jetzt, wo ich seine Aufmerksamkeit erregt hatte, kam er in Bewegung. Im Hintergrund hörte ich gedämpfte Stimmen. «Gut, ich weiß, wo Sie meinen. Aber die Windmühle haben wir überprüft, da ist nichts gefunden worden.»

«Die Tiere wurden weggeschafft, als Sie die Gegend nach Lyn Metcalf abgesucht haben, und dann wieder zurückgebracht. Dabei ist Brenners Bruder verletzt worden. Carl Brenner war es so wichtig, die Polizei rauszuhalten, dass er ihn nicht einmal ins Krankenhaus gebracht hat.»

«Er ist ein Wilderer, das wissen wir bereits», entgegnete Mackenzie stur.

«Aber Sie wussten noch nicht, dass seine Familie gelogen hat, um ihn zu decken. Oder dass ein Jäger und ein ehemaliger Soldat Tiere fangen und sie in einem verlassenen Gebäude halten und dass zumindest einer von ihnen kein Alibi hat. Muss ich es Ihnen buchstabieren, oder was?»

Das Schimpfwort, das ich ihn knurren hörte, verriet mir, dass ich es nicht musste. «Wo sind Sie jetzt?»

«Ich bin gerade von den Brenners weggefahren.» Ich erzählte ihm nicht, dass ich auf dem Weg zur Windmühle war.

«Wo ist er?»

«Keine Ahnung.»

«Okay, passen Sie auf, ich bin in der mobilen Einsatzzentrale im Dorf. Kommen Sie her, so schnell Sie können.»

Das war in der entgegengesetzten Richtung. «Weshalb? Ich habe Ihnen alles gesagt, was Sie wissen müssen.»

«Und ich würde es gerne detaillierter wissen. Ich möchte nicht, dass jemand etwas Unbeherrschtes tut, haben Sie mich verstanden?»

Ich antwortete nicht. Ich fuhr mit dem Handy an mein

Ohr gepresst, unter den Wagenrädern heulte die Straße und brachte mich mit jeder Sekunde dem Ort näher, wo, da war ich mir sicher, Jenny gefangen gehalten wurde.

«Haben Sie mich verstanden, Dr. Hunter?»

Jetzt war Mackenzies Stimme unerbittlich. Ich nahm den Fuß vom Gaspedal. Noch nie im Leben war mir etwas so schwer gefallen.

«Ich habe Sie verstanden», sagte ich zähneknirschend.

Und dann drehte ich um und fuhr zurück.

Der Himmel hatte einen ungesunden Glanz angenommen. Vor der Sonne hatten sich Schleierwolken gebildet, die das Licht trübten. Zum ersten Mal seit Wochen wehte die leichte Brise etwas anderes als überhitzte Luft heran. In nicht weiter Ferne sah es bedrohlich nach Regen aus, doch im Moment machte die zunehmende Feuchtigkeit die Hitze nur noch unerträglicher.

Sogar bei geöffneten Fenstern schwitzte ich, als ich an dem Polizeiwohnwagen ankam, der als Einsatzzentrale diente. Es waren mehr Leute dort als sonst. Mackenzie stand mit einer Gruppe ziviler und uniformierter Polizeibeamter an einem Tisch über einer Landkarte, als ich hereinkam. Die Beamten in Uniform trugen zudem schusssichere Westen. Als er mich sah, löste er sich von seinen Kollegen.

Er kam mit einer Miene zu mir, die alles andere als freundlich war. «Ich werde nicht so tun, als wäre ich glücklich darüber, was Sie getan haben», sagte er mit aggressiv vorgeschobenem Kiefer. «Ich weiß die Hilfe zu schätzen, die Sie uns vorher geleistet haben, aber dies ist eine polizeiliche Ermittlung. Zivilisten haben dabei nichts zu suchen.»

«Ich habe versucht, Sie über Brenner zu informieren, aber Sie wollten mir nicht zuhören. Was sollte ich tun?»

Ich konnte sehen, dass er etwas erwidern wollte, aber er hielt sich zurück. «Der Superintendent möchte mit Ihnen sprechen.»

Er führte mich zu den Beamten am Tisch und stellte mich vor. Ein hoch gewachsener Mann mit einer humorlosen und selbstbeherrschten Aura streckte die Hand aus. «Ich bin Detective Superintendent Ryan. Ich habe gehört, Sie haben neue Informationen, Dr. Hunter?»

Ich fasste zusammen, was Scott Brenner mir erzählt hatte, und versuchte, mich dabei an die nackten Tatsachen zu halten. Nachdem ich fertig war, wandte sich Ryan an Mackenzie.

«Sie kennen diesen Carl Brenner, nehme ich an?»

«Er wurde bereits vernommen, ja. Er passt ins Profil, aber er hatte ein Alibi, als Lyn Metcalf und Jenny Hammond verschwanden. Seine Familie hat es beide Male bestätigt.»

«Da ist noch etwas», meldete ich mich zu Wort. Mein Herz hämmerte, aber sie mussten es wissen. «Ich habe Brenner heute Morgen erzählt, dass Sie wissen, dass die Opfer nicht gleich getötet wurden.»

«Himmel», schnaubte Mackenzie.

«Ich wollte ihm klar machen, dass es um mehr geht als um ihn und Ben Anders.»

Dieser Versuch einer Rechtfertigung klang selbst in meinen Ohren schwach. Die Polizisten starrten mich mit einer Mischung aus Entrüstung und Feindseligkeit an. Ryan nickte knapp.

«Danke, dass Sie gekommen sind, Dr. Hunter», sagte er kühl. «Jetzt müssen Sie uns entschuldigen. Wir haben eine Menge zu tun.»

Er wandte sich bereits ab. Mackenzie lotste mich weg. Er hielt sich im Zaum, bis wir draußen waren.

«Was zum Teufel ist in Sie gefahren, Brenner davon zu erzählen?»

«Ich wusste, dass Sie den falschen Mann verhörten! Und glauben Sie mir, egal, was Sie jetzt sagen, ich kann es nicht noch heftiger bereuen, als ich es bereits tue.»

Seine Wut ließ etwas nach, als er verstand warum. «Vielleicht macht es nichts. Solange sein Bruder nichts sagt, weiß er noch nicht, dass er ein Verdächtiger ist.»

Dadurch fühlte ich mich kein Stück besser. «Werden Sie jetzt die Windmühle durchsuchen?»

«So schnell es geht. Aber wir können nicht einfach in eine mögliche Geiselsituation stürmen.»

«Es sind nur Brenner und sein Cousin!»

«Beide möglicherweise bewaffnet, und einer mit militärischer Ausbildung. So eine Sache muss vorher geplant werden.» Er seufzte. «Hören Sie, ich weiß, dass es schwer für Sie ist. Aber wir wissen, was wir tun, in Ordnung? Vertrauen Sie mir.»

«Ich möchte mitkommen.»

Mackenzies Gesicht wurde hart. «Keine Chance.»

«Ich werde bei den Wagen bleiben. Ich werde Ihnen nicht in die Quere kommen.»

«Vergessen Sie's.»

«Sie ist Diabetikerin, verdammt nochmal!» Angesichts meiner erhobenen Stimme drehten sich die Leute zu uns um. Ich wurde wieder leiser. «Ich bin Arzt. Sie wird sofort Insulin brauchen. Sie könnte verletzt oder bewusstlos sein.»

«Wir werden einen Krankenwagen und Rettungssanitäter in der Nähe haben.»

Ich versuchte es noch einmal. «Ich muss dabei sein. Bitte!»

Doch er ging bereits zurück zum Wohnwagen. Als wäre ihm noch etwas eingefallen, drehte er sich zu mir um.

«Und kommen Sie ja nicht auf den Gedanken, auf eigene Faust dort rauszufahren, Dr. Hunter. Ihrer Freundin zuliebe. Wir können uns keine weiteren Ablenkungen mehr leisten.»

Er musste nicht aussprechen, was wir beide dachten. *Sie haben bereits genug Schaden angerichtet.*

«Versprechen Sie mir das?»

Ich holte tief Luft. «Ja.»

Seine Miene hellte sich graduell auf. «Versuchen Sie bitte ruhig zu bleiben. Ich werde Sie anrufen, sobald es etwas Neues gibt.»

Dann ließ er mich stehen und ging wieder hinein.

KAPITEL 27

IN DEM SOMMER, als Jenny zehn Jahre alt gewesen war, war sie mit ihren Eltern in Cornwall gewesen. Sie hatten ihr Zelt auf einem Campingplatz nahe Penzance aufgestellt, und am letzten Tag hatte der Vater sie und die Mutter an der Küste entlang zu einer kleinen Bucht gefahren. Wenn sie einen Namen hatte, dann war er ihr immer unbekannt geblieben. Sie wusste nur, dass der Sand fein und weiß war und in den Klippen dahinter eine Menge Vögel genistet hatten. Der Tag war heiß gewesen und das Meer erfrischend kühl. Sie spielte im seichten Wasser und am Strand und legte sich dann in die Sonne, um das Buch zu lesen, das sie gekauft hatte. Es war *Die Chroniken von Narnia* von C.S. Lewis, und sie war sich sehr erwachsen vorgekommen, es in den Ferien zu lesen.

Sie waren den ganzen Tag dort geblieben. In der Bucht waren noch ein paar Familien gewesen, doch nach und nach waren sie alle verschwunden, bis nur noch Jenny und ihre Eltern übrig blieben. Die Sonne war langsam in Richtung Meer gesunken und hatte immer längere Schatten geworfen. Obwohl sie nicht wollte, dass der Tag endete, hatte Jenny jeden Moment erwartet, dass sich ihre Mutter oder ihr Vater strecken und verkünden würden, dass es Zeit zum Aufbruch wäre. Doch das passierte nicht. Der Nachmittag ging in den Abend über, und immer noch wollten ihre Eltern die Ferien anscheinend genauso wenig enden lassen wie Jenny.

Als es kühler wurde, hatten sie Pullover angezogen und über die Gänsehaut von Jennys Mutter gelacht, die unbedingt noch einmal hatte schwimmen wollen. Die Bucht zeigte nach Westen und bot einen malerischen Ausblick auf den Sonnenuntergang. Er war herrlich gewesen, ein überwältigendes Schauspiel aus Gold und Violett, das die drei schweigend betrachtet hatten. Erst als die letzten Sonnenstrahlen hinter den Horizont gefallen waren, hatte sich ihr Vater gerührt.

«Zeit zu gehen», hatte er gesagt.

Im dunkler werdenden Zwielicht waren sie den Strand entlang zurückgegangen, und geblieben war nur die innige Erinnerung an den schönsten Tag ihrer Kindheit.

Als sie jetzt daran dachte, beschwor sie das Gefühl der Sonne auf ihrer Haut und des durch ihre Finger rinnenden Sandes herauf. Sie konnte den Kokosduft der Sonnenmilch ihrer Mutter riechen und das Salz des Meeres auf den Lippen schmecken. Die Bucht gab es noch, und Jenny wollte glauben, dass irgendwo im Universum auch noch diese jüngere Version von ihr existierte, die für immer in diesem nie endenden Tag gefangen war.

Auf dem Boden ihrer Zelle liegend, hatte sich der Schmerz ihres amputierten Zehs mit dem ihrer anderen Wunden vermischt und eine wogende Schmerzwelle gebildet, die sie nun davonzutragen schien. Doch selbst diese Welle schien jetzt so weit weg zu sein, dass Jenny sie eher beobachtete, als sie am eigenen Leib zu spüren. Sie verlor immer wieder das Bewusstsein und fand es zunehmend schwerer, das Delirium und die brutale Realität zu unterscheiden. Auf eine Art wusste sie, dass es ein schlechtes Zeichen war, dass sie allmählich ins Koma fiel. Aber vielleicht war das besser, als zu erleben, was ihr Entführer noch mit ihr vorhatte. *Hey, sieh es von der guten Seite*. Denn was auch immer geschah, Jenny wusste, dass sie hier unten sterben würde.

Es wäre wesentlich besser, wenn es passierte, bevor er zurückkam.

Sie musste an ihre Eltern denken und fragte sich, wie die beiden reagieren würden, wenn sie von ihrem Tod erfuhren. Sie taten ihr Leid, aber es berührte sie kaum. Der Gedanke an David erzeugte eine tiefere Traurigkeit. Aber daran konnte sie auch nichts ändern. Selbst ihre Angst war schwächer und verschwommen geworden, wie etwas, das man durchs Wasser betrachtete. Das Gefühl, das noch am heftigsten brannte, mit fiebriger Intensität, war Wut. Wut auf den Mann, der sich darauf vorbereitete, ihr Leben so einfach zu vergeuden wie Sand, der durch die Finger rann.

Während eines Augenblicks der Klarheit hatte sie noch einmal versucht, den Knoten um ihren Knöchel zu lösen, doch sie war zu schwach dazu gewesen. Sie hatte keine Kraft mehr in den Fingern, und schon bald hatte das Zittern ihres Körpers auch diesen Versuch zunichte gemacht. Sie war erschöpft zurückgesunken und schnell wieder ins Delirium gesackt. Einmal träumte sie, sie hätte das Messer in den Händen, mit dem ihr Entführer sie verletzt hatte. Es war riesig und glänzend, wie ein Schwert, und sie hatte das Seil mühelos durchtrennt und war schwerelos aufgestiegen und in die Freiheit und ins Sonnenlicht geschwebt.

Dann hatte sie der Traum verlassen, und sie war wieder auf dem Boden des Kellers gewesen, schmutzig und blutig.

Das Knirschen erschien zuerst wie ein weiterer Traum. Selbst das Licht, das auf sie fiel, vermischte sich nahtlos mit Bildern des blauen Himmels, der Bäume und des Grases. Erst als ihr jemand ins Gesicht schlug und der Schnitt auf ihrer Wange mit einer eisigen Schärfe aufriss, wurde sie sich wieder bewusst, wo sie war. Sie spürte, wie jemand ihre Schultern vom Boden hob und sie grob schüttelte.

«David ...?», sagte sie und versuchte, die verschwommene Gestalt zu erkennen, die sich über sie gebeugt hatte. Oder vielleicht wollte sie es auch nur sagen, denn der einzige Ton, der ihren Lippen entwich, war ein schwaches, trockenes Stöhnen. Ihr Kopf fiel zur Seite, als die raue Hand sie erneut schlug.

«Wach auf! Wach *auf*!»

Das Gesicht über ihr gewann langsam an Konturen. *Ach, es war nicht David.* Die Züge des Mannes waren vor Wut und Enttäuschung verzerrt. Sie wollte weinen. Sie hatte also doch nicht rechtzeitig sterben können. Das erschien so ungerecht. Aber sie begann schon wieder wegzusacken. Sie bemerkte es kaum, als er sie fallen ließ, und selbst der Schmerz, als ihr Kopf auf den harten Boden knallte, war nur ein schwaches Gefühl.

Plötzlich holte ein eiskalter Schock sie zurück. Für einen Augenblick schien ihr Herz stehen zu bleiben. Als sie nach Luft rang, verkrampfte sich ihr Zwerchfell. Sie atmete hastig ein, dann noch einmal, und als sie das Wasser abschüttelte, sah sie ihn über sich stehen. Er hielt einen leeren, noch tropfenden Eimer.

«Noch nicht! Noch stirbst du nicht!»

Er ließ den Eimer fallen und packte grob ihren Fuß. Mit wenigen, schnellen Bewegungen war der Knoten gelöst, der sie festgehalten hatte. Die noch immer keuchende Jenny wurde auf die Füße gehoben. Halb zerrte, halb trug er sie zum anderen Ende des Kellers. Dort war eine Trennwand aus Backstein. Hinter dieser Mauer ließ er sie auf einen harten, unnachgiebigen Boden fallen. Mit verschwommenem Blick schaute Jenny nach oben und sah einen rostigen Hahn aus der Wand hervorstehen. Und dann bemerkte sie etwas anderes, etwas, das sie selbst in dem durch den Insulinmangel verursachten Nebel erkennen konnte. Neben ihr war ein runder Abfluss aus Eisen, und plötzlich war Jenny klar, was dort abfließen sollte.

Er hatte sie zum Hinrichtungsort gebracht.

Er kehrte mit einem Sack zurück. Er öffnete ihn, drehte ihn um und schüttete dicht neben ihrem Kopf ein Bündel Federn aus. Und dann starrte Jenny in die verängstigten gelben Augen einer Eule.

Jetzt lächelte er zu ihr hinab. «Der Vogel der Weisheit. Für eine Lehrerin.»

Mit dem Messer in der Hand griff er hinab und packte die Eule an die Beinen. Sie waren zusammengebunden, sah Jenny, doch als er den Vogel hob, gab es plötzlich ein hektisches Geflatter. Für einen Augenblick schien die Eule an seiner Hand zu hängen. Als sie wild mit den Flügeln schlug, fiel das Messer klappernd auf den Betonboden, dann knallte er die Eule mit aller Kraft gegen die Wand. In einer Wolke aus Federn fiel sie zu Boden. Er starrte stumm auf die blutende Wunde in seiner Hand, die der Vogel mit seinem Schnabel gehackt hatte. *Gut,* sagte eine freudige Stimme in ihr, während der Raum wieder zu verschwimmen begann. Doch als er an seiner Wunde saugte, trafen sich ihre Blicke. *Noch nicht. Nur noch einen Moment. Dann ist mir egal, was du tust,* dachte sie, während sie in seinen Augen las, was er vorhatte.

Doch er beugte sich bereits zu ihr hinab. «Du bist auf der Seite der Eule, nicht wahr? Arme Eule. Arme, kleine Eule.»

Mit nachdenklicher Miene stand er über ihr. Dann neigte er seinen Kopf zur Seite und horchte. Durch den grauen Schleier vor ihren Augen sah sie die Verblüffung auf seinem

Gesicht. Und durch die Watteschicht, die sie umgab, konnte Jenny es kurz darauf auch hören. Ein heftiger Knall, der von über ihnen kam.

Dort oben war jemand.

KAPITEL 28

VOR HUNDERTFÜNFZIG Jahren war die alte Windmühle der Stolz Manhams gewesen. Es war keine Kornmühle, sondern eine vom Wind angetriebene Pumpe, wie sie früher zu Hunderten dazu gedient hatten, den Sumpf in den Broads trockenzulegen. Heute war sie ein verfallenes Gemäuer, das in keiner Weise mehr an die goldenen Tage erinnerte. Dort, wo einmal die stattlichen Flügel angebracht gewesen waren, war nur ein Loch im zerbröckelnden Mauerwerk übrig geblieben, und von dem sie umgebenden Land hatte die Natur wieder Besitz ergriffen. Über die Jahre war der viel zu nasse Boden mit Buschwerk zugewachsen, bis der baufällige Turm völlig überwuchert war.

Aber leer stand er nicht.

Ich konnte mir später aus Mackenzies Erzählung zusammenreimen, was geschehen war. Der Plan hatte darin bestanden, gleichzeitig die Windmühle, das Haus der Brenners und das Cottage, in dem Dale Brenner wohnte, zu stürmen. Dahinter steckte die Absicht, beide Männer zu fassen, ohne ihnen oder ihren Familien die Gelegenheit zu geben, sich gegenseitig zu warnen. Obwohl die Vorbereitungen so länger dauerten, glaubte man auf diese Weise die besten Chancen zu haben, Jenny lebend zu finden. Natürlich nur, wenn alles nach Plan lief.

Ich hätte ihnen sagen können, dass nie etwas nach Plan läuft.

Mackenzie begleitete das Kommando, das die Windmühle übernehmen sollte. Die Abenddämmerung setzte bereits ein, als sich die Wagen und Transporter mit den Polizeibeamten in ihren kugelsicheren Sachen dem Ziel näherten. Unter ihnen war ein bewaffnetes Sondereinsatzkommando sowie Sanitäter und ein Krankenwagen, um Jenny und mögliche andere Verletzte sofort ins Krankenhaus zu bringen. Da nur ein schmaler und überwucherter Weg zur Windmühle führte, hatte man beschlossen, die Fahrzeuge am Rande des Waldes stehen zu lassen und das letzte Stück zu Fuß zurückzulegen.

Vor der Windmühle verharrten sie zwischen den Bäumen, während einzelne Teams losgeschickt wurden, um die Türen und Fenster auf der Rückseite zu sichern. Während er darauf wartete, dass sie ihre Stellungen bezogen, betrachtete Mackenzie die Ruine. Sie wirkte verlassen, und im abnehmenden Licht schien das dunkle Mauerwerk die einsetzende Dunkelheit aufzusaugen. Dann knisterte sein Funkgerät und eine Stimme sagte ihm, dass jeder seine Position eingenommen hatte. Mackenzie schaute den Leiter des Einsatzkommandos an. Er nickte kurz.

«Los.»

Zu der Zeit wusste ich von alledem nichts. Mir war nur quälend bewusst, dass ich nichts tun konnte außer zu warten. Doch Mackenzie hatte Recht. Ich hatte genügend verpfuschte Polizeieinsätze erlebt, um zu wissen, dass sie anständig geplant werden mussten. Aber das machte es mir nicht leichter.

Es war offensichtlich gewesen, dass ich am Polizeiwohnwagen nicht wohlgelitten war, selbst wenn ich hätte bleiben wollen. Doch ich hatte es nicht ertragen können, herumzusitzen und dort aus den finsteren Gesichtern erraten zu wollen, was geschah. Ich war zurück zum Landrover gegangen und hatte Ben angerufen. Er hatte wissen wollen, was vor sich ging. Meine Hände zitterten, als ich seine Nummer wählte.

«Hör mal, warum kommst du nicht her und wartest hier?», hatte er gesagt. «Lass uns gemeinsam den Whisky austrinken. Du solltest jetzt nicht allein sein.»

Ich wusste seine Fürsorge zu schätzen, lehnte aber dennoch ab. Alkohol war das Letzte, was ich jetzt wollte. Oder Gesellschaft. Ich beendete den Anruf und starrte durch die Windschutzscheibe. Der Himmel über Manham hatte sich kupferrot eingetrübt, immer dunklere Wolken zogen heran. Die Luft roch nach Regen. Mit einem untrüglichen Timing kam die Hitzewelle schließlich zum Ende. *Wie eine Menge anderer Dinge.*

Abrupt war ich aus dem Landrover gesprungen, um Mackenzie erneut zu beknien, mich mitkommen zu lassen. Doch ich war stehen geblieben, bevor ich den Wohnwagen erreicht hatte. Ich wusste, wie seine Antwort ausfallen würde, und ich würde Jenny nicht helfen, wenn ich jetzt die Arbeit der Polizei behinderte.

Und dann war mir plötzlich die Lösung gekommen. Ich durfte sie vielleicht nicht bis zur Windmühle begleiten, aber sie konnten mich nicht davon abhalten, in der Nähe zu warten. Dazu musste ich Mackenzie nicht um Erlaubnis bitten. Ich könnte etwas Insulin mitnehmen und bereit sein, wenn Jenny gefunden wurde. Das war kein besonders raffinierter Plan, aber es war immerhin besser, als gar nichts zu tun. Ich hatte bereits Kara und Alice verloren. Ich konnte nicht einfach untätig abseits stehen, während Jennys Schicksal entschieden wurde.

In meiner Arzttasche hatte ich kein Insulin, aber im Kühlschrank der Praxis gab es einen Vorrat. Ich war zurück zum Wagen gerannt, zum Bank House gefahren und hatte den Motor des Landrovers laufen lassen, während ich hineingestürzt war. Die Abendsprechstunde war vorbei, aber Janice war noch da gewesen. Sie schaute überrascht auf, als ich so hereingeplatzt kam.

«Dr. Hunter, ich habe gar nicht mit Ihnen gerechnet … Ich meine, haben Sie etwas gehört …?»

Ich hatte nur den Kopf geschüttelt und war zu sehr in Eile gewesen, um zu antworten. Ich lief in Henrys Arbeitszimmer und riss den Kühlschrank auf. Als Henry hereingerollt kam, schaute ich mich nicht einmal um.

«David, was machst du denn da?»

«Ich suche Insulin.» Ich wühlte durch die Fläschchen und Packungen. «Komm schon, wo ist es, verflucht nochmal?»

«Beruhige dich und erzähl mir, was passiert ist!»

«Es sind Carl Brenner und sein Cousin. Sie halten Jenny in der alten Windmühle gefangen. Die Polizei wird sie stürmen.»

«Carl Brenner?» Er hatte einen Moment gebraucht, um die Nachricht zu verarbeiten. «Und warum brauchst du Insulin?»

«Ich fahre hin.» Das Insulin starrte mich an. Ich hatte es mir geschnappt und schloss den Stahlschrank auf, um eine Spritze hervorzuholen.

«Aber die Polizei wird doch einen Krankenwagen dabeihaben, oder?»

Ich hatte nicht geantwortet und in den Fächern stur weiter nach den Einwegspritzen gesucht.

«David, denk doch mal nach. Die werden gut ausgestattete Notfallteams mit Insulin und allem anderen Kram haben. Was bringt es, wenn du ihnen dazwischenfunkst?»

Die Frage hatte mich in meiner Raserei innehalten lassen. Die ganze fanatische Energie, die mich angetrieben hatte, war wie weggeblasen. Ich starrte blöde auf das Insulin und die Spritzen in meinen Händen.

«Ich weiß es nicht.» Meine Stimme war heiser.

Henry seufzte. «Leg es zurück, David», sagte er sanft.

Ich verharrte noch einen Moment, dann tat ich, was er gesagt hatte.

Er nahm meinen Arm. «Komm und setz dich. Du siehst furchtbar aus.»

Ich ließ mich von ihm zum Stuhl führen, setzte mich aber nicht. «Ich kann mich nicht hinsetzen. Ich muss etwas *tun.*»

Er schaute mich besorgt an. «Ich weiß, dass es schwer ist. Aber manchmal kann man einfach nichts tun, egal, wie sehr man es will.»

Meine Kehle hatte sich zugeschnürt. Ich spürte, wie mir Tränen in die Augen stiegen. «Ich will dort sein. Wenn sie gefunden wird.»

Einen Augenblick sagte Henry nichts. «David …», begann er zögernd. «Ich weiß, dass du das nicht hören willst, aber … also, meinst du nicht, du solltest auf das Schlimmste gefasst sein?»

Ich hatte das Gefühl, als hätte mir jemand in den Magen geschlagen. Ich bekam keine Luft mehr.

«Ich weiß, wie sehr du sie magst, aber …»

«Sag es nicht.»

Er nickte müde. «In Ordnung. Pass auf, ich mache dir einen Drink …»

«Ich will keinen Drink!» Ich zügelte mich. «Ich kann nicht herumsitzen und warten. Ich kann einfach nicht.»

Henry sah hilflos aus. «Ich wünschte, ich fände die richtigen Worte. Es tut mir Leid.»

«Gib mir etwas zu tun. Irgendetwas.»

«Es gibt nichts. Es ist nur ein Hausbesuch eingetragen, und ...»

«Wer ist es?»

«Irene Williams, aber es ist nicht dringend. Du solltest lieber hier bleiben und ...»

Doch ich war schon auf dem Weg zur Tür gewesen. Ich ging hinaus, ohne das Krankenblatt der Patientin mitzunehmen, und bemerkte kaum den besorgten Blick, mit dem Janice mich betrachtete. Ich musste in Bewegung bleiben und mich von der Tatsache ablenken, dass Jennys Leben nicht in meinen Händen lag. Ich versuchte diesen Gedanken zu verdrängen, als ich zu den kleinen Reihenhäusern am Rande des Dorfes fuhr, wo Irene Williams wohnte. Die gesprächige, immer gut gelaunte, über siebzig Jahre alte Frau wartete stoisch darauf, dass ihre arthritische Hüfte ersetzt wurde. Normalerweise besuchte ich sie gerne, doch an diesem Abend war ich nicht in Plauderlaune.

«Sie sind so still. Hat es Ihnen die Sprache verschlagen?», fragte sie, als ich ihr Rezept ausstellte.

«Ich bin nur müde.» Ich stellte fest, dass ich ihr ein Rezept für Insulin statt für Schmerzmittel ausgestellt hatte. Ich zerknüllte es und schrieb ein neues.

Sie lachte leise. «Glauben Sie nicht, ich wüsste nicht, was mit Ihnen los ist.»

Ich konnte sie nur anstarren. Sie lächelte; ihre falschen Zähne waren das einzige Jugendliche in ihrem faltigen Gesicht.

«Sie brauchen ein nettes Mädchen. Das würde Sie ein bisschen aufmuntern.»

Ich hatte mich gerade noch davon abhalten können, nicht sofort aus der Tür zu stürzen. Zurück in der Sicherheit des

Landrovers, legte ich meinen Kopf auf das Lenkrad. Ich schaute auf meine Uhr. Die Zeiger schienen sich mit spöttischer Langsamkeit zu bewegen. Es war noch zu früh, als dass es etwas Neues hätte geben können. Ich hatte genügend Erfahrung mit der Arbeitsweise der Polizei gesammelt, um zu wissen, dass die Beamten wahrscheinlich immer noch redeten, die Einsatzkommandos instruierten und ihr Vorgehen endgültig festlegten.

Ich hatte mein Handy trotzdem überprüft. Das Signal war schwach, doch der Empfang reichte aus, dass mich Anrufe oder Nachrichten hätten erreichen können. Nichts. Ich starrte durch die Windschutzscheibe auf das Dorf. In dem Moment ging mir auf, wie sehr ich Manham hasste. Ich hasste die gedrungenen Steinhäuser, und ich hasste die flache, sumpfige Landschaft. Ich hasste das Misstrauen und den Neid der Einwohner. Ich hasste es, dass ein perverser Mörder unbemerkt hier hatte leben können, bis sein Wahnsinn zum Ausbruch kam. Vor allem hasste ich die Tatsache, dass mir das Dorf Jenny geschenkt und dann wieder genommen hatte. *Verstehst du? So hätten auch wir werden können.*

Dieses beinahe fiebrige Gefühl war so schnell vergangen, wie es gekommen war, und hatte mich nervös und schwach zurückgelassen. Dunkle Wolken überzogen den Himmel wie ein sich ausbreitender blauer Fleck, als ich den Wagen startete. Jetzt konnte ich nur noch zurückfahren und auf den Anruf warten, vor dem ich solche Angst hatte. Der Gedanke daran erstickte mich.

Und dann war mir schließlich etwas anderes eingefallen. Als ich am Morgen Scarsdale auf dem Kirchhof getroffen hatte, hatte mir Tom Mason vom schlimmen Rücken seines Großvaters erzählt. Dies Leiden des alten Mannes war chronisch, der Preis dafür, dass er sein Leben über die Blumenbeete anderer Leute gebeugt verbracht hatte. Bei ihm vorbeizuschauen würde ein paar weitere Minuten verstreichen lassen und mich ablenken, bis ich damit rechnen konnte, etwas von Mackenzie zu hören. Mit an Verzweiflung grenzender Erleichterung hatte ich den Wagen gewendet und mich auf den Weg zum Haus der Masons gemacht.

Der alte George und sein Enkel wohnten in dem ehemaligen Pförtnerhaus des Herrenhauses von Manham, das am Waldesrand am See lag. Die Familie war dort seit Generationen als Gärtner angestellt gewesen, und als junger Mann hatte George noch auf dem Anwesen gearbeitet, ehe das Haus nach dem Krieg abgerissen wurde. Das Pförtnerhaus war der einzige Überrest, ein paar gepflegte und kultivierte Morgen Land, die inmitten des sich wieder ausbreitenden Waldes überlebt hatten.

Der metallische Glanz des Sees war durch die Bäume zu sehen, als ich im Hof geparkt hatte und losgegangen war, um an die Tür zu klopfen. Sie hatte eine große Milchglasscheibe, die unter meiner Hand leicht klapperte. Als niemand öffnete, klopfte ich erneut. Während ich wartete, vibrierte die Luft unter einem grollenden Donner. Ich schaute zum Himmel und war überrascht, wie schnell es dunkel geworden war. Die heranziehenden Gewitterwolken hatten dem Tag vorzeitig ein Ende bereitet. Bald würde es stockduster sein.

Während mir das durch den Kopf gegangen war, hatte ich mich über noch etwas gewundert. Im Haus brannten keine Lichter. Seltsam, wenn jemand zu Hause sein sollte. Hier wohnten nur die beiden, Toms Eltern waren gestorben, als er noch klein war. Sollte George sich so weit erholt haben, dass er wieder zur Arbeit gegangen war? Ich strebte zurück zum Landrover, doch schon nach wenigen Schritten blieb ich stehen. Das Gefühl, dass etwas nicht stimmte, ließ mich nicht los. Eine unheimliche Ruhe vor dem Sturm lag in der Luft. Ich schaute mich auf dem Hof um, gepackt von dem unbehaglichen Gefühl, dass gleich etwas passieren würde. Doch ich konnte nichts erkennen.

Als etwas auf meinen nackten Arm fiel, schreckte ich hoch. Ein dicker Regentropfen hatte mich getroffen. Wenig später zuckte ein greller Blitz über den Himmel. Für einen Augenblick war alles blendend hell erleuchtet. In der darauf folgenden unheilvollen Stille nahm ich ein Geräusch wahr, das ich eher spürte als hörte. Einen Moment später wurde es von dem tosenden Krachen des Donners übertönt, aber ich wusste, dass ich es mir nicht eingebildet hatte. Ein leises, beinahe unterschwelliges Summen, das ich sehr gut kannte.

Fliegen.

Und während mir dämmerte, was das bedeutete, stand Mackenzie mehrere Meilen entfernt zwischen Käfigen voller verängstigter Tiere und Vögel, während ein atemloser Sergeant bestätigte, was er bereits wusste.

«Wir haben alles überprüft», sagte der Beamte. «Aber hier ist niemand.»

KAPITEL 29

MAN KONNTE NUR schwer feststellen, woher das Geräusch der Fliegen kam. Doch ich wusste, dass es aus dem Haus kam. Die leeren, dunklen Fenster starrten blind auf mich herab und halfen mir nicht weiter. Ich schaute durch das erste. Drinnen konnte ich undeutlich eine Küche erkennen, aber kaum mehr. Ich versuchte es beim nächsten. Ein Wohnzimmer, zwei abgewetzte Sessel standen vor einem ausgeschalteten Fernseher.

Ich hob meine Hand, um erneut an die Tür zu klopfen, und ließ sie dann sinken. Wenn jemand zu Hause wäre, wäre er schon längst gekommen. Ich blieb auf der Stufe stehen und wusste nicht, was ich tun sollte.

Aber ich wusste, was ich gehört hatte. Und mir war klar, dass ich es nicht ignorieren konnte. Meine Hand bewegte sich zum Türknauf. Wenn sie geschlossen war, wäre mir die Entscheidung abgenommen. Ich drehte ihn.

Die Tür ging auf.

Ich zögerte. Mir war klar, dass ich nicht einmal in Betracht ziehen durfte, was ich hier tat. Dann nahm ich den Geruch aus dem Inneren des Hauses wahr. Der leicht süßliche Gestank war mir nur allzu vertraut.

Ich schob die Tür ganz auf und schaute in einen düsteren Flur. Der Geruch war jetzt unverkennbar. Mit trockenem Mund zog ich mein Telefon hervor, um die Polizei anzurufen. Ich tappte nicht länger im Dunkeln. Etwas – jemand –

war hier gestorben. Ich hatte schon begonnen zu wählen, als ich merkte, dass ich keinen Empfang hatte. Das Haus der Masons lag in einem Funkloch. Ich fluchte und fragte mich, wie lange ich schon unerreichbar war und ob Mackenzie versucht hatte, mich anzurufen.

Das gab mir einen weiteren Grund, hineinzugehen. Doch auch wenn ich kein Festnetz gebraucht hätte, ich hatte keine Wahl. So ungern ich in das Haus gehen wollte, ich konnte jetzt nicht mehr verschwinden.

Der Gestank wurde sofort intensiver. Ich stand im Flur und versuchte, ein Gefühl für das Haus zu kriegen. Auf den ersten Blick sah es ordentlich aus, doch auf allem lag eine dicke Staubschicht.

«Hallo?», rief ich.

Nichts. Zu meiner Rechten befand sich eine Tür. Ich öffnete sie und fand mich in der Küche wieder, die ich durch das Fenster gesehen hatte. In der Spüle stapelte sich schmutziges Geschirr, auf den Tellern vergammelten hart gewordene Essensreste. Ein paar fette Fliegen waren aufgescheucht worden, aber es waren nicht genug, um für das Gebrumm verantwortlich zu sein, das ich vorher gehört hatte.

Das Wohnzimmer wirkte ähnlich verlassen. Da standen die staubigen Sessel vor dem Fernseher, die ich von draußen gesehen hatte. Ein Telefon konnte ich nirgends entdecken. Ich verließ das Zimmer und ging zur Treppe. Der Teppich auf den Stufen war alt und abgewetzt, die oberen waren in der Finsternis kaum zu erkennen. Mit einer Hand auf dem Geländer blieb ich am Treppenabsatz stehen.

Ich wollte nicht dort hochgehen. Doch nachdem ich so weit gegangen war, konnte ich nicht einfach umkehren. An der Wand war ein Lichtschalter. Ich knipste ihn an und erschrak, als die Birne knallte und gleich wieder ausging.

Langsam stieg ich hinauf. Mit jeder Stufe wurde der Gestank durchdringender. Und nun kam noch ein anderer süßlicher und irgendwie teeriger Geruch hinzu, der mich an irgendetwas erinnerte. Aber ich hatte jetzt keine Zeit, darüber nachzudenken. Die Treppe mündete wieder in einen Flur. In der Düsternis konnte ich ein leeres, schmutziges Badezimmer und zwei weitere Türen erkennen. Ich ging zur ersten und öffnete sie. In dem Zimmer befand sich ein zerwühltes Einzelbett, das auf den nackten Bodendielen stand. Ich ging hinaus und weiter zur zweiten Tür. Als ich an den Türknauf fasste, wurde der Teergeruch stärker. Die Tür klemmte, und kurz dachte ich, sie wäre abgeschlossen. Dann gab sie plötzlich nach und ich schob sie auf.

Eine schwarze Wolke aus Fliegen umhüllte mein Gesicht. Ich scheuchte sie weg und musste bei dem fauligen Gestank aus dem Zimmer fast würgen. Eigentlich sollte ich ihn ja gewöhnt sein, doch in diesem Fall war er einfach überwältigend. Die Fliegen wurden etwas ruhiger und ließen sich allmählich wieder auf einer Gestalt auf dem Bett nieder. Mit einer Hand vor dem Mund und angehaltenem Atem trat ich näher.

Mein erstes Gefühl war Erleichterung. Die Leiche war stark verwest, und obwohl man auf den ersten Blick unmöglich sagen konnte, ob sie männlich oder weiblich war, war der- oder diejenige eindeutig schon seit einiger Zeit tot. Mit Sicherheit wesentlich länger als zwei Tage. *Gott sei Dank,* dachte ich kraftlos.

Die Fliegen auf der Leiche schwirrten gereizt davon, als ich vorsichtig näher kam. Es wurde nun zu dunkel für sie, um noch aktiv zu sein. Wenn ich etwas später hier angekommen wäre oder sie in diesem Moment nicht vom Blitz gestört worden wären, hätte ich ihr verräterisches Summen vielleicht nie gehört. Das Fenster stand einen Spalt weit auf, sah ich jetzt. Nicht ausreichend, um das Zimmer zu lüften, doch weit genug, um die vom Geruch der Verwesung angezogenen Fliegen hereinzulassen, damit sie ihre Eier legen konnten.

Die Leiche war auf Kissen gebettet, die Arme lagen schlaff außerhalb der Decke. Neben dem Bett stand eine alte Holzkommode, auf ihr ein leeres Glas und ein stehen gebliebener Wecker. Außerdem lag dort eine Männerarmbanduhr und eine kleine Pillenflasche. Es war zu dunkel, um das Etikett zu lesen, doch dann erleuchtete ein weiterer Blitz das Zimmer. Wie bei einem Schnappschuss hob er einige Elemente hervor: die verblichene Blümchentapete, ein gerahmtes Bild über dem Bett. Außerdem konnte ich in dem kurzen, grellen Schein den Aufdruck auf der Flasche lesen: Coproxamol – die Schmerztabletten von George Mason.

Gut möglich, dass der alte Gärtner wieder Probleme mit seinem Rücken gehabt hatte, aber das war nicht der Grund, warum er in letzter Zeit nicht im Dorf gewesen war. Ich erinnerte mich, was Tom Mason auf dem Kirchhof gesagt hatte, als ich ihn gefragt hatte, wo sein Großvater war. *Noch im Bett.* Ich fragte mich, vor wie langer Zeit der alte George gestorben war. Und was es über Manham aussagte, dass niemandem seine Abwesenheit aufgefallen war.

Ich achtete darauf, nichts zu berühren, als ich mich zum Gehen umwandte. Dies sah eher nach einer häuslichen Tragödie als nach dem Ort eines Verbrechens aus, ich wollte aber trotzdem keine unnötige Unordnung schaffen. Jemand anderes würde feststellen müssen, woran er gestorben war, und konnte sich dann den Kopf darüber zerbrechen, warum sein Enkel es nicht gemeldet hatte. Jemand mit gesundem Menschenverstand würde kaum so handeln, doch andererseits konnte Trauer seltsame Reaktionen hervorrufen. Er wäre nicht der erste Mensch, der die Augen vor der Realität verschloss.

Als ich langsam zurückging, nahm ich wieder den teerigen Geruch wahr. Und bei der geöffneten Tür reichte das Licht nun auch aus, um die dicken, schwarzen Striche entlang der Kanten des Türrahmens zu erkennen. Am unteren Rand der Tür hing noch ein zusammengeknülltes Stück Zeitung, das mit demselben Material überzogen war. Ich erinnerte mich, wie die Tür bei meinem Eintreten erst zu klemmen schien. Als ich das schwarze Zeug vorsichtig berührte, waren meine Finger klebrig.

Es war Bitumen.

Und mit einem Mal wurde mir klar, was mir unterbewusst seit dem Vortag keine Ruhe gelassen hatte. Unter dem Duft der Blumen und des frisch gemähten Rasens im Kirchhof hatte ein anderer, schwacher Geruch gelegen. Ich war zu abgelenkt gewesen, um ihm viel Aufmerksamkeit zu schenken, doch jetzt wusste ich, was es gewesen war. Bitumen, das entweder an Mason oder seinen Werkzeugen klebte, nachdem er versucht hatte, das Schlafzimmer seines Großvaters abzudichten.

Die gleiche Substanz, die ich in der Messerkerbe in Sally Palmers Rückenwirbel gefunden hatte.

Ich versuchte, mich zu beruhigen und genau nachzudenken. Es war unvorstellbar, dass Tom Mason der Mörder sein könnte. Er wirkte zu friedlich und zu simpel gestrickt, um solche Gräueltaten zu planen, geschweige denn sie auszuführen.

Doch wir hatten die ganze Zeit gewusst, dass sich der Mörder hinter einer schlichten Fassade versteckt hielt. Genau das hatte Mason getan, unauffällig hatte er auf dem Friedhof oder der Dorfwiese gearbeitet und war dabei tatsächlich so sehr mit dem Hintergrund verschmolzen, dass er nie richtig wahrgenommen wurde. Immer im Schatten seines Großvaters, hatte der leise sprechende Mann nie einen Eindruck hinterlassen.

Das änderte sich nun schlagartig.

Ich sagte mir, dass ich voreilige Schlüsse zog. Noch vor wenigen Minuten war ich davon überzeugt gewesen, dass Carl Brenner der Mörder war. Aber Mason passte genauso gut in das Profil. Und Brenner lagerte nicht die verweste Leiche seines Großvaters zu Hause. Oder versuchte den Gestank mit dem gleichen Material zu überdecken, das im Halswirbel einer toten Frau gefunden worden war.

Meine Hände zitterten, als ich mein Telefon hervorholte, um Mackenzie anzurufen. Ich hatte ganz vergessen, dass ich hier keinen Empfang hatte. Fluchend eilte ich die Treppe hinab. Aber auch wenn er unbedingt wissen musste, was ich entdeckt hatte, ich konnte nicht gehen, ohne mich zu vergewissern, ob Jenny hier war oder nicht. Ich raste durch das dunkle Haus und riss jede Tür auf, starrte in jedes Zimmer. In keinem war eine Menschenseele und auch kein Telefon, das ich hätte benutzen können.

Ich lief hinaus zum Landrover und probierte mein Handy erneut, falls es durch irgendein Wunder plötzlich doch Empfang haben sollte. Aber es war immer noch tot. Als ich den Wagen startete, dröhnte über mir ein Donnerschlag. Mittlerweile war es vollkommen dunkel und der Regen prasselte auf die Windschutzscheibe. Da der Hof nicht groß genug zum Wenden war, begann ich zurückzusetzen. Dabei streiften die Scheinwerfer durch die gegenüberliegenden Bäume, und einen Augenblick lang sah ich etwas aufblitzen.

Hätte der Wagen kein Automatikgetriebe gehabt, ich hätte den Motor abgewürgt, als ich abrupt auf die Bremse trat. Ich suchte die Stelle im Wald, wo es aufgeblitzt hatte. Doch was auch immer die Scheinwerfer eingefangen hatten, nun war es unsichtbar. Mit trockenem Mund fuhr ich langsam vorwärts und drehte das Lenkrad wieder zurück. Als der Lichtstrahl über die Bäume schwenkte, funkelte tief im Wald etwas auf.

Es war das leuchtende, gelbe Dreieck eines Nummernschildes.

Jetzt entdeckte ich, dass der Weg, auf dem ich gekommen war, nicht auf dem Hof endete, sondern weiter in den Wald führte. Obwohl er stark überwuchert war, sah er befahren aus. Aber der Wagen, der zwischen den Bäumen stand, war zu weit entfernt, um ihn erkennen zu können. Ohne die kurze Reflexion hätte ich nie gemerkt, dass dort etwas war.

Ich musste mich mit Mackenzie in Verbindung setzen, doch der Weg lockte mich. Dies war ein Privatbesitz, der Meilen von den beiden Stellen entfernt war, wo die Leichen gefunden worden waren. Dieses Gebiet war nicht durchsucht worden. Und es musste einen Grund dafür geben, dass dort ein Auto stand. Ich zögerte, hin- und hergerissen zwischen meinen beiden Möglichkeiten. Doch im Grunde war klar, was ich tun würde. Ich trat aufs Gaspedal und lenkte den Landrover auf den Weg.

Beinahe sofort war ich gezwungen, langsamer zu werden, weil die Äste bedrohlich nah kamen. Ich machte die Scheinwerfer aus, um nicht noch mehr Aufmerksamkeit auf mich zu lenken, doch nun konnte ich nichts mehr sehen. Nachdem ich sie wieder angeschaltet hatte, schien der Weg hinter den Lichtkegeln zu verschwinden. Der Regen trommelte jetzt herab. Ich knipste die Scheibenwischer an und starrte durch die verschmierte Scheibe, während der Wagen über den unebenen Weg holperte. Das Nummernschild geriet ins Licht der Scheinwerfer, ein heller Schimmer in der Finsternis. Dann konnte ich auch das Fahrzeug erkennen. Es war kein Wagen, sondern ein Transporter.

Er stand neben einem niedrigen, von Bäumen umgebenen Gebäude.

Ich hielt an. Als ich die Scheinwerfer ausmachte, versank draußen alles in totaler Finsternis. Ich suchte im Handschuhfach nach der Taschenlampe und betete, dass die Batterien nicht leer waren. Ein gelber Lichtstrahl leuchtete auf, als ich sie einschaltete. Mit rasendem Puls öffnete ich die Wagentür und schwenkte schnell die Taschenlampe umher. Niemand sprang hervor. Nur Bäume waren zu sehen, und durch die Bäume die schwarze, undurchdringliche Oberfläche des Sees. Der Regen durchnässte mich und übertönte jedes andere Geräusch, als ich zum Heck des Landrovers ging und einen schweren Schraubenschlüssel aus der Werkzeugkiste nahm. Ein wenig beruhigt durch sein Gewicht näherte ich mich dem Gebäude.

Der davor stehende Transporter war alt und verrostet. Die Hecktüren waren mit einem Stück Schnur zusammengebunden. Als ich den Knoten löste, sprangen sie quietschend auf. Drinnen befanden sich Gartengeräte: Spaten, Harken, sogar eine Schubkarre. Außerdem entdeckte ich eine Drahtrolle und dachte, dass Carl Brenner seinem Bruder die Wahrheit gesagt hatte. Die Falle, die Scott verletzt hatte, war keine von seinen gewesen.

Auch die anderen Fallen nicht.

Als ich mich abwandte, fiel der Strahl der Taschenlampe auf etwas anderes. Auf einer Ansammlung von Werkzeugen lag ein Klappmesser. Es war nicht zusammengeklappt worden, die geriffelte Klinge sah wie eine kleine Säge aus. Sie war schwarz verkrustet.

Mir war klar, dass ich auf die Waffe blickte, die Sally Palmers Hund getötet hatte.

Ich erschrak, als es plötzlich blitzte. Der Donner folgte fast sofort, ein tosendes Grollen, das alles erschütterte. Ich überprüfte noch einmal mein Handy, obwohl ich eigentlich nicht damit rechnete, Empfang zu haben. Kein Signal. Ich ging vom Transporter weg weiter auf das niedrige Gebäude zu, bis ich spürte, dass etwas meinen Oberschenkel streifte. Ich schaute hinab und sah einen rostigen Drahtzaun, der durchs Gestrüpp verlief. Dutzende dunkler Gegenstände hingen an ihm. Zuerst konnte ich nicht erkennen, was es war, dann richtete ich die Taschenlampe auf die Objekte unmittelbar vor mir und sah Knochen aufschimmern. An den Draht waren die Kadaver von kleinen Vögeln und Tieren gehängt und der Verwesung überlassen worden.

Es waren Dutzende.

Der Regen pladderte durch die Bäume, während ich mir entlang des Drahtzaunes einen Weg bahnte. Nach ein paar Metern hörte er einfach auf, die Drahtenden lagen zusammengerollt im Gras. Ich stieg darüber und umrundete das Gebäude. Es war ein gedrungener, schmuckloser Block ohne Türen oder Fenster. An manchen Stellen waren die Betonwände aufgeplatzt und man konnte das Gerippe der Bewehrungsstäbe erkennen. Doch erst als ich auf der anderen Seite die tief eingelassene Tür und das einzelne, schmale Fenster entdeckte, wurde mir klar, um was für ein Bauwerk es sich handelte. Es war ein alter Luftschutzbunker. Mir war bekannt, dass manche Leute zu Beginn des Zweiten Weltkriegs so albern gewesen waren, ihre Landsitze mit Bunkern auszurüsten, die zum größten Teil nie benutzt worden waren.

Doch für diesen schien jemand eine Verwendung gefunden zu haben.

So leise wie möglich näherte ich mich der Tür. Sie war aus Stahl und völlig verrostet. Ich hatte erwartet, dass sie abgeschlossen war, doch sie schwenkte auf, als ich dagegen stieß.

Muffige Luft schlug mir entgegen. Mit klopfendem Herzen trat ich ein. Im Schein der Taschenlampe offenbarte sich ein einzelner Raum, der abgesehen von ein paar verwelkten Blättern am Boden leer war. Ich leuchtete über die nackten Wände, und dann fiel der Lichtstrahl auf eine zweite Tür, die fast unsichtbar in einer Ecke verborgen war.

Als ich hinter mir ein Geräusch hörte, drehte ich mich gerade noch rechtzeitig um, um die Außentür zufallen zu sehen. Ich wollte sie abfangen, doch ich war zu langsam. Der Knall war erschreckend laut. Während der Widerhall abebbte, wusste ich, dass ich gerade jedem im Inneren des Bunkers meine Ankunft angekündigt hatte.

Doch jetzt blieb mir nichts anderes übrig, als weiterzumachen. Ohne mich länger zu bemühen, leise zu sein, ging ich zur zweiten Tür. Nachdem ich sie geöffnet hatte, sah ich eine enge Treppenflucht. Über den Stufen warf eine schwache Glühbirne ein blasses Licht hinab.

Ich machte die Taschenlampe aus und ging hinunter.

Die Luft war abgestanden und stank. Ich erkannte die Gerüche des Todes und versuchte, nicht daran zu denken, was das bedeuten könnte. Nach der letzten Windung der Wendeltreppe trat ich in einen langen, niedrigen Keller. Er schien wesentlich größer zu sein als der Betonbau darüber, so als sei der Bunker auf älteren Fundamenten errichtet worden. Das Ende des Kellers verschwand in der Dunkelheit. Tief über einer Werkbank hing eine Glühbirne, deren schwacher Lichtschein eine verblüffende Fülle an Formen und Schatten enthüllte.

Bei dem Anblick blieb ich wie angewurzelt stehen.

Die gesamte Decke war mit Kadavern von Tieren und Vögeln übersät. Wie makabre Ausstellungsstücke hingen Füchse, Hasen und Enten herab. Viele von ihnen waren bis auf Haut und Knochen mumifiziert, während andere noch in Verwesung begriffen waren. Alle waren verstümmelt. Mit fehlenden Köpfen oder Gliedmaßen pendelten sie mit hypnotischer Langsamkeit im Rhythmus eines leichten Windzuges.

Ich wandte mühsam den Blick ab und schaute mich im Keller um. Weitere Eindrücke buhlten um meine Aufmerksamkeit. Auf der Werkbank stand eine Schreibtischlampe, deren Lichtstrahl in eine leere Ecke des Kellers gerichtet war. In dem harten Licht konnte ich ein Seil erkennen, dessen eines Ende auf dem Boden lag, während das andere an einen Metallring gebunden war. Auf der Werkbank lagen mehrere alte Werkzeuge und Schraubzwingen, die in diesem Ambiente eine grauenhafte, neue Bedeutung erhielten. Und dann sah ich etwas, das auf obszöne Weise noch mehr fehl am Platze zu sein schien.

Über einen Stuhl war ein prunkvolles Hochzeitskleid mit einem prächtigen Lilienmuster aus Spitze drapiert. Es war blutgetränkt.

Der Anblick riss mich aus meinem Schockzustand. «Jenny!», rief ich.

In der Dunkelheit am anderen Ende des Kellers rührte sich etwas. Langsam tauchte eine Gestalt auf, und dann trat George Masons Enkel ins Licht.

Er hatte denselben harmlosen Gesichtsausdruck wie immer. Doch jetzt wirkte er alles andere als harmlos. Er war ein großer Mann, fiel mir nun auf, größer und breiter als ich. Seine Jeans und seine Armeejacke waren blutverschmiert.

Er konnte mir nicht in die Augen sehen und ließ seine Blicke zwischen meiner Brust und meinen Schultern hin- und herwandern. Seine Hände waren leer, aber unter seiner befleckten Jacke konnte ich eine Messerscheide hängen sehen.

Ich umklammerte den Schraubenschlüssel. «Wo ist sie?» Meine Stimme war brüchig.

«Sie dürfen hier unten nicht hin, Dr. Hunter.» Es klang wie ein milder Tadel. Während er redete, hatte er gelassen nach der Messerscheide gegriffen. Er schien genauso überrascht zu sein wie ich, als er feststellte, dass sie leer war.

Ich trat einen Schritt näher. «Was haben Sie mit ihr gemacht?»

Er schaute sich auf dem Boden um, als würde er sein verlorenes Messer suchen. «Mit wem?»

Ich packte die Schreibtischlampe und richtete den Lichtstrahl auf ihn. Er hielt sich schützend eine Hand vor die Augen. Und als das Licht in die Ecken hinter ihm fiel, sah ich halb versteckt hinter einer Wand eine nackte Gestalt.

Mein Atem blieb mir im Halse stecken.

«Nicht», sagte Mason und blinzelte ins Licht.

Ich rannte auf ihn zu. Ich hob den Schraubenschlüssel und wollte ihn mit aller Kraft in dieses sanftmütige Gesicht schlagen, doch mein Arm verfing sich in den Tieren, die von der niedrigen Decke hingen. Eine stinkende Lawine aus Fell und Federn verschlang mich. Würgend schob ich sie gerade noch rechtzeitig zur Seite, um Mason auf mich zustürzen zu sehen. Ich versuchte mich wegzuducken, doch er griff nach dem Schraubenschlüssel. In der anderen Hand hatte ich noch die Taschenlampe. Mit ihr holte ich aus und verpasste ihm einen Streifschlag am Kopf. Er schrie auf und schlug zurück, sodass ich nach hinten taumelte. Der Schlüssel und die Taschenlampe flogen mir aus den Händen und krachten auf den Boden. Ich fiel gegen die Werkbank und knallte auf die Kante eines Schraubstocks. Ein brennender Schmerz fuhr mir durch den Rücken.

Als Mason mir seine Schulter in den Magen rammte, rang ich nach Luft. Ich spürte, wie ich nach hinten gebogen wurde und sich der Schraubstock in meinen Rücken bohrte. Ich schaute in sein Gesicht und sah, dass seine friedlichen blauen Augen auch dann noch ungerührt blieben, als er seinen Unterarm hob und ihn mir auf die Kehle drückte. Ich schaffte es, eine Hand loszumachen, und zerrte an ihm, um meine Kehle frei zu bekommen. Er verlagerte sein Gewicht noch mehr auf den Arm und fasste mit dem anderen auf die Werkbank. Ich hörte, wie Metall gegen Holz schabte, als er versuchte, einen Meißel aus einem Holzblock zu ziehen. Ich bekam seinen Arm zu packen, aber damit war meine Kehle ungeschützt. Er starrte auf mich herab, während er den Druck noch erhöhte und weiter nach dem Meißel tastete. Ich sah Sterne vor den Augen. Als er kurz zu dem Meißel schaute, sah ich hinter ihm eine Bewegung.

Es war Jenny. Mit quälender Langsamkeit bewegte sie sich auf einen am Boden liegenden Federhaufen zu. Während sie versuchte, etwas unter den Federn hervorzuziehen, zwang ich mich, nicht auf sie zu achten, sondern in Masons ruhiges Gesicht zu starren. Ich versuchte, ihm das Knie in die Leiste zu rammen, doch er war zu nah dran. Stattdessen trat ich gegen sein Schienbein. Er stöhnte auf, und ich spürte, wie der Druck auf meine Kehle geringfügig nachließ. Doch dann gab es neben uns ein dumpfes Geräusch, weil der

Holzblock mit den Meißeln umgefallen war. Ich beobachtete, dass Masons Finger wie dicke Spinnen herumtasteten und Zentimeter für Zentimeter einen der Meißel hervorzogen, obwohl meine Hand an seinem Arm zerrte. Eine Bewegung hinter ihm lenkte mich ab. Am Rande meines Blickfeldes sah ich, dass Jenny versuchte aufzustehen. Sie kniete jetzt und lehnte sich gegen die Wand, während sie etwas in den Händen hielt.

Dann hatte Mason einen der Meißel aus dem Block gezogen. Statt seinen Arm festzuhalten, kämpfte ich nun darum, ihn wegzudrücken. Als ich merkte, wie stark Mason war, stieg panische Angst in mir auf. Mein Arm begann zu zittern, während er den Meißel unaufhörlich näher zwang. Schweiß tropfte von seinem Gesicht auf meins, doch ansonsten gab es in den ausdruckslosen Zügen über mir kein Zeichen der Anstrengung. Er sah genauso bedächtig und konzentriert aus, wie wenn er sich seinen Pflanzen widmete.

Ohne Vorwarnung wirbelte er dann in die Gegenrichtung und riss seinen Arm los. Obwohl ich wusste, dass ich ihn nicht aufhalten konnte, klammerte ich mich an seinen Arm, als er den Meißel über meinen Kopf hob. Plötzlich schrie er auf und krümmte sich nach hinten. Der Arm, der auf meine Kehle gedrückt hatte, war verschwunden. Ich schaute auf und sah Jenny wackelig hinter ihm stehen, nackt und blutverschmiert. Sie hielt ein Messer mit einer gewaltigen Klinge in der Hand, doch in dem Moment glitt es ihr auch schon aus den Fingern. Als es auf den Boden klirrte, brüllte Mason auf und versetzte ihr mit einem Arm einen Schlag.

Sie sackte zusammen wie eine Puppe. Ich stürzte mich auf ihn. Wir landeten auf dem Boden, und er schrie erneut auf. Er drückte mich weg und versuchte davonzukriechen. Auf seinem Rücken erkannte ich einen größer werdenden

Blutfleck. Er wollte das Messer zu fassen kriegen. Als ich mich über ihn warf, trat mein Fuß gegen etwas Hartes. Ich schaute hinab und sah den Schraubenschlüssel. Während Mason nach dem Messer griff, hob ich den Schlüssel auf und knallte ihn ihm auf die Stichwunde in seinem Rücken. Er brüllte, und als er sich zu mir umdrehte, schlug ich ihm auf den Kopf.

Bei dem Aufprall tat mir die ganze Hand weh. Mason sackte ohne einen Ton zu Boden. Ich hob den Schlüssel, um erneut zuzuschlagen, doch es war nicht nötig. Keuchend wartete ich, bis ich sicher war, dass er sich nicht mehr rühren würde, und ging dann zu Jenny. Sie lag noch dort, wo sie hingefallen war. Vorsichtig drehte ich sie um. Als ich all das Blut sah, blieb mir das Herz stehen. Ihr ganzer Körper war mit Schnitten übersät, manche waren winzig, andere aber sehr tief. Der Schnitt auf ihrer Wange ging fast bis auf den Knochen, und als ich sah, was Mason mit ihrem Fuß angerichtet hatte, wollte ich wieder auf ihn einknüppeln. Ich hätte vor Erleichterung fast aufgeschrien, als ich den Puls an ihrem Hals spürte. Er war schwach und unregelmäßig, aber sie war am Leben.

«Jenny, Jenny, ich bin's, David!»

Ihre Augen flackerten auf. «… David …» Es war nur ein Flüstern, und als ich dann den süßlichen Geruch in ihrem Atem wahrnahm, verflog meine Erleichterung. Azeton. Ihr Körper hatte begonnen, seine eigenen Fette einzuschmelzen, und produzierte eine giftige Glukosekonzentration in ihrem Blut. Sie brauchte Insulin, und zwar schnell.

Und ich hatte keines bei mir.

«Nicht sprechen», sagte ich überflüssigerweise, denn ihre Augen waren schon wieder zugefallen. Die Kraft, die sie noch aufgebracht hatte, um auf Mason einzustechen, war nun vollends aufgezehrt. Ihr Puls schien jetzt noch schwächer zu sein. *O Gott, nicht jetzt, lass das nicht zu.*

Ohne auf die Schmerzen zu achten, die mir durch Rücken und Kehle zuckten, hob ich sie auf. Erschrocken stellte ich fest, wie leicht sie schien. Sie wog überhaupt nichts mehr. Mason hatte sich immer noch nicht gerührt, doch ich konnte ihn atmen hören. Er atmete röchelnd, während ich sie die Wendeltreppe hinauftrug. Oben trat ich die Tür auf und stolperte hinaus zwischen die Bäume. Der Regen peitschte herab, aber nach dem Aufenthalt in dem scheußlichen Keller war er eine einzige Erfrischung. Jennys Kopf fiel nach vorne, als ich sie auf den Beifahrersitz des Landrovers verfrachtete. Ich musste den Sicherheitsgurt um sie legen, damit sie nicht vornüberkippte. Dann zog ich eine Decke von hinten hervor, die zu meiner Erste-Hilfe-Ausrüstung gehörte, und legte sie über sie. Ich startete den Motor, schrammte beim Wenden an Masons Transporter entlang, und als ich den Weg zurückjagte, knallten die Äste gegen den Wagen.

Ich fuhr so schnell ich konnte. Jenny hatte beinahe zwei Tage kein Insulin bekommen, war dabei Gott weiß welchen Gräueltaten ausgesetzt gewesen und hatte offensichtlich eine Menge Blut verloren. Sie brauchte eine Notaufnahme, doch das nächste Krankenhaus war meilenweit entfernt, zu weit, um in ihrem Zustand die Fahrt dorthin riskieren zu können. Gequält von dem Gedanken, dass ich in der Praxis das Insulin noch in den Händen gehalten hatte, überlegte ich verzweifelt, was ich tun konnte. Viele Möglichkeiten gab es nicht. Jenny könnte bereits ins Koma fallen. Wenn sie nicht schnell stabilisiert werden würde, müsste sie sterben.

Dann fielen mir der Krankenwagen und die Sanitäter ein, die Mackenzie bei der Erstürmung der alten Windmühle in

Bereitschaft hatte. Es bestand die Chance, dass sie noch dort waren. Ich griff nach meinem Telefon, um ihn anzurufen und um Hilfe zu bitten, sobald ich Empfang hatte. Aber es war nicht in meiner Tasche. Fieberhaft durchsuchte ich die anderen. Dort war es auch nicht. Als mir klar wurde, dass es bei dem Kampf im Keller herausgefallen sein musste, wäre ich fast durchgedreht. Ich konnte keinen klaren Gedanken mehr fassen. *Soll ich zurückfahren oder nicht? Na los, entscheide dich!* Dann rammte ich meinen Fuß aufs Gaspedal. Zurückzufahren, um das Telefon zu suchen, würde zu viel Zeit kosten.

Zeit, die Jenny nicht hatte.

Ich erreichte das Ende des Weges und jagte den Landrover auf die Straße. In der Praxis gab es Insulin. Dort könnte ich sie wenigstens versorgen, bis ein Krankenwagen da war. Ich trat das Gaspedal durch und starrte durch die Windschutzscheibe in die Nacht. Die Scheibenwischer kämpften gegen die herunterlaufenden Wassermassen an. Es regnete jetzt so heftig, dass ich selbst bei Fernlicht nur wenige Meter weit nach vorn schauen konnte. Ich riskierte einen kurzen Blick zu Jenny, der ausreichte, um das Lenkrad fest zu umklammern und noch schneller zu fahren.

Der Weg zurück nach Manham schien eine Ewigkeit zu dauern. Dann tauchte das Dorf plötzlich im Regen vor mir auf. Bei dem Gewitter waren die Straßen verlassen, die Presse, die vorhin noch alle Straßen verstopft hatte, war nirgends zu sehen. Ich überlegte, am Polizeiwohnwagen anzuhalten, der noch an der Dorfwiese stand, tat den Gedanken aber sofort wieder ab. Es gab keine Zeit für Erklärungen, das Wichtigste war im Moment, Jenny mit Insulin zu versorgen.

Als ich die Auffahrt hinunterschoss, war alles dunkel im Haus. Ich war geistesgegenwärtig genug, an der Seite zu parken, damit der Krankenwagen direkt vor die Tür fahren konnte. Dann sprang ich hinaus und lief um den Wagen herum zur Beifahrertür. Jenny atmete flach und schnell, doch als ich sie vom Sitz hob und durch den Regen trug, begann sie sich zu rühren.

«David …?» Ihre Stimme war kaum zu hören.

«Alles in Ordnung, wir sind bei der Praxis. Nur noch einen Moment.»

Aber sie schien mich nicht zu verstehen. Sie begann sich schwach zu wehren und schaute mich mit verschwommenem und verängstigtem Blick an. «Nein! Nein!»

«Ich bin's, Jenny, du bist in Sicherheit.»

«Pass auf, dass er mich nicht kriegt!»

«Er kriegt dich nicht, versprochen.»

Aber sie sackte schon wieder weg. Ich hämmerte gegen die Tür, weil ich nicht gleichzeitig Jenny halten und aufschließen konnte. Nach einer Ewigkeit ging das Licht im Flur an. Kaum zog Henry die Tür auf, stürmte ich hinein.

«Ruf einen Krankenwagen!»

Mit entsetztem Gesicht rollte er sich eilig aus dem Weg. «David, was …?»

Ich lief bereits den Flur hinunter. «Sie fällt ins diabetische Koma, wir brauchen sofort einen Krankenwagen! Sag ihnen, dass noch einer bei der Polizei in Bereitschaft stehen könnte!»

Ich trat die Tür zu Henrys Büro auf, während er den Anruf vom Flur aus machte. Jenny rührte sich nicht, als ich sie auf die Couch legte. Unter der blutigen Maske war ihr Gesicht weiß. Der Puls an ihrem Hals flatterte schwach. *Bitte, bitte, halte durch.* Die Situation hätte nicht verzweifelter sein können. Sie konnte bereits Nieren- und Leberschäden erlitten haben, und ihr Herz konnte jederzeit aussetzen, wenn sie nicht bald behandelt wurde. Neben Insulin brauchte sie Salze und Infusionen, um die Stoffe auszuspülen, die sie vergifteten. Das alles konnte ich hier nicht machen. Ich konnte nur hoffen, dass das Insulin sie lange genug am Leben erhielt, bis der Rettungswagen sie ins Krankenhaus gebracht hatte.

Ich riss den Kühlschrank auf und wühlte nervös darin herum, als Henry hereinkam.

«Ich hole es. Such du eine Spritze», wies er mich an.

Die gerahmten Fotografien auf dem Medikamentenschrank wackelten, als ich die Türen aufwarf und nach den Spritzen suchte.

«Was ist mit dem Krankenwagen?»

«Auf dem Weg. Komm, du bist nicht in der Verfassung dafür. Lass mich es machen», sagte Henry im Befehlston und streckte eine Hand nach der Spritze aus. Ich wehrte mich nicht. «Was ist denn passiert, in Gottes Namen?», fragte er und stieß die Nadel durch das Siegel der Ampulle.

«Es war Tom Mason. Er hat sie in einem alten Luftschutzbunker in der Nähe seines Hauses gefangen gehalten.» Ich spürte einen Stich ins Herz, als ich die regungslose Jenny anschaute. «Er hat Sally Palmer und Lyn Metcalf ermordet.»

«George Masons *Enkel*?», meinte Henry ungläubig. «Das ist nicht dein Ernst!»

«Er hat auch versucht, mich umzubringen.»

«Himmel! Wo ist er jetzt?»

«Jenny hat auf ihn eingestochen.»

«Du meinst, er ist tot?»

«Vielleicht, ich weiß es nicht.»

In dem Moment war es mir auch egal. Mit quälender Ungeduld beobachtete ich, wie Henry stirnrunzelnd die Spritze anstarrte.

«Verdammt! Die Nadel ist verstopft, es geht nicht. Gib mir eine andere, schnell.»

Ich hätte ihn am liebsten angeschrien, als ich mich zum Medikamentenschrank umdrehte. Die Türen waren zugefallen, und ich riss sie mit einer solchen Wucht auf, dass eines der auf dem Schrank stehenden Fotos umkippte. Ich beachtete es kaum, doch als ich mir eine Spritze schnappte, fiel mir plötzlich etwas auf.

Ich schaute wieder hin, aber nicht das umgekippte Foto hatte mich stutzig gemacht, sondern das daneben. Es war das Hochzeitsfoto von Henry und seiner Frau. Ich hatte es etliche Male gesehen und war von dem darauf festgehaltenen Glücksmoment immer wieder bewegt gewesen. Doch deswegen starrte ich es jetzt nicht an.

Henrys Frau trug ein Kleid, das genau so aussah wie das, das ich in Masons Keller gesehen hatte.

Ich sagte mir, dass es eine Einbildung war. Doch das Design mit den Lilien aus Spitze vorne war zu auffällig, um sich zu täuschen. Sie waren ganz gleich. Nein, nicht gleich, wurde mir klar.

Es war ein und dasselbe Kleid.

«Henry ...», begann ich und stöhnte bei einem plötzlichen Schmerz in meinem Bein auf. Ich schaute hinab und sah, wie sich Henry mit einer leeren Spritze in der Hand von mir wegrollte.

«Es tut mir Leid, David. Es tut mir wirklich Leid», sagte er und betrachtete mich mit einer seltsamen Mischung aus Traurigkeit und Resignation.

«Was ...», begann ich zu sagen, doch dann brachte ich nichts mehr hervor. Alles entfernte sich von mir, das Zimmer verschwamm. Ich fühlte mich plötzlich schwerelos und sank zu Boden. Das Letzte, was ich sah, bevor ich das Bewusstsein verlor, war etwas Unmögliches: Henry stand aus seinem Rollstuhl auf und kam auf mich zu.

Dann versanken er und alles andere in der Finsternis.

KAPITEL 30

Die Uhr tickte so langsam, wie Staub durchs Sonnenlicht fällt. Jeder gemächliche Schlag schien für eine Ewigkeit im Raum zu stehen, bevor ihm der nächste folgte. Ich konnte sie nicht sehen, aber ich konnte mir die Uhr vorstellen; sie war alt und schwer, ihr poliertes Holz roch nach Bienenwachs und vergangenen Zeiten. Ich hatte das Gefühl, sie genau zu kennen, und konnte schon den Schwung des Messingschlüssels spüren, wenn ich käme, um sie aufzuziehen.

Ich hätte ihrem bedächtigen Rhythmus ewig zuhören können.

Im Kamin brannte ein Holzfeuer und verströmte wunderbaren Kiefernduft. Eine Wand war mit hohen Bücherregalen bedeckt, und die Ecken des Zimmers wurden vom sanften Schein der Lampen erleuchtet. In der Mitte eines Kirschholztisches stand eine weiße Schale mit Orangen. Wie das gesamte Haus war mir auch dieses Zimmer zutiefst vertraut, obwohl ich wusste, dass ich es in wachem Zustand noch nie betreten hatte. Dieses Haus bewohnten Kara und Alice in meinen Träumen. Es war mein Zuhause.

Ich war von einer Freude erfüllt, die mich beinahe überwältigte. Kara saß mir gegenüber auf der Couch, Alice hatte sich wie ein Kätzchen auf ihren Schoß geschmiegt. Als sie mich anschauten, waren ihre Gesichter traurig. Ich wollte ihnen versichern, dass es keinen Grund zur Traurigkeit gab. Jetzt war alles in Ordnung. Ich war wieder bei ihnen.

Für immer.

Kara hob Alice von ihrem Knie. «Sei ein liebes Mädchen und geh draußen spielen.»

«Kann ich nicht bei Daddy bleiben?»

«Jetzt nicht. Daddy und ich müssen reden.»

Alice seufzte enttäuscht auf. Sie kam herüber und umarmte mich. Ich konnte die Wärme und Wirklichkeit ihrer kleinen Gestalt spüren, als ich sie drückte.

«Geh nur, es ist alles in Ordnung.» Ich küsste sie auf den Kopf. Ihr feines Haar fühlte sich wie Seide an. «Ich bin noch hier, wenn du zurückkommst.»

Sie betrachtete mich ernst. «Auf Wiedersehen, Daddy.»

Ich schaute hinter ihr her, als sie aus dem Zimmer ging. An der Tür drehte sie sich um und winkte, dann war sie verschwunden. Mein Herz war so erfüllt, dass ich für einen Moment nicht sprechen konnte. Kara schaute mich immer noch über den Tisch hinweg an.

«Was ist los?», fragte ich. «Bist du nicht glücklich?»

«Es ist nicht richtig, David.»

Ich lachte. Ich konnte nicht anders. «Doch, es ist richtig. Spürst du es nicht?»

Doch selbst in meiner Freude konnte ich Karas Traurigkeit nicht übersehen. «Es ist die Droge, David. Deshalb fühlst du dich so. Aber es ist falsch. Du musst dagegen ankämpfen.»

Ich konnte ihre Sorge nicht verstehen. «Wir sind wieder zusammen. Ist es nicht das, was du gewollt hast?»

«Nicht auf diese Weise.»

«Warum nicht? Ich bin hier bei euch. Das ist doch alles, was zählt.»

«Es geht nicht nur um uns. Oder dich. Jetzt nicht mehr.»

Der erste Hauch eines kühlen Windes dämpfte meine Euphorie. «Was meinst du damit?»

«Sie braucht dich.»

«Wer? Alice? Natürlich braucht sie mich.»

Doch ich wusste, dass sie nicht unsere Tochter gemeint hatte. Die Freude, die ich gefühlt hatte, wurde nun erschüttert. Entschlossen, daran festzuhalten, ging ich zum Tisch und nahm eine Orange aus der Schale.

«Möchtest du eine?»

Kara schüttelte nur den Kopf und betrachtete mich schweigend. Ich hielt die Frucht in meiner Hand. Ich konnte ihr Gewicht spüren und die narbige Beschaffenheit der Schale sehen. Ich konnte mir vorstellen, wie der Saft hervorspritzte, wenn ich sie schälen würde, und ich konnte die Frische der Orange beinahe schmecken. Sie würde süß sein, wusste ich, genau wie ich wusste, dass der Schritt, sie zu essen und zu schmecken, ein Schritt wäre, diese Welt anzuerkennen. Ein Schritt, nach dem es keine Umkehr mehr gab.

Widerwillig legte ich die Orange zurück in die Schale. Als ich mich wieder setzte, war mir schwer ums Herz. Karas Augen waren feucht, als sie lächelte.

«Hattest du das neulich gemeint? Als du gesagt hast, ich soll vorsichtig sein?», fragte ich.

Sie antwortete nicht.

«Ist es nicht schon zu spät?», wollte ich wissen.

Ihr Gesicht verdüsterte sich. «Vielleicht. Es wird knapp werden.»

Meine Kehle war wie zugeschnürt. «Was ist mit dir und Alice?»

Ihr Lächeln war voller Wärme. «Uns geht es gut. Um uns musst du dir keine Sorgen machen.»

«Ich werde euch nicht wiedersehen, oder?»

Trotz ihres Lächelns hatte sie lautlos zu weinen begonnen. «Das musst du nicht. Jetzt nicht mehr.»

Tränen liefen auch mir die Wangen hinab. «Ich liebe dich», sagte ich.

«Ich weiß.»

Sie kam zu mir und umarmte mich. Zum letzten Mal vergrub ich mein Gesicht in ihrem Haar und atmete ihren Duft ein. Niemals wollte ich sie loslassen, gleichzeitig wusste ich, dass ich es tun musste.

«Gib Acht, David», sagte sie. Und als ich die salzigen Tränen auf meinen Lippen schmeckte, fiel mir auf, dass ich die Uhr nicht mehr hören konnte …

… und fand mich gelähmt und um Luft ringend im Dunklen wieder.

Ich versuchte zu atmen, aber es gelang mir nicht. Meine Brust schien mit Eisenbändern zusammengeschnürt. Panisch schnappte ich nach Luft und konnte schließlich keuchend Atem schöpfen. Ich hatte das Gefühl, als wäre ich in Watte gepackt und von der Außenwelt abgeschlossen. Es wäre so leicht gewesen, aufzugeben und wieder wegzusacken …

Kämpfe dagegen an. Karas Worte rüttelten mich wieder auf. Meine Euphorie von vorhin war wie weggeblasen. Mein Zwerchfell flatterte und wehrte sich gegen jeden Atemzug. Doch mit jeder spärlichen Inhalation wurde meine Atmung weniger mühsam.

Ich öffnete die Augen.

Die Welt war in einem komischen Winkel verkantet. Alles war verschwommen, und ich musste mich anstrengen, um meinen Blick scharf zu stellen. Über meinem Kopf konnte ich nun Henrys Stimme hören.

«… wollte nicht, dass es so weit kommt, David, das musst du mir glauben. Aber nachdem er sie in seine Gewalt gebracht hatte, hatte ich keine Kontrolle mehr darüber. Was hätte ich tun können …?»

Jetzt sah ich, dass ich mich bewegte. Neben mir rauschte eine Wand vorbei. Mir wurde klar, dass ich in Henrys Rollstuhl saß und durch den Flur geschoben wurde. Ich versuchte mich aufrecht hinzusetzen, doch ich rutschte nur schlaff in den Stuhl zurück. Der Raum drehte sich noch mehr, doch nun begann alles zurückzukehren.

Henry. Die Nadel.

Jenny.

Ich wollte ihren Namen rufen, bekam aber nur ein Stöhnen zustande.

«Sch, David.»

Als ich mich bewegte, um zu Henry hochzuschauen, überkam mich wieder ein heftiger Schwindelanfall. Er stützte sich schwer auf den Stuhl und schob mich angestrengt den Flur entlang.

Er ging.

Das alles ergab keinen Sinn. Ich versuchte mich hochzustemmen, aber ich hatte keine Kraft in den Armen. Ich sackte wieder zurück.

«Jenny … der Krankenwagen …» Meine Stimme war ein undeutliches Genuschel.

«Es gibt keinen Krankenwagen, David.»

«Ich … ich verstehe nicht …»

Doch ich verstand. Auf jeden Fall begann ich zu verstehen. Mir fiel wieder ein, wie aufgeregt Jenny gewesen war, als ich sie ins Haus gebracht hatte, wie verängstigt sie gewesen war. *Pass auf, dass er mich nicht kriegt!* Ich hatte gedacht, sie hätte im Delirium Mason gemeint.

Das hatte sie aber nicht.

Ich versuchte erneut, mich aufzurichten. Meine Gliedmaßen fühlten sich so schlaff an, als wären sie aus Pudding.

«Komm schon, David, hör auf damit.» Henry klang giftig.

Ich sackte zurück, doch als wir an der Treppe vorbeikamen, griff ich nach dem Geländer. Der Rollstuhl schleuderte herum, und es hätte mich fast herausgeworfen. Henry taumelte und versuchte mühsam, das Gleichgewicht zu halten.

«Gottverdammt, David!»

Der Stuhl hatte sich im Flur quer gestellt. Ich klammerte mich ans Geländer und schloss die Augen, als sich wieder alles zu drehen begann. Atemlos und zornig drang Henrys Stimme zu mir herab.

«Lass los, David! Das bringt doch nichts.»

Als ich meine Augen wieder öffnete, stützte Henry sich erschöpft und schwitzend an der Wand vor mir ab.

«Bitte, David.» Er klang, als würde er wirklich leiden. «Du machst es nur schwerer für uns beide.»

Ich hielt mich entschlossen fest. Mit einem Seufzer griff er in seine Tasche und zog eine Spritze hervor. Er hielt sie hoch, damit ich sehen konnte, dass sie voll war.

«Das ist genug Diamorphin, um ein Pferd umzubringen. Ich möchte dir wirklich nicht mehr geben müssen. Du weißt so gut wie ich, was dann passiert. Aber ich werde es tun, wenn du mich dazu zwingst.»

Träge verarbeitete mein Kopf die Information. Diamorphin war ein Schmerzmittel, ein halbsynthetisches Morphinderivat, das Halluzinationen und Bewusstlosigkeit hervorrufen konnte. Es war Harold Shipmans Lieblingsdroge gewesen, mit der er Hunderte seiner Patienten in einen Schlaf versetzt hatte, aus dem sie nie wieder erwacht waren.

Und damit hatte mich Henry voll gepumpt.

Die Einzelteile des Puzzles fügten sich jetzt mit erschreckender Klarheit zusammen. «Du und er … es waren … du und Mason …»

Selbst da erwartete ein Teil von mir noch, dass er es leugnete und mir irgendeine vernünftige Erklärung lieferte. Stattdessen betrachtete er mich einen langen Augenblick und senkte dann die Spritze.

«Es tut mir Leid, David. Ich hätte nie gedacht, dass es so weit kommt.»

Das war zu viel für mich. «*Warum,* Henry …?»

Er setzte ein schiefes Lächeln auf. «Du kennst mich wohl leider nicht besonders gut. Du hättest bei deinen Leichen bleiben sollen. Die sind wesentlich unkomplizierter als lebendige Menschen.»

«Was … was redest du da …?»

Die Falten in Henrys Gesicht zogen sich finster und voller Verachtung zusammen. «Glaubst du, ich hätte es *genossen,* ein Krüppel zu sein? Und in diesem Kaff zu versauern? Die ganze Zeit gegängelt von diesem … diesem *Vieh*? Dreißig Jahre habe ich den guten Onkel Doktor gespielt, und wofür? Dankbarkeit? Das Wort kennen die Leute hier überhaupt nicht!»

Sein Gesicht zuckte schmerzverzerrt. An die Wand gestützt, ging er steif zu dem Korbstuhl neben dem Telefontisch. Er sah, wie ich ihn anstarrte, als er sich erleichtert in den Stuhl sinken ließ.

«Du hast doch nicht wirklich geglaubt, dass ich aufgehört hätte, es weiter zu versuchen, oder? Ich habe dir immer gesagt, dass ich die Spezialisten Lügen strafen werde.» Außer Atem von all der Anstrengung, wischte er sich den Schweiß von der Stirn. «Es ist kein Spaß, hilflos zu sein, das kannst du mir glauben. Wenn jeder sehen kann, wie schwach du bist. Hast du eine Ahnung, wie *erniedrigend* das ist? Wie es dich auffrisst? Kannst du dir vorstellen, die ganze Zeit in der Verfassung zu sein, in der du jetzt bist? Und dann wird dir plötzlich die Möglichkeit geboten, buchstäblich, *im wahrsten Sinne des Wortes* die Macht über Leben und Tod zu haben? Gott zu spielen?»

Er grinste mich komplizenhaft an. «Komm schon, David, gib es zu. Du bist Arzt, manchmal musst du es auch gespürt haben. Diese lockende Versuchung.»

«Du … du hast sie *getötet* …!»

Er sah mich leicht verärgert an. «Ich habe sie nie auch nur angerührt. Das war Mason, nicht ich. Ich habe ihn nur von der Leine gelassen.»

Ich wollte die Augen schließen und das alles weit wegschieben. Nur der Gedanke an Jenny, daran, was er mit ihr gemacht haben könnte, hielt mich davon ab. Aber so verzweifelt ich auch herausfinden wollte, wo sie war, in meinem Zustand konnte ich im Moment weder ihr noch mir helfen. Aber je länger er sprach, desto größere Chancen hatte ich, dass die Wirkung der Droge nachließ.

«Wie … wie lange …?»

«Wie lange ich schon über ihn Bescheid gewusst habe, meinst du?» Henry zuckte mit den Achseln. «Sein Großvater brachte ihn zur Untersuchung zu mir, als er noch ein Junge war. Er hat andere gerne gequält und kleine Tötungsrituale erfunden. Damals waren es natürlich nur Tiere. Er hatte keine Vorstellung davon, dass das, was er tat, falsch war, nicht im Geringsten. Wirklich sehr faszinierend. Ich bot an, Stillschweigen darüber zu bewahren und seine … seine Neigungen mit Beruhigungsmitteln abzumildern. Unter der Bedingung, dass ich ihn weiter beobachten durfte. Mein inoffizielles Projekt, wenn du so willst.»

Er hob seine Hände in gespielter Einsicht.

«Ich weiß, ich weiß, das ist nicht besonders ethisch. Aber ich habe dir ja gesagt, dass ich immer Psychologe werden wollte. Ich wäre auch ein verdammt guter geworden, aber nachdem ich mich hier niedergelassen hatte, war es vorbei damit. Mason war jedenfalls interessanter als Arthritis und Fußpilz. Und im Grunde glaube ich auch nicht, dass ich schlechte Arbeit gemacht habe. Wenn ich nicht gewesen wäre, er wäre schon vor Jahren durchgedreht.»

Die Angst um Jenny zerrte an mir, doch schon bei der kleinsten Bewegung im Rollstuhl begann sich alles zu drehen, und mir wurde schlecht und schwindelig. Ich spannte vorsichtig die Muskeln in Armen und Beinen an und versuchte, sie wieder einsatzfähig zu machen.

«Hat er auch … seinen Großvater getötet …?»

Henry schien aufrichtig schockiert zu sein. «Großer Gott, nein! Er hat den alten Mann verehrt! Nein, der ist eines natürlichen Todes gestorben. Das Herz, nehme ich an. Aber nachdem George tot war, hat sich niemand mehr darum gekümmert, dass Mason seine Medikamente nimmt. Ich hatte schon vor Jahren aufgehört, ihn zu behandeln. Ob du es glaubst oder nicht, aber diese endlosen Geschichten von seinen Tierverstümmelungen haben mich mit der Zeit gelangweilt. Ich sorgte dafür, dass George immer einen Vorrat an Beruhigungsmitteln hatte, aber abgesehen davon habe ich leider das Interesse verloren. Bis Tom eines Abends bei mir auftauchte und verkündete, er hätte Sally Palmer in der alten Werkstatt seines Vaters eingesperrt.»

Er lachte tatsächlich in sich hinein.

«Wie sich herausstellte, hatte er es schon auf sie abgesehen, seit er und sein Großvater vor ein oder zwei Jahren einmal für sie gearbeitet hatten. Was so lange kein Problem war, bis das Beruhigungsmittel an Wirkung verlor und es ihn wieder zu jucken begann. Er fing an, ihr nachzustellen. Wahrscheinlich wusste er selbst nicht, was er vorhatte, aber dann hat ihn eines Abends ihr Hund gewittert und Theater gemacht. Also hat Mason ihm die Kehle durchgeschnitten, ihr eine geknallt, damit sie Ruhe gibt, und sie dann fortgeschafft.»

Fast bewundernd schüttelte er den Kopf. Ich konnte nicht glauben, dass dies derselbe Mann war, den ich seit Jahren kannte, der Mann, den ich für meinen Freund gehalten hatte. Die Kluft zwischen dem Menschen, für den ich ihn gehalten hatte, und diesem verstörten Wesen vor mir war unüberbrückbar.

«Um Himmels willen, Henry …!»

«Ach, schau mich nicht so an! Das geschah der hochnäsigen Kuh ganz recht! Manhams ‹Berühmtheit›, die sich unter die Bauerntölpel gemischt hat, wenn sie nicht gerade nach London oder sonst wohin gedüst ist. Herablassendes Miststück! Gott, ich konnte sie nicht anschauen, ohne an Diana erinnert zu werden.»

Die Erwähnung seiner toten Frau brachte mich durcheinander. Henry sah meine Verwirrung.

«Ach, ich meine nicht äußerlich», sagte er unwirsch. «Diana hatte wesentlich mehr Klasse, das muss ich ihr lassen. Aber sonst waren die beiden vom gleichen Schlag, glaube mir! Beide arrogant und fest davon überzeugt, sie wären was Besseres. Typisch Frau! Die sind alle gleich! Erst saugen und dann lachen sie dich aus!»

«Aber du hast Diana geliebt …»

«Diana war eine Nutte!», brüllte er. «Eine verdammte *Nutte*!»

Sein Gesicht war fast bis zur Unkenntlichkeit verzerrt. Ich fragte mich, wie ich diese tiefe Verbitterung so lange hatte übersehen können. Janice hatte mehr als einmal angedeutet, dass die Ehe nicht glücklich gewesen war, doch das hatte ich als Eifersucht abgetan.

Ich hatte mich getäuscht.

«Ich habe alles für sie aufgegeben!», fauchte Henry. «Willst du wissen, warum ich Landarzt wurde und nicht Psychologe? Weil sie schwanger wurde und ich einen Job brauchte. Und soll ich dir sagen, was wirklich komisch ist? Ich hatte es so eilig, dass ich nicht einmal meine Ausbildung abgeschlossen habe.»

Er schien eine perverse Freude aus dieser Beichte zu ziehen.

«Es ist wahr. Ich bin nicht einmal examiniert. Glaubst du, ich bin freiwillig in diesem Scheißkaff geblieben? Der einzige Grund, warum ich hierher gekommen bin, war, dass der alte Säufer, der die Praxis geführt hat, zu benebelt war, um nach meinen Zeugnissen zu fragen!» Er lachte bitter auf. «Glaube nicht, mir wäre die Ironie entgangen, als ich herausfand, dass du nicht viel ehrlicher gewesen bist. Der Unterschied zwischen dir und mir war nur, dass ich, einmal hier angekommen, in der Falle saß. Ich konnte nicht weggehen und eine andere Stelle annehmen, ohne zu riskieren, dass alles auffliegt. Da wundert dich noch, dass ich diesen Ort hasse? Manham ist mein verfluchtes Gefängnis!»

Er schaute mich mit erhobenen Augenbrauen an, eine schreckliche Parodie des Henry, den ich zu kennen glaubte.

«Und glaubst du, die liebe Diana hat zu mir gehalten? O nein! Es war alles meine Schuld! Meine Schuld, dass sie eine Fehlgeburt erlitt! Meine Schuld, dass sie keine weiteren Kinder haben konnte! Meine Schuld, dass sie anfing, mit anderen Männern zu ficken!»

Vielleicht war es die Droge, die meine Sinne geschärft hatte, aber plötzlich wusste ich, wohin das führte.

«Das Grab im Wald ... Der tote Student ...»

Das ließ ihn innehalten. Er sah plötzlich müde aus. «Gott, als er gefunden wurde, nach all diesen Jahren …» Er schüttelte die Erinnerung ab. «Ja, er war einer von Dianas Kerlen. Damals hatte ich gedacht, ich wäre schon gegen alles abgestumpft, was sie tat. Aber er war anders als die üblichen Dummköpfe. Intelligent, gut aussehend. Und so verdammt *jung*. Er hatte sein ganzes Leben, seine ganze Karriere noch vor sich, und was hatte ich?»

«Und deshalb hast du ihn umgebracht …»

«Das hatte ich nicht vor, als ich zu der Stelle gefahren bin, wo er kampierte. Ich habe ihm Geld angeboten, damit er weiterzog. Aber er wollte es nicht nehmen. Der verdammte Idiot hielt es für wahre Liebe. Selbstverständlich habe ich das richtig gestellt und ihm erzählt, was für ein kleines Flittchen Diana wirklich war. Es gab Streit. Eins führte zum anderen.»

Er zuckte mit den Achseln, als spreche er sich von jeder Verantwortung frei.

«Jeder nahm an, er hätte einfach seine Zelte abgebrochen und wäre verschwunden. Sogar Diana. Andere Mütter haben auch schöne Söhne, das war ihre Philosophie. Nichts hatte sich verändert. Ich war immer noch der Hahnrei des Dorfes, eine Witzfigur. Und eines Nachts schließlich, als ich uns von einer Dinnerparty nach Hause fuhr, hatte ich genug. Ich sah die Steinbrücke, und anstatt drüberzufahren, trat ich aufs Gaspedal.»

Die ganze Lebhaftigkeit, die er gerade noch gezeigt hatte, schien ihn zu verlassen. Er sank in den Stuhl und sah alt und erschöpft aus. «Doch ich habe die Nerven verloren. In letzter Sekunde versuchte ich auszuweichen. Natürlich zu spät. Das war also der berühmte Unfall. Auch der ist schief gegangen. Und selbst in diesem Moment hat es Diana mir noch gezeigt. Sie war wenigstens sofort tot und musste nicht *so* weitermachen!»

Er schlug sich auf ein Bein. «Nicht mehr zu gebrauchen! Das Leben in Manham war vorher schon schlimm genug gewesen, aber wenn ich mir danach die Leute hier ansah, meine *Herde*, und sah, dass ihre erbärmlichen kleinen Leben noch intakt waren und wie sie alle hinter meinem Rücken lachten, dann spürte ich einen solchen … einen solchen *Abscheu*! Ich kann dir sagen, David, es hat Momente gegeben, da wollte ich sie alle umbringen! Jeden Einzelnen! Aber dazu fehlt mir der Mut. Mir hat ja schon der Mut gefehlt, mich selbst umzubringen. Und dann tauchte Mason vor meiner Tür auf, wie eine Katze, die ihrem Besitzer einen Vogel bringt. Mein ganz persönlicher *Golem*!»

Ein Anflug von Verwunderung legte sich über sein Gesicht. Mit neu gewonnener Intensität schaute er herüber zu mir.

«Lehm, David, das war er für mich, ein Klumpen Lehm. Nicht ein Fünkchen Gewissen und kein einziger Gedanke an die Konsequenzen. Er wartete nur darauf, dass ich ihn formte und ihm sagte, was er tun sollte! Kannst du dir vorstellen, wie das war? Wie unglaublich *erregend* das war? Als ich in diesem Keller stand und auf Sally Palmer herabblickte, war ich *mächtig*! Zum ersten Mal seit Jahren fühlte ich mich nicht mehr wie ein jämmerlicher Krüppel. Ich schaute auf diese Frau, die immer so herablassend und arrogant gewesen war, und sah sie mit Blut und Rotz besudelt heulen und fühlte mich *stark*!»

Seine Augen funkelten. Doch trotz des Wahnsinns seiner Taten sahen sie erschreckend normal aus.

«Ich erkannte sofort meine Chance. Nicht nur, um es Manham heimzuzahlen, sondern um gleichzeitig Dianas

Andenken zu entwürdigen und *auszumerzen*! Sie war immer stolz auf ihre Tanzkünste gewesen, deshalb gab ich Mason ihr Hochzeitskleid und die Spieldose, die ich ihr in unseren Flitterwochen geschenkt hatte. Gott, ich hasste das Ding! Ich hatte mir immer wieder *Claire de Lune* anhören müssen, wenn sie sich fertig machte, um ihren gerade aktuellen Freier zu treffen. Also sagte ich Mason, er sollte dafür sorgen, dass diese Palmer das Kleid trägt, und dann draußen warten. Und ich ging dort hinunter und schaute zu, wie sie tanzte, so verängstigt, dass sie sich kaum bewegen konnte. Ich schaute ihrer Demütigung zu! Das war alles, aber ich kann dir gar nicht sagen, welche Katharsis es war! Es spielte fast keine Rolle, dass es nicht die leibhaftige Diana war!»

«Du bist krank, Henry … Du brauchst Hilfe …»

«Ach, mach doch keine frommen Sprüche!», blaffte er. «Mason hätte sie sowieso getötet! Und glaubst du wirklich, er hätte wieder aufgehört, nachdem er nun einmal Blut geleckt hatte? Er hat sie immerhin nicht vergewaltigt, wenn dir das irgendein Trost ist. Er schaute sie gerne an, traute sich aber nicht, sie zu berühren. Ich will nicht behaupten, dass er nicht irgendwann so weit gewesen wäre, aber auf eine seltsame Weise hat er fast Angst vor Frauen.» Der Gedanke schien ihn zu amüsieren. «Was wirklich eine Ironie ist.»

«Er hat sie gefoltert …!», schrie ich.

Henry zuckte mit den Achseln, wich aber meinem Blick aus. «Das Schlimmste macht er erst, nachdem sie tot sind. Die Schwanenflügel, die Kaninchenjungen …» Er verzog angewidert das Gesicht. «Das gehört alles zu Masons Ritual. Selbst das Hochzeitskleid nahm er darin auf. Was er einmal getan hat, ist wie in Stein gemeißelt. Weißt du, was der einzige Grund dafür ist, dass er sie drei Tage am Leben hält? Weil er die erste nach drei Tagen getötet hat. Er hat die Beherrschung verloren, als sie zu fliehen versuchte, sonst hätten es auch gut und gerne vier oder fünf Tage werden können.»

Das war also der Grund, warum Sally Palmer geschlagen worden war, Lyn Metcalf jedoch nicht. Nicht aus dem Versuch heraus, ihre Identität zu verschleiern. Es war nur der Wutanfall eines Wahnsinnigen gewesen.

Ich umklammerte die Lehnen des Rollstuhls. Plötzlich fiel mir Henrys Rat wieder ein, bevor die Polizei die Windmühle stürmte. *Meinst du nicht, du solltest auf das Schlimmste gefasst sein?* Er wusste, dass die Polizei auf der falschen Fährte war, er wusste, was mit Jenny geschehen würde. Wenn ich gekonnt hätte, hätte ich ihn auf der Stelle umgebracht.

«Warum Jenny?», krächzte ich. «Warum sie?»

Er versuchte, gleichmütig zu wirken, schaffte es aber nicht. «Aus dem gleichen Grund wie Lyn Metcalf. Sie war Mason einfach ins Auge gefallen.»

«Lügner!»

«Na schön, ich fühlte mich *verraten*!», schrie er. «Ich habe in dir einen Sohn gesehen! Du warst der einzige Anständige in diesem ganzen miesen, beschissenen Ort, und dann lernst du *sie* kennen! Ich wusste, dass es nur eine Frage der Zeit war, bis du weggezogen wärst und ein neues Leben angefangen hättest! Ich habe mich so verdammt *alt* dabei gefühlt! Und als du mir dann erzählt hast, dass du heimlich, hinter meinem Rücken, der Polizei geholfen hattest, da … da …»

Er brach ab. Langsam, sodass er es nicht merkte, veränderte ich meine Position im Rollstuhl. Den Schwindel dabei versuchte ich zu ignorieren.

«Ich wollte dir aber nie wehtun, David», sagte er. «Weißt du, die Nacht, als Mason wegen des Chloroforms vorbeikam, der ‹Einbruch›? Ich war mit ihm im Arbeitszimmer, als du beinahe hereingekommen wärst, aber ich schwöre, ich hatte keine Ahnung, dass er mit dem Messer auf dich losgehen wollte. Das habe ich erst gemerkt, als ich dich hinterher sah, als du dachtest, ich würde gerade den Flur entlangkommen. Und dann der nächste Morgen, als du mich gefunden hast, wie ich gerade ins Boot steigen wollte?»

Er schaute mich mit einem Blick an, in dem sowohl die Bitte um Verzeihung als auch Stolz lag.

«Ich wollte nicht einsteigen. Ich war gerade ausgestiegen.»

Jetzt, wo ich darüber nachdachte, lag es auf der Hand. Sowohl Henrys als auch Masons Haus lagen am See, und wenn man nicht gerade danach suchte, würde nachts ein Boot, das lautlos über das Wasser glitt, kaum auffallen.

«Ich wollte ihn zurückpfeifen», fuhr Henry fort. «Ich wollte ihm sagen, dass ich meine Meinung geändert hatte. Es hat mich Stunden gekostet, aber da er kein Telefon hat, gab es keine andere Möglichkeit. Doch es war Zeitverschwendung. Wenn Mason erst einmal auf etwas fixiert war, konnte ihn nichts mehr umstimmen. Wie bei den Leichen, die er einfach in die Marsch gelegt hat. Ich wollte ihn dazu bewegen, sie anständig zu verstecken, aber das interessierte ihn nicht. Er hat einen nur mit diesem leeren Blick angestarrt und dann gemacht, was er wollte.»

«Also hast du es zugelassen, dass er Jenny verschleppt hat … Und dann bist du hingegangen … und hast ihr zugeschaut …»

Er hob seine Hände und ließ sie hilflos wieder fallen. «Ich hatte nicht damit gerechnet, dass es so endet. Bitte, glaube mir, David, ich wollte dir nie wehtun.»

Er musterte mein Gesicht und suchte verzweifelt nach Anzeichen von Verständnis. Nach einem Moment sah ich, dass die Hoffnung aus seinen Augen wich. Er setzte ein schiefes Lächeln auf.

«Tja, das Leben verläuft nie so, wie man will, nicht wahr?»

Plötzlich schlug er seine Hand auf den Tisch.

«Gottverdammt, David, warum konntest du nicht dafür sorgen, dass Mason tot ist? Dann hätte ich vielleicht noch etwas riskiert, auch was das Mädchen betrifft. Aber jetzt habe ich doch keine Wahl mehr!»

Seine frustrierten Worte hallten durch den Flur. Er fuhr sich mit einer Hand übers Gesicht, saß dann reglos da und starrte in die Ferne. Nach einer Weile schien er sich aufzurappeln.

«Bringen wir es hinter uns», sagte er matt.

Als er sich aufrichtete, sammelte ich alle meine Kraft und stürzte mich aus dem Rollstuhl auf ihn.

KAPITEL 31

ES WAR EIN SCHWACHER Versuch. Meine Beine gaben sofort nach, und während ich auf den Boden des Flures sank, kippte hinter mir der Rollstuhl klappernd um. Durch die ruckartige Bewegung war mir sofort wieder schwindelig geworden. Und als ich die Augen zusammenkniff, war jeder Wille zur Auflehnung erloschen.

«Ach, David, David», sagte Henry traurig.

Und während ich so dalag und sich alles um mich drehte, erwartete ich hilflos den Stich der Nadel und die finale Finsternis, die darauf folgen würde. Aber nichts geschah. Ich öffnete die Augen und versuchte, ihn durch das Flimmern zu fokussieren.

Er starrte mit einem irgendwie besorgten Blick auf mich herab, die Spritze unsicher in der Hand. «Du machst alles nur schlimmer. Wenn ich dir das gebe, wird es dich umbringen. Bitte zwing mich nicht dazu.»

«Ich sterbe ja sowieso …», nuschelte ich.

Ich versuchte, mich hochzustemmen. Aber meine Arme waren kraftlos, und durch die plötzliche Anstrengung hämmerte mein Schädel. Ich sackte wieder auf den Boden, während sich ein Schleier vor meinen Blick legte. Verschwommen sah ich, dass Henry sich bückte und mich am Handgelenk packte. Da mir die Kraft fehlte, den Arm wegzuziehen, konnte ich nur zuschauen, wie er die Nadel an die weiche Haut meines Unterarms setzte. Ich versuchte, mich darauf einzustellen, entschlossen, der Droge zu widerstehen, obwohl ich wusste, dass es zwecklos wäre.

Doch Henry drückte den Kolben der Spritze nicht herunter. Langsam nahm er sie wieder weg.

«Ich kann nicht, nicht so», murmelte er.

Er steckte die Spritze zurück in seine Tasche. Der Nebel vor meinen Augen wurde dichter und verdunkelte den Flur. Ich spürte, dass ich wieder das Bewusstsein verlor. *Nein!* Ich kämpfte dagegen an, doch so sehr ich mich auch bemühte, es entglitt mir. Alles wurde schwarz, und ich hörte nur noch ein gewaltiges, monotones Pochen. Dunkel erkannte ich es als meinen Herzschlag.

In weiter Ferne spürte ich, dass ich angehoben wurde. Mir war, als würde ich mich bewegen. Ich öffnete die Augen, schloss sie aber sofort wieder, als ein vorbeirauschendes Kaleidoskop aus Farben und Formen einen neuen Schwindelanfall verursachte. Ich wehrte mich dagegen, denn ich wollte auf keinen Fall wieder ohnmächtig werden. Ich spürte ein Holpern, und dann strömte mir kalte Luft ins Gesicht. Als ich die Augen öffnete, sah ich einen indigoblauen Nachthimmel über mir. Die Sterne und Sternbilder erschienen kristallklar und hell und verschwanden immer wieder hinter den Wolkenbändern, die, angetrieben von unsichtbaren Winden, über das Firmament zogen.

Ich atmete tief durch und versuchte, einen klaren Kopf zu bekommen. Vor mir sah ich den Landrover. Der Rollstuhl holperte auf ihn zu, die Räder knirschten über die Kieselsteine der Auffahrt. Jetzt waren meine Sinne zu einer unheimlichen Klarheit geschärft. Ich hörte das Rascheln der Zweige im Wind und roch den lehmigen Duft feuchter Erde. Die Kratzer und Schlammspritzer auf dem Landrover schienen groß wie Kontinente zu sein.

Die Auffahrt lag an einem Hang, und ich konnte Henry keuchen hören, als er mich mühsam hinaufschob. Er beförderte mich um den Wagen herum und blieb vor dem Heck nach Luft schnappend stehen. Mir war klar, dass ich alles tun musste, um mich zu bewegen, doch dieses Wissen schien sich nicht auf meine Gliedmaßen übertragen zu lassen. Nachdem er sich erholt hatte, hangelte er sich um den Rollstuhl herum, bis er sich am Wagen abstützen konnte. Er bewegte sich unbeholfen und mit steifen Beinen. Dann schwenkte er die Hecktür des Landrovers auf und setzte sich mühsam auf die Kante. Er war schweißgebadet und vor Erschöpfung so blass, dass es sogar im Mondlicht zu sehen war.

Schwer atmend schaute er auf. Mit einem matten Lächeln sah er mich an.

«Bist du … bist du wieder unter uns?» Noch auf dem Rand des Landrovers sitzend, beugte er sich zu mir. Ich spürte seine Hände unter meinen Achseln. «Wir haben es gleich, David. Hoch mit dir.»

Durch die Jahre im Rollstuhl hatte er beträchtliche Kräfte im Oberkörper entwickelt, die er jetzt nutzte, um mich anzuheben. Ich wehrte mich schwach. Stöhnend packte er fester zu. Und als er mich aus dem Stuhl hievte, griff ich nach der Wagentür. Ich klammerte mich daran fest, sodass sie mit mir hin- und herpendelte.

«Komm schon, David, lass die Dummheiten», keuchte er und versuchte, mich wegzuziehen.

Ich hielt mich erbittert fest.

«Lass *los*, verdammt nochmal!»

Als er mich loszerrte, knallte mein Kopf so heftig gegen die Türkante, dass ich wieder kurz weg war, und dann wurde ich auf den Metallboden im Heck des Landrovers gelegt.

«O Gott, David, das habe ich nicht gewollt», sagte Henry.

Er holte ein Taschentuch hervor und tupfte mir die Stirn ab. Danach glitzerte das Stofftuch dunkel. Henry starrte es an, lehnte sich dann gegen den Türrahmen und bedeckte seine Augen. «Himmel, was für eine verdammte Sauerei.»

Mein Kopf dröhnte, doch es war ein klarer Schmerz und nach dem Drogennebel beinahe erfrischend. «Nicht … Henry, tu das nicht …»

«Glaubst du, es macht mir Spaß? Ich will die Sache jetzt einfach beenden. Das ist doch nicht zu viel verlangt, oder?» Er schwankte entkräftet. «Gott, bin ich müde. Ich wollte dich zum See fahren und die Sache dort zu Ende bringen. Mit dem Boot übersetzen und nach Mason sehen. Aber ich glaube einfach nicht, dass ich das jetzt noch schaffe.»

Er griff hinter mich in das dunkle Innere des Landrovers. Als er sich wieder aufrichtete, hielt er das Ende eines Gummischlauches in der Hand.

«Den habe ich im Garten geborgen, als du ohnmächtig warst. Ich glaube nicht, dass Mason ihn noch brauchen wird.» Sein Galgenhumor hielt nicht lange an. Er schien zusammenzusacken. «Es wird unschöner, wenn man dich hier findet, aber mir bleibt keine Wahl. Mit ein bisschen Glück wird man es für Selbstmord halten. Es ist nicht perfekt, aber es muss reichen.»

Als Henry die Hecktür des Landrovers zuknallte, wurde es dunkel. Ich hörte, wie er die Tür abschloss und dann um den Wagen herumging. Ich versuchte, mich aufzusetzen, doch mir wurde sofort wieder schwindelig. Um mein Gleichgewicht zu finden, streckte ich eine Hand aus und berührte dabei etwas Raues und Festes. Eine Decke. Dann sah ich, dass etwas darunter lag, und stellte mit blankem Entsetzen fest, was es war.

Jenny.

Sie lag zusammengekauert auf dem Boden hinter dem Beifahrersitz. In der Finsternis war nur ihr blonder Haarschopf zu sehen. Er war dunkel und verfilzt. Sie rührte sich nicht.

«Jenny! *Jenny!*»

Auch als ich die Decke von ihrem Kopf zog, reagierte sie nicht. Ihre Haut war eiskalt. *O Gott, bitte nicht.*

Plötzlich ging die Fahrertür auf. Stöhnend hievte Henry sich auf den Sitz.

«Henry … bitte, hilf mir.»

Meine Worte wurden von dem Anspringen des Motors übertönt. Mit einem dumpfen Tuckern begann er zu laufen. Henry kurbelte das Fenster der Fahrertür ein kleines Stück hinab und drehte sich dann zu mir um. In der Dunkelheit konnte ich sein Gesicht nur schwer erkennen.

«Es tut mir Leid, David. Ehrlich. Aber mir bleibt nun mal nichts anderes übrig.»

«Um Himmels willen …!»

«Mach's gut, David.»

Schwerfällig stieg er aus und schlug die Tür zu. Einen Augenblick später wurde etwas durch den Spalt im Fenster gesteckt.

Der Schlauch. Erst jetzt verstand ich, warum Henry den Motor angelassen hatte.

«Henry!», rief ich mit durch Angst erstarkter Stimme. Hinter der Windschutzscheibe sah ich kurz, wie er in Richtung Haus ging. Ich drehte mich um und versuchte die Hecktür zu öffnen, obwohl sie abgeschlossen war. Sie rührte sich nicht. Mir war, als könnte ich bereits die Abgase riechen. *Na los! Denk nach!* Ich begann mich nach vorne zu schleppen, wo der Schlauch durch das Fenster ragte. Vor mir erhob sich die unüberwindliche Barrikade des Fahrer- und

Beifahrersitzes. Als ich mich daran hochziehen wollte, legte sich wieder der Nebel vor meine Augen. Geschwächt sackte ich zurück. *Nein! Nicht ohnmächtig werden!* Ich drehte den Kopf, sah die immer noch reglose Gestalt Jennys und wehrte die aufsteigende Dunkelheit ab.

Ich versuchte es erneut. Zwischen den Sitzen war eine schmale Lücke. Mir gelang es, einen Arm hineinzuschieben und mich ein Stückchen hochzudrücken. Ich spürte, wie die Ohnmacht hinter meinen Augen lauerte und mich wieder zu verschlingen drohte. Mit schmerzhaft hämmerndem Herzen hielt ich inne, bis es vorüber war. Dann biss ich die Zähne zusammen und stemmte mich weiter hoch, während der Landrover unter mir zu ächzen und zu wackeln schien. *Komm schon!* Jetzt hatte ich mich teilweise durch die Lücke geschoben und lag mit der Brust auf der Ablage zwischen den Sitzen. Der Wagenschlüssel steckte im Zündschloss, aber er hätte genauso gut meilenweit entfernt sein können. Ich tastete nach der Fensterkurbel, obwohl ich wusste, dass auch sie zu weit weg war. Alles drehte sich, als ich dorthin schaute, wo die dunkle Öffnung des Schlauches obszön aufklaffte. Ich hatte keine Ahnung, ob ich sie erreichen konnte, ehe mich die giftigen Abgase bewusstlos machten. Und selbst wenn ich es schaffte, was dann? Henry würde ihn einfach zurückstecken, vorausgesetzt, er verlor nicht die Geduld und spritzte mir den Rest des Diamorphins.

Doch mir fiel nichts anderes ein. Ich hielt mich an der Handbremse fest und zog mich daran weiter in die Lücke zwischen den Sitzen, und während ich das tat, sah ich vor mir im Rahmen der Windschutzscheibe Henry. Er stützte sich, sichtlich erschöpft, auf den Rollstuhl, den er langsam zurück zum Haus schob.

Ich hielt immer noch die Handbremse umklammert.

Ohne nachzudenken, löste ich sie. Der Landrover ruckte leicht. Doch obwohl sich die Auffahrt zum Haus hin senkte, bewegte er sich nicht. Ich warf mein Gewicht nach vorn und versuchte, den Wagen in Schwung zu bringen, aber es war wirkungslos. Dann fiel mein Blick auf die Automatikschaltung. Während der Motor emsig seine Abgase in die Kabine pumpte, stand die Schaltung in der Parkposition.

Ich streckte mich nach vorn und schob den Hebel auf «Fahren».

Ruhig rollte der Landrover an. Ich war immer noch zwischen den Sitzen eingekeilt und konnte durch die Windschutzscheibe sehen, dass Henry den Wagen näher kommen hörte. Er schaute sich mit vor Überraschung offenem Mund um. Selbst als der Wagen auf dem Abhang schneller wurde, schien er noch reichlich Zeit zu haben, um auszuweichen. Doch vielleicht hatte er seine letzten Kraftreserven bereits aufgebraucht, vielleicht konnten seine so lange untätigen Beine auch einfach nicht schnell genug reagieren. Einen Augenblick lang trafen sich unsere Blicke, dann stieß der Landrover gegen ihn.

Es gab ein dumpfes Geräusch und Henry verschwand. Ich spürte einen widerlichen Stoß, dann noch einen. Hin- und hergeschüttelt tastete ich nach der Handbremse, als plötzlich das Haus vor der Windschutzscheibe bedrohlich näher kam, aber ich war zu langsam. Mit einem lauten Knall kam der Wagen ruckartig zum Stehen. Ich wurde nach vorn geschleudert und lag benommen auf einem der Sitze. Der Motor tuckerte weiter. Ich hob meine Hand und schaltete ihn aus. Dann zog ich den Zündschlüssel heraus und machte die Tür auf.

Kalte, frische Luft strömte herein. Als ich nach draußen taumelte, atmete ich sie gierig ein. Einen Moment legte ich mich schnaufend auf die spitzen Kieselsteine und sammelte Kraft. Dann drehte ich mich auf alle viere und zog mich am Landrover hoch. Und indem ich mich auf ähnliche Weise an ihm abstützte, wie Henry es getan hatte, stolperte ich um ihn herum zum Heck.

Henry lag ein paar Meter entfernt, eine dunkle, reglose Gestalt neben dem kaputten Rollstuhl. Aber ich hatte keine Zeit, mir Gedanken um ihn zu machen. Ich steckte den Schlüssel ins Schloss, öffnete die Tür und kletterte nach hinten zu Jenny.

Sie hatte sich nicht bewegt. Mit ungelenken Händen riss ich die Decke von ihr. *Bitte, bitte, sei am Leben.* Ihre Haut war blass und kalt, doch sie atmete noch. Schnelle, keuchende Atemzüge, in denen der typische Azetongeruch schon verräterisch süß war. *Gott sei Dank.* Ich wollte sie umarmen und ihr etwas von meiner Wärme geben, doch sie benötigte unbedingt wesentlich mehr als das.

Ich rutschte aus dem Wagen und richtete mich auf. Jetzt, wo das Adrenalin und meine Verzweiflung halfen, die nachlassende Wirkung der Droge zu bekämpfen, fiel es mir leichter. Die Haustür stand noch auf, ein Rechteck aus Licht fiel auf den Hof. Ich taumelte in den Flur. Das nächste Telefon stand auf der Anrichte. An die Wand gestützt wankte ich zum Telefontisch, an dem Henry vorhin gesessen hatte. Fast wäre ich über den Stuhl gefallen, konnte mich aber gerade noch halten. Da ich wusste, dass ich vielleicht nicht wieder hochkommen würde, wenn ich mich hinsetzte, blieb ich stehen, als ich nach dem Telefon griff. An Mackenzies Nummer konnte ich mich nicht erinnern und wählte mit steifen, störrischen Fingern den Notruf. Als sich eine Stimme meldete, überfiel mich ein plötzlicher Schwindelanfall. Ich schloss die Augen und begann zu sprechen. Ich bemühte mich, konzentriert die Einzelheiten weiterzugeben, denn mir war klar, dass Jennys Leben davon abhing, ob ich mich verständlich machen konnte. Ich achtete darauf, die Worte ‹Notfall› und ‹diabetisches Koma› zu artikulieren, aber dann hörte ich, wie ich zu faseln begann. Als die Stimme zu weiteren Fragen ansetzte, ließ ich den Hörer wieder auf die Gabel fallen. Eigentlich hatte ich Insulin aus dem Kühlschrank holen wollen, doch als ich mich dort an die Anrichte klammerte und darum kämpfte, nicht zusammenzuklappen, während mir immer wieder schwarz vor Augen wurde, wusste ich, dass ich es nicht schaffen würde. Und selbst wenn ich das Insulin hätte, in meinem Zustand durfte ich es nicht riskieren, ihr eine Spritze zu geben.

Schlingernd wie ein Betrunkener ging ich wieder nach draußen. Eine plötzliche Müdigkeit drohte mich zu überwältigen, als ich zum Landrover torkelte. Jenny lag mit furchtbar reglosem und weißem Gesicht auf der Seite, so wie ich sie zurückgelassen hatte. Selbst von dort, wo ich stand, konnte ich hören, dass ihre Atmung schlechter geworden war. Sie atmete keuchend und ungleichmäßig und viel, viel zu schnell.

«David.»

Henrys Stimme war nur ein Flüstern. Ich drehte mich zu ihm um. Er hatte sich nicht bewegt, doch jetzt war sein Kopf mir zugewandt. Seine Kleidung glitzerte dunkel und feucht. Auf dem hellen Kies hatte sich eine Blutlache gebildet. Im Zwielicht konnte ich sehen, dass seine Augen offen waren.

«Ich sagte ja, du bist … ein stilles Wasser …»

Ich drehte mich wieder zu Jenny um.

«Bitte …»

Ich wollte nicht zurückschauen. Ich hasste ihn. Ich hasste ihn nicht nur für das, was er getan hatte oder als was er sich entpuppt hatte, sondern auch für das, was er, wie ich jetzt wusste, nicht war. Dennoch zögerte ich. Selbst wenn ich heute zurückblicke, bin ich mir nicht sicher, was ich getan hätte. Doch in diesem Augenblick hörte Jenny auf zu atmen.

Die Atemgeräusche setzten einfach aus. Einen Moment lang starrte ich sie nur an, unfähig, mich zu rühren, als wartete ich auf den nächsten Atemzug. Aber es kam keiner. Ich krabbelte in das Heck des Wagens.

«Jenny? *Jenny!*»

Ihr Kopf fiel zurück, als ich sie umdrehte. Ihre Augen waren leicht geöffnet, weiße Halbmonde mit furchtbar schönen Wimpern. Fieberhaft fühlte ich den Puls. Nichts.

«Nein!»

Das durfte nicht passieren, jetzt nicht mehr! Die Panik lähmte mich. *Denk nach! Denk nach!* Mit Hilfe des Adrenalinschubes bekam ich einen klaren Kopf. Ich drehte sie auf den Rücken, schnappte dann die Decke, rollte sie zusammen und stopfte sie ihr unter den Hals. Während meiner Ausbildung hatte ich die Maßnahmen zur Reanimation gelernt – angewendet hatte ich sie jedoch noch nie. *Komm schon!* Meine Unbeholfenheit verfluchend neigte ich ihren Kopf nach hinten, hielt ihr die Nase zu und steckte meine ungelenken Finger in ihren Mund, um die Zunge zu packen und die Atemwege frei zu machen. In meinem Kopf drehte sich alles, als ich ihn auf ihre Lippen senkte und ihr meinen Atem in den Mund hauchte. Einmal, zweimal. Dann legte ich meine Hände auf ihr Brustbein und begann rhythmisch zu pressen und zu zählen.

Komm schon, komm schon, betete ich stumm. Ich hauchte erneut in ihren Mund und pumpte ihre Lungen. Wieder und wieder. Sie lag schlaff und reglos da. Mittlerweile weinte ich und konnte durch die Tränen kaum noch etwas sehen, als ich sie unaufhörlich zu reanimieren versuchte und ihr Herz zurück ins Leben zwingen wollte. Doch ihr Körper reagierte nicht.

Es war sinnlos.

Mein ganzes Wissen zusammenkramend, atmete ich einmal mehr in ihren Mund, zählte dann bis fünfzehn und presste schnell auf ihre Brust. Ich tat es noch einmal. Und noch einmal.

Sie ist schon weg.

Nein! Ich wollte es nicht wahrhaben. Blind vor Tränen machte ich weiter. Alles war auf diese gedankenlose Wiederholung reduziert. *Atmen, pressen, zählen. Atmen, pressen, zählen.*

Ich verlor jedes Zeitgefühl. Ich merkte nicht einmal, dass die Sirenen näher kamen oder das Licht der Scheinwerfer durch den Wagen flackerte. Außer Jennys reglosem und kaltem Körper und meinem verzweifelten Rhythmus existierte nichts. Selbst als ich Hände auf meiner Schulter spürte, wollte ich nicht aufhören.

«Nein! Haut ab!» Ich versuchte sie abzuwehren. Doch ich wurde zurückgezogen, aus dem Landrover hinaus und weg von Jenny. Die Auffahrt vor dem Haus war voll mit Fahrzeugen, Blaulichter schwenkten umher. Als mich die Sanitäter zu einem Krankenwagen führten, war ich am Ende meiner Kräfte. Auf dem Kies brach ich zusammen. Mackenzies Gesicht tauchte vor mir auf. Ich konnte seinen Mund Fragen stellen sehen, beachtete ihn aber nicht. Unzählige Menschen schwirrten hektisch um den Landrover herum.

Und dann hörte ich aus dem ganzen Durcheinander die Worte, bei denen fast mein eigenes Herz aufgehört hätte zu schlagen.

«Es hat keinen Sinn. Wir kommen zu spät.»

EPILOG

DAS GRAS UNTER den Füßen knirschte wie Glassplitter. Der Raureif hatte der Landschaft alle Farbe genommen und sie in eine monochrome Wildnis verwandelt. Eine einsame Krähe kreiste bewegungslos am weißen Himmel durch die kalte Luft. Dann schlug sie ein-, zweimal mit den Flügeln und verschwand zwischen dem skelettähnlichen Geäst eines Baumes; eine schwarze Silhouette im Gewirr der kahlen Zweige.

Obwohl ich bereits Handschuhe trug, steckte ich die Hände tief in die Taschen und stampfte dann mit den Füßen, als die Kälte durch die Sohlen meiner Schuhe kroch. In der Ferne, gerade noch als winziger Farbfleck zu erkennen, fuhr ein Wagen über die schmalen Haarnadelkurven der Straße davon. Ich schaute ihm hinterher und beneidete den Fahrer um seine Reise in die Wärme des Lebens und der Zivilisation.

Mit einer Hand rieb ich die weiße Linie auf meiner Stirn. Bei der Kälte begann sie wehzutun. Ihre Empfindlichkeit war eine anhaltende Erinnerung an die Nacht, als ich gegen die Türkante des Landrovers geknallt war. In den Monaten danach war die Wunde verheilt und hatte eine schmale Narbe zurückgelassen. Es waren die weniger sichtbaren Narben, die sich heftiger bemerkbar machten. Doch ich wusste, dass auch diese irgendwann verschorfen und heilen würden.

Es war nur eine Frage der Zeit.

Noch jetzt war es schwer, mit einer gewissen Objektivität auf die Ereignisse in Manham zurückzublicken. Die Erinnerungen an diese Gewitternacht, an den Gang in den Keller, an die Fahrt mit Jenny durch den Regen und an alles, was darauf folgte, flackerten mittlerweile nicht mehr so häufig auf. Aber wenn sie es taten, brachten sie mich immer noch vollkommen durcheinander.

Mason war noch am Leben gewesen, als die Polizei ihn gefunden hatte. Er überlebte drei weitere Tage und erlangte gerade lange genug sein Bewusstsein wieder, um die Polizistin anzulächeln, die vor seinem Krankenhausbett Wache stand. Eine Weile hatte ich befürchtet, dass es eine Anklage geben könnte, so wie das englische Justizsystem nun einmal war. Doch der Tatbestand der Notwehr hatte gemeinsam mit den düsteren Fakten des Kellers ausgereicht, um die Grauzonen der Legalität beiseite zu fegen.

Falls weitere Beweise nötig gewesen wären, hätte sie das Tagebuch geliefert, das die Polizei in einer verschlossenen Schublade von Henrys Schreibtisch gefunden hatte. Es enthielt einen detaillierten Bericht seiner Behandlung von Manhams Gärtner, eine inoffizielle Fallstudie, die einem postumen Geständnis gleichkam. Seine Faszination für seine Versuchsperson trat darin mehr als deutlich zutage, von Masons frühem Sadismus – als Jugendlicher war er für die verstümmelten Katzen verantwortlich gewesen, von denen mir Mackenzie erzählt hatte – bis zu ihrer letzten, perversen Partnerschaft.

Ich selbst hatte es bewusst nicht gelesen, aber ich hatte mit einem der Polizeipsychologen gesprochen, der es getan hatte. Er konnte seine Aufregung darüber nicht verhehlen. Schließlich handelte es sich um einen einzigartigen Blick in nicht nur eine, sondern zwei gestörte Psychen. Er sagte mir, es wäre das Zeug, mit dem man sich einen professionellen Ruf erwerben könnte.

Da er selbst ein frustrierter Psychologe war, hätte Henry diese Ironie bestimmt zu schätzen gewusst.

Meine Gefühle für meinen Partner waren noch ungeklärt. Ich spürte Wut, keine Frage, aber auch Traurigkeit. Nicht so sehr seines Todes wegen, sondern weil er sein Leben vergeudet hatte und schuld daran war, dass auch andere Leben ausgelöscht worden waren. Es war immer noch schwierig, den Mann, den ich als Freund betrachtet hatte, mit dem verbitterten Geschöpf in Einklang zu bringen, als das er sich am Ende zu erkennen gegeben hatte. Oder sagen zu können, welcher von beiden der echte Henry war.

Trotz der Tatsache, dass mein Freund versucht hatte, mich umzubringen, fragte ich mich manchmal, ob die Wahrheit nicht komplizierter war. Die Obduktion hatte ergeben, dass er nicht an seinen Verletzungen gestorben war, obschon sie sich am Ende wahrscheinlich als tödlich erwiesen hätten. Er war an einer massiven Überdosis Diamorphin gestorben. Die Spritze, die in seiner Tasche gewesen war, war leer gewesen, und die Nadel hatte in seinem Fleisch gesteckt. Es könnte versehentlich passiert sein, als der Landrover ihn überfuhr. Er könnte sich die Droge aber auch danach, als er mit schrecklichen Schmerzen dagelegen hatte, absichtlich selbst injiziert haben.

Unerklärlich blieb auch, warum er die Spritze nicht vorher benutzt hatte, um mich endgültig ruhig zu stellen, oder warum er mir nicht gleich eine tödliche Dosis verabreicht hatte. Das wäre eine wesentlich leichtere Methode gewesen, meinen Selbstmord zu inszenieren, und mit Sicherheit eine wesentlich wirkungsvollere.

Durch die Ermittlung kam etwas heraus, was in mir die

Frage aufkeimen ließ, wie entschlossen er wirklich gewesen war. Als die Polizei den Landrover untersuchte, steckte ein Ende des Schlauches noch immer im Fensterspalt. Doch das andere war nicht mit dem Auspuffrohr verbunden, sondern lag lose auf dem Boden.

Vielleicht war der Schlauch abgerissen, als der Wagen sich in Bewegung gesetzt hatte. Vielleicht war er an Henry selbst hängen geblieben und abgerutscht, als der Wagen ihn überfahren hatte. Aber mich ließ die Frage nicht los, ob er überhaupt jemals auf das Auspuffrohr gesteckt worden war.

Es wäre gewagt, zu behaupten, Henry hätte es genau so geplant, wie es passiert ist. Ich wollte jedoch gerne denken, dass er vielleicht nicht so eindeutig festgelegt gewesen war. Wenn er mich wirklich hätte umbringen wollen, hätte er reichlich Gelegenheit dazu gehabt. Und immer wieder fiel mir ein, dass er keinerlei Anstalten unternommen hatte, dem Landrover auszuweichen. Vielleicht war er zu erschöpft, und seine geschwächten Beine hatten nicht rechtzeitig reagieren können. Oder vielleicht hatte er, als er den Wagen auf sich zurollen sah, einfach eine Entscheidung getroffen. Wie er selbst zugegeben hatte, fehlte ihm der Mut, sich das Leben zu nehmen. Vielleicht hat er am Ende lediglich den einfachsten Weg gewählt und es mich für ihn tun lassen.

Doch damit interpretiere ich wohl zu viel in die Sache hinein und entscheide im Zweifel zu seinen Gunsten, was er nicht verdient hat. Anders als Henry beanspruche ich für mich nicht, Einsichten in die menschliche Psyche zu haben. Die Psychologie bleibt ein wesentlich schwammigeres Gebiet als meines, und egal, wie sehr ich glauben möchte, dass noch ein Fünkchen Gutes in ihm gesteckt hat, diese Frage wird sich nie mit Gewissheit klären lassen.

Und so verhält es sich auch mit vielen anderen Fragen.

Einige Leute haben mich besucht, nachdem ich aus dem Krankenhaus entlassen worden war. Manche kamen aus reinem Pflichtgefühl, manche aus Neugier und wenige aus aufrichtiger Sorge. Ben Anders war als einer der Ersten vorbeigekommen, mit einem guten, alten Malt Whisky unterm Arm.

«Normalerweise bringt man zwar Weintrauben mit, aber ich dachte, ein anständiger Tropfen würde dir wesentlich besser tun», hatte er gesagt und die Flasche geöffnet.

Er hatte uns beiden ein Glas eingeschenkt, und als ich meines als Antwort auf sein stummes Zuprosten gehoben hatte, hätte ich ihn fast gefragt, ob die ältere Frau, mit der er vor all den Jahren eine Affäre gehabt hatte, zufällig die Frau eines Arztes gewesen war. Aber ich tat es nicht. Es ging mich nichts an. Und im Grunde wollte ich es auch gar nicht wissen.

Überraschender war, dass Pfarrer Scarsdale vorbeischaute. Es war ein verlegener Besuch. Die alten Differenzen waren nicht verschwunden, und keiner von uns hatte dem anderen viel zu sagen. Aber ich war trotzdem gerührt gewesen, dass er sich die Mühe gemacht hatte. Als er aufgestanden war, um zu gehen, hatte er mich ernst angesehen. Ich dachte, er wollte etwas sagen und ein Gefühl zum Ausdruck bringen, das die scheinbar immer noch zwischen uns existierende Feindseligkeit überbrücken würde. Doch am Ende hatte er nur genickt, mir alles Gute gewünscht und war seiner Wege gegangen.

Meine einzige regelmäßige Besucherin war Janice. Nachdem sie sich nicht mehr um Henry kümmern konnte, hatte sie ihre Fürsorge tränenreich auf mich übertragen. Wenn ich jede Mahlzeit gegessen hätte, die sie mir brachte, hätte ich in den ersten zwei Wochen fünf Kilo zugenommen. Aber ich hatte keinen Appetit. Ich hatte ihr jedes Mal gedankt, in dem deftigen englischen Essen herumgestochert und es später, wenn sie gegangen war, weggeworfen.

Erst nach einiger Zeit brachte ich den Mut auf, sie nach Diana Maitlands Affären zu fragen. Sie hatte nie einen Hehl daraus gemacht, dass sie Henrys verstorbene Frau nicht mochte, und das hatte sich auch jetzt nicht geändert, wo er tot war. Dianas Untreue war ein offenes Geheimnis gewesen, Janice reagierte jedoch empört, als ich sie fragte, ob seine Frau ihren Ehemann dadurch zum Gespött gemacht hatte, wie er geglaubt hatte.

«Jeder wusste es, aber niemand sprach darüber», entgegnete sie. «Henry zuliebe, nicht ihr zuliebe. Dafür war er viel zu respektiert.»

Wenn es nicht so tragisch gewesen wäre, hätte es komisch sein können.

Ich arbeitete nicht wieder in der Praxis. Auch nachdem die Polizei aus Bank House abgezogen war, wäre eine Rückkehr zu schmerzlich gewesen. Ich sorgte dafür, dass eine Vertretung die Praxis so lange führte, bis entweder ein dauerhafter Ersatz gefunden wäre oder die Leute sich bei anderen Ärzten in der Gegend angemeldet hatten. Ich wusste jedenfalls, dass meine Tage als Manhams Arzt vorüber waren. Außerdem waren meine früheren Patienten spürbar zurückhaltend gewesen. In vielen Köpfen war ich immer noch ein Zugezogener, der für eine bestimmte Zeit ein Verdächtiger gewesen war. Sogar danach wurde ich durch meine Verwicklung in die Ereignisse immer noch mit einem gewissen Misstrauen betrachtet. Henry hatte Recht gehabt, erkannte ich. Ich gehörte nicht hierher.

Ich würde immer ein Fremder bleiben.

Eines Morgens wachte ich auf und wusste, dass es an der Zeit war weiterzuziehen. Ich bot mein Haus zum Verkauf an und begann, meine Angelegenheiten zu klären. Einen Tag bevor der Umzugswagen kommen sollte, um meine Sachen abzuholen, klopfte es abends an der Tür. Als ich öffnete, sah ich überrascht Mackenzie auf der Schwelle stehen.

«Kann ich hereinkommen?»

Ich trat beiseite, führte ihn in die Küche und suchte in den Kartons nach zwei Bechern. Als das Wasser im Kessel kochte, erkundigte er sich nach meinem Befinden.

«In Ordnung, danke.»

«Keine Nachwirkungen durch die Droge?»

«Anscheinend nicht.»

«Schlafen Sie gut?»

Ich lächelte. «Manchmal.»

Ich goss Tee ein und reichte ihm einen Becher. Er blies hinein und wich meinem Blick aus.

«Hören Sie, ich weiß, dass Sie von Anfang an nicht in diese Sache verwickelt werden wollten.» Er zuckte mit den Achseln und sah verlegen aus. «Ich habe ein schlechtes Gewissen, weil ich Sie da mit hineingezogen habe.»

«Das müssen Sie nicht. Ich war sowieso in alles verwickelt. Es war mir damals nur nicht klar.»

«Trotzdem, wenn man bedenkt, wie es ausgegangen ist … tja. Sie wissen schon.»

«Das war nicht Ihre Schuld.»

Er nickte, war sich im tiefsten Inneren jedoch unsicher, ob er nicht mehr hätte tun können. Aber da war er nicht der Einzige.

«Und was haben Sie jetzt vor?», fragte er.

Ich zuckte mit den Achseln. «Ich werde mir eine Wohnung in London suchen. Ansonsten ist noch alles offen.»

«Glauben Sie, Sie werden weiter als forensischer Anthropologe arbeiten?»

Ich hätte beinahe gelacht. Beinahe. «Das bezweifle ich.»

Mackenzie kratzte sich am Hals. «Kann ich Ihnen nicht verdenken.» Er sah mich eindringlich an. «Ich weiß, dass Sie das wahrscheinlich gerade von mir nicht hören wollen, aber treffen Sie noch keine endgültige Entscheidung. Ihre Kenntnisse werden gebraucht.»

Ich schaute weg. «Dann wird man jemand anderes finden müssen.»

«Denken Sie einfach darüber nach», sagte er und stand auf. Wir gaben uns die Hand. Als er sich zum Gehen umwandte, deutete ich auf den Leberfleck an seinem Hals, wo er sich gekratzt hatte.

«Ich würde den wirklich mal untersuchen lassen, wenn ich Sie wäre.»

Am nächsten Tag verließ ich Manham für immer.

Aber nicht, bevor ich eine andere Art von Abschied genommen hatte. Als ich in der Nacht vor der Abreise den Traum hatte, wusste ich, dass es zum letzten Mal sein würde. Das Haus war so vertraut und friedlich, wie es immer gewesen war. Doch dieses Mal gab es einen fundamentalen Unterschied.

Kara und Alice waren verschwunden.

Ich wanderte durch die unbewohnten Zimmer und wusste, dass dies mein letzter Besuch dort war. Und dieses Wissen war das Entscheidende. Linda Yates hatte mir gesagt, dass man nie ohne Grund träumt, obwohl das Wort ‹Traum› nicht annähernd beschreibt, was ich im Schlaf erlebt hatte. Aber welchen Grund es für meine nächtlichen Erlebnisse auch gegeben hatte, er hatte keinen Bestand mehr. Als ich aufwachte, waren meine Wangen feucht, aber das war in Ordnung.

Völlig in Ordnung.

Das Klingeln meines Handys versetzte mich wieder in die Gegenwart. Während ich meinen Atem vor mir in der kalten Luft sehen konnte, zog ich es aus der Tasche. Als ich sah, wer da anrief, lächelte ich.

«Hallo», sagte ich. «Wie geht's dir?»

«Gut. Störe ich?»

Ich spürte, wie sich beim Klang von Jennys Stimme die vertraute Wärme in mir ausbreitete. «Nein, natürlich nicht.»

«Ich habe deine Nachricht bekommen, dass du gut angekommen bist. Wie war die Reise?»

«Okay. Warm. Problematisch wurde es erst, als ich aus dem Wagen gestiegen bin.»

Ich hörte ihr Lachen. «Und wie lange bleibst du?», fragte sie.

«Weiß ich noch nicht. Aber nicht länger, als ich muss.»

«Gut. Die Wohnung kommt mir schon ganz leer vor.»

Ich grinste. Es gab immer noch Momente, wo ich nicht glauben konnte, dass uns eine zweite Chance geschenkt worden war. Aber vor allem war ich einfach dankbar dafür.

Jenny wäre beinahe gestorben. Es war äußerst knapp gewesen, obwohl die Worte, die mich so entsetzt hatten, Henry gegolten hatten und nicht ihr. Doch nur wenige Minuten später wäre es auch für Jenny zu spät gewesen. Es war reiner Zufall, dass in dem Chaos nach der gescheiterten Erstürmung der Windmühle niemand die Krankenwagen und Sanitäter abgezogen hatte. Als ich von Henrys Haus aus angerufen hatte, hatten sie sich gerade erst auf den Weg zurück in die Stadt gemacht und waren schnell zurückbeordert worden. Andernfalls wäre das stockende Leben, das ich unwissentlich in Jennys Herz zurückgepumpt hatte, wieder erloschen, bevor die Hilfe eintraf. Und tatsächlich hatte ihr Herzschlag wieder ausgesetzt, kaum dass sie im Krankenhaus angekommen war, und eine Stunde später erneut. Aber jedes Mal hatte man sie wiederbeleben können. Nach drei Tagen hatte sie das Bewusstsein zurückerlangt. Und nach einer Woche hatte sie die Intensivstation verlassen können.

Die befürchteten Hirn- und Organschäden oder Blindheit, Folgen, die meines Wissens nach möglich waren und die ihre Ärzte für wahrscheinlich hielten, hatten sich nicht verwirklicht. Doch während ihr Körper allmählich heilte, hatte ich eine Weile Angst gehabt, dass tiefere, weniger körperliche Traumata zurückbleiben könnten. Mit der Zeit wurde mir aber klar, dass diese Sorge unnötig war. Jenny hatte sich nach Manham zurückgezogen, weil sie Angst gehabt hatte. Nun war die Angst verschwunden. Sie hatte ihrem Albtraum von Angesicht zu Angesicht gegenübergestanden und ihn überlebt. Und auf eine andere Weise hatte auch ich überlebt.

Beide waren wir auf unsere Weise ins Leben zurückgeholt worden.

Während ich mein Handy wegsteckte, flatterte die Krähe aus dem Baum. In der kristallenen Kälte konnte man laut das Schlagen ihrer Flügel hören. Ich schaute zu, wie sie über das zugefrorene schottische Hochmoor flog. Doch so öde und trostlos es auch war, schon jetzt begannen grüne Triebe aus dem gefrorenen Boden zu schießen, die ersten Vorboten des kommenden Frühlings.

Als eine junge Polizistin mit knirschenden Schritten über den gefrorenen Boden auf mich zukam, wandte ich mich um. Das Gesicht über ihrem dunklen Mantel war weiß und geschockt.

«Dr. Hunter? Tut mir Leid, dass Sie warten mussten. Es ist dort drüben.»

Ich folgte ihr zu einer Gruppe wartender Beamter und gab ihnen die Hand, als wir uns vorgestellt wurden. Sie traten beiseite, damit ich mich dem Grund dieser Versammlung nähern konnte.

Die Leiche lag in einer Senke. Ich spürte, wie die vertraute Distanz von mir Besitz ergriff, als ich ihre Position, die Beschaffenheit der Haut und die zerzausten Haarbüschel betrachtete.

Dann kniete ich mich nieder und machte mich an die Arbeit.

DANKSAGUNG

Die Idee zu «Die Chemie des Todes» entstand anlässlich eines Artikels, den ich 2002 für das Daily Telegraph Magazine geschrieben habe. Es ging um die National Forensic Academy in Tennessee, in der eine intensive und außergewöhnlich realistische Ausbildung für US-Polizisten und -Kriminalbeamte angeboten wird. Ein Teil der Ausbildung findet unter freiem Himmel auf einem Gelände statt, das im Jargon gerne *The Body Farm* genannt wird. Gegründet wurde sie von dem forensischen Anthropologen Dr. Bill Bass. Es ist weltweit die einzige Einrichtung dieser Art, in der Verwesungsprozesse und Methoden, den Todeszeitpunkt zu bestimmen – beides ist wesentlich für jede Mordermittlung –, an echten menschlichen Leichen erforscht werden.

Mein Besuch dort war eine gleichermaßen ernüchternde wie faszinierende Erfahrung, ohne die Dr. David Hunter vielleicht nie entstanden wäre. Deshalb möchte ich der National Forensic Academy und der Antropological Research Facility der Universität Tennessee für die Unterstützung danken, die es mir ermöglichte, den ursprünglichen Artikel zu schreiben.

Viele Menschen haben mir in unschätzbarer Weise bei diesem Roman geholfen. Dr. Arpad Vass vom Oak Ridge National Laboratory beantwortete unendliche Fragen zu komplizierten Details der forensischen Anthropologie und schaffte es trotz seines überfüllten Terminplans, mein Manuskript zu lesen. In Großbritannien war Professor Sue Black von der Universität Dundee ähnlich hilfreich und fand immer Zeit, meine Anrufe zu beantworten. Die Pressestelle der Polizei in Norfolk und die Broads Authority und der Norfolk Wildlife Trust Hickling Broads verdienen ebensolchen Dank dafür, dass sie meine vermutlich recht verdächtig wirkenden Fragen immer wieder geduldig beantworteten. Es ist überflüssig zu sagen, dass Ungenauigkeiten oder sogar Fehler mein und nicht ihr Verschulden sind.

Dank gebührt auch meiner Frau Hilary, Ben Steiner und SCF für ihr Engagement und ihre Kommentare, meinen Agenten Mic Cheetham und Simon Kavanagh, nicht nur für ihre Arbeit, sondern auch dafür, dass sie den Glauben nie verloren haben, Paul Marsh, Camilla Ferrier und der ganzen Marsh Agency für ihre großartige Leistung und meinem Lektor Simon Taylor und dem Transworld-Team für ihre Begeisterung.

Und schließlich möchte ich meinen Eltern, Sheila und Frank für ihre nie versiegende Unterstützung danken. Ich hoffe, es war die Sache wert.

Simon Beckett

Das für dieses Buch verwendete FSC®-zertifizierte Papier
Lux Cream liefert Stora Enso, Finnland.